郭文斌精选集

对 话

郭文斌 著

山东教育出版社

·济南·

图书在版编目（ＣＩＰ）数据

对话 / 郭文斌著 . － 济南：山东教育出版社，2021.10
（郭文斌精选集）
ISBN 978-7-5701-1764-2

Ⅰ.①对… Ⅱ.①郭… Ⅲ.①散文集－中国－当代
Ⅳ.① I267

中国版本图书馆 CIP 数据核字 (2021) 第 127084 号

对　　话　郭文斌 著
DUIHUA

策　　划：张　虎
责任编辑：张　弘
责任校对：舒　心
美术编辑：徐国栋
装帧设计：王承利　王耕雨

主管单位：山东出版传媒股份有限公司
出 版 人：刘东杰
出版发行：山东教育出版社
地　　址：济南市市中区二环南路 2066 号 4 区 1 号
邮　　编：250003
电　　话：(0531)82092660
网　　址：www.sjs.com.cn
印　　刷：山东临沂新华印刷物流集团有限责任公司
开　　本：880 mm × 1240 mm　1/32
印　　张：16.25
字　　数：312 千
版　　次：2021 年 10 月第 1 版
印　　次：2021 年 10 月第 1 次印刷
印　　数：1-2000
定　　价：129.00 元

（如印装质量有问题，请与印刷厂联系调换，电话:0539-2925659）

郭文斌

著有畅销书《寻找安详》《农历》等十余部，有精装七卷本《郭文斌精选集》行世。长篇小说《农历》获第八届"茅盾文学奖"提名，在最后一轮投票中名列第七。短篇小说《吉祥如意》先后获"人民文学奖""小说选刊奖""鲁迅文学奖"。作品签约二十多个国家。

央视540集纪录片《记住乡愁》文字统筹、撰稿、策划，观众达170亿人次，被中宣部领导誉为弘扬社会主义核心价值观最接地气的精品力作；由海口电视台录制的52集人文节目《郭文斌解读〈弟子规〉》被中国教育电视台等多家媒体播出，被"学习强国"学习平台推送。提出安详生活观、安全阅读观、底线出版观、祝福性文学观；受邀到北京师范大学、北京大学、清华大学、复旦大学等高校及多省市演讲，受到欢迎。

十多年来，奔走于全国各地，推动中华优秀传统文化的创造性转化和创新性发展，同步捐赠逾三百万码洋图书。

现任宁夏作家协会主席、中国作家协会全委会委员；全国宣传文化系统"四个一批"人才，享受国务院政府特殊津贴；被宁夏回族自治区党委、政府授予"塞上英才"称号，被评为"60年感动宁夏人物"。

目 录

2

寻找我们本有的光明

采访手记

他用一种积极的、时而安静时而张扬的方式，用一种舍我其谁的姿态，投身于对"安详"的执着之中。如果说《农历》是一种唯美静雅的对于传统文化的怀恋，《寻找安详》则是他对于"安详"热烈奔放的示爱。

对于是否接受采访，郭文斌先生犹豫了许久。他总觉得在自任主编的刊物上发表有关自己的访谈，有点儿徇私的味道。另外就是，他不想对《农历》在结束不久的"茅盾文学奖"获得第七的成绩说什么。他现在很多的注意力都在"安详"上。关于"安详"，他有很多话说，有很多课要讲，还有很多路要跑。他想把自己曾经体验到的"安详"对于人的身心的大益宣讲出来"普度众生"，虽然由此而来的忙碌占用了他许多本可"安详"的时间。

所以，在那间闹中取静的咖啡馆里的采访很像是一堂课，一堂关于"安详"的公开课。对于我所有的问题，他都能不假思索地娓娓道来，对于所有可能涉及私人体验的问题，他都有"官网"式的现成结论。显然，关于"安详"的一切，他已经思考得比较成熟了。让我觉得十分有趣的是，即使是相熟的人，面对录音机的时候，会与平时那么不同。"安详"主题采访结束后，我又重读《寻找安详》《农历》等，略略明白了他的思想激情的来由。

多年以前，郭文斌曾经陷入一种人生的低谷。不仅身患怪病，而且因此耽误了事业，写作上也没有转机和突破。幸运的是，他得到了一位"高人"的指点，内容很简单，就是每天至少用两小时的时间，重读一些经典。他依言行事，没想到不但心境大为改观，亦重获健康，事业也蒸蒸日上。这次指点的关键词就是"安详"。

"安详"本是汉语里表达一种安宁祥和的心境的词汇，但经由郭文斌的理解和阐发，"安详"的内涵大为丰富，更多的是指人生的一种状态、一种境界，是在体悟了人生的很多况味后，最终达到的一种充满活力的平静。在这种状态下生活，人能够摈弃很多不必要的物质追求，在最简单质朴的生活中，得到平实的人生快乐和内心的喜悦宁静，能够在"不逾矩"的前提下"从心所欲"。具体说来，就是要在每个当下的时刻，都专注于眼前的生活，努力做好自己的事，经常反省、满足并感恩生活。

这当然是一种很美好的人生状态，尤其是在人心浮躁的今天，每个人都极易为物欲所推动，终日狂奔在名利的跑道上，很容易就迷失了"心"的方向。郭文斌认为，追求并保持"安详"可以让人们获得更大的内在力量和快乐，而重读《论语》《道德经》等经典，重拾中国的传统价值观，是通向安详的一条捷径。他比喻说："安详是一剂药，安详是一杯茶，安详是一条回家的路。"为了让"安详"更加深入人心，他要做的事很多，已经得到的反馈给了他很大的安慰。他举出一些例子，证明"安详"对一些听众的帮助，这些例子也成了他不断奔波演讲的动力所在。为此，他多多少少地放下了自己的一些文学创作。

恰在此时，《农历》在"茅盾文学奖"评比中获得不错的成绩，似乎在提醒着什么。

我一直觉得郭文斌的小说很特别。遍阅当今的小说，很容易有千人一面的感觉。无论是表达方式，还是感觉意象，都极其相似。相似的悲叹，相似的怀旧，相似的欲望，相似的理想，以及最终相似的解脱。而他，则有明显的不同。

这种不同，并不在于他那种能让人在不知不觉间静下来的文字氛围，也不在于他对传统价值观念的坚持和宣讲，甚至也无关乎他创造出的一个"农历"世界，这些都不是。他的不同在于，他并没有被大家所理解的那个文学所左右，而是把自己对于世界的看法，用比较相衬的方式表达出来。他的兴奋点并不是文学，也不是文字，而是他独自持有的某种理想化的世界图景，和他所理解的人生最值得推崇的状态：安详。如他所说："写作的过程就是一种情怀、一种理念、一种价值取向诞生的过程。"但这并不能掩盖《农历》作为一部文学作品的独特价值。

我们很少看到如此大胆甚至有些冒险的文学实验。一是题材上的冒险。中国的农历，随着时代的发展，已经渐渐地成了传统文化的一部分。虽然我们仍然在过着春节，吃着粽子和月饼，但是，这些节日真正的内涵已经淡出我们的视野，远离了我们的日常生活。那些充满虔敬意味的仪式和细节，也早已遁出我们的记忆。把几乎不为人重视的农历中的节日用小说的形式一一呈现出来，把那些模糊的意义明确地艺术地表现出来，并不是一件简单的事。二是文体上的冒险。作者在最初几篇的写作中，鬼使神差地采用了两个儿童作为故事中的主要人物，无意中给自己提出了创作上的挑战。这是一种看似讨巧其实费力的设计，不可能有跌宕起伏的情节，不可能有百转千回的心理描写，又必须关照到可读性。他曾说，正是因为用两个孩子做主角，这本书，虽然只有十五个节日，却整整写了十二年。期间，没有灵感，就绝提不起笔来。

然而，《农历》并未最终疑似童话故事。作者把场景设置得尽可能单纯直接，人物的设置也几乎只有最必不可少的几个。他为自己的主题创造了一个最理想的社会形态，但我们并不觉得它单薄，相反，它以其朴实而不拙笨，唯美而不空洞的语言，一方面展示了中国语言丰富的内涵和可塑性，同时，也呈现出作者对于所写主题的控制能力。人物的对话暗含玄机，充满智慧，父母双亲的形象宽容温暖又不失原则，孩子们顽皮聪慧又不乏狡黠。由于它有一个核心，即儿童在认识世界的过程中所表现出的各种疑惑，同时也是每个人终生要面对的一些困惑，从而使《农历》虽然清澈、纯粹，但蕴藏着内在的活力，暗含着一个思想者才有的内心高度。

表面看来，《农历》在结构上的精致与独具匠心，在语言上的自如和回归，与作者在"安详"之说上的强势和执着，形成了鲜明的反差。若深加探究，就会发现两者其实有着内在的一致，那是作者用不同的形貌表达了他对传统的向往和敬意。一种是把它的诗意与美感呈现出来，一种是把它的内涵和意义直白地表述出来。

我一直觉得，好的作家应该隐藏自己的观念，不要替读者作判断。文学的主要特点是呈现，灌输和传达观念则是理论家的事。然而，文学又是不拘形式的，每个作者都能从不同的路径登上不同的顶峰，即使受观念影响的写作，也有极为成功的先例。但法国著名哲学家萨特的例子却引人深思，他毕生写作，同时毕生致力于传达他对自由的理解和追求，他的不少剧作就是为表达他的某一个观点的。事实证明，那些作品在轰动一时之后就渐渐被遗忘了，反倒是他的自传《词语》因为其对童年的独特理解而为他赢得了"诺贝尔文学奖"。所有那些思考最终完善了他的文学感知，观念虽然约束了他但也深刻了他。

也许，凭着对"安详"的执着，《农历》的作者终能更从容地行走在他自己的文学之路上。

郭红访谈

传统节日是人类的童年记忆

郭　红：这届"茅盾文学奖"，你的《农历》最后排名第七，大家都认为在竞争如此激烈的情况下得到这个成绩真是挺不容易的。

郭文斌：是，都说是这次评选中的黑马。对这本书，从内心来讲，我还是有些自信的，因为出版以后有许多出乎意外的事给了我信心。一天，我接到一位读者的电话，让我联系一下出版社，批发给她两千册书，她要捐给一些愿意接受捐助的学校，让孩子们去读。说来惭愧，当时我的心里闪过一个念头，这个人要么是百万富翁，要么是一时冲动。如果是一时冲动，几万元花掉，她的家人找我的麻烦该怎么办？所以就没有急着联系出版社，心想等两天再说。不想过了几天，她又打来电话，问联系得怎么样了。我仍然没有急着给她责任编辑的电话，而是找了个理由，到他们家去探究虚实。结果让我大吃一惊，也羞愧不已。房子面积不到六十平方米，很旧的楼，却收拾得很温馨。儿子刚刚大学毕业，居然特别支持家人做这件事，而且买了包书纸，说要把这两千册书包好皮，在扉页上盖上"像五月、六月那样成长"的图章，然后送给孩子们。

我真是非常感动，也非常惭愧。虽然这些年也做一些公益，但和他们比起来，真是太差劲了。同时，作为一个作者，觉得自己的书能够被一位读者用她微薄的工资收入购捐，真是非常安慰。于是就把责任编辑的手机号给了她。书到了后，她让我参谋一下如何才能让这些书发挥最大的效益。我问她想以什么形式流通，她告诉我两个原则：一不能让单位和记者知道这件事；二不搞捐赠仪式。我又一次受到震撼。

郭　红：这的确让人感动，相信还会有更多的人产生共鸣的。但是我想，大家对于小说基本的特质还是有一个潜在的理解。对《农历》而言，这种特质比较弱。你觉得是它的哪些方面打动了读者？有什么样的特点呢？

郭文斌：就本书而言，评委们能把它送到这一程我已经非常感激了。从小说本身来说，它确实不具备"茅盾文学奖"习惯上所看重的元素，但是评委们却让它进到前十，最后得票第七，我内心深处确实无尽感恩。至于你的问题，如果一定要回答的话，大概是它正好应对了现代人的缺失吧。不是说缺什么补什么嘛，我觉得《农历》可能正好补到了人们最缺的那一块。不知你注意了没有，《农历》在评选过程中的得票变化非常有意思，从178部进80部是第19名，到80部进40部是第11名，40部进30部是第11名，30部进20部是第8名，20部进10部是第7名，10部进5部是第7名，这是一个被逐渐认可的过程。我估计，刚开始有些评委压根就不知道这一本书，压根就没看，后来在北京集中阅读的20天，分组讨论时听到有些评委对它评价比较好，可能才补读的。

　　郭　红：我读的时候，从头读到尾都觉得很特别，感觉上微微有点怪，就是能感觉到作者在写作的过程中的那种坚持。你是怎么坚持下来的？让两个孩子"二人转"一样唱到最后，而且没有故事。

　　郭文斌：对啊，十二年，多少物事都变了，可是一个作家的心没有变，这一点我对自己很满意。

　　郭　红：我觉得《农历》的语言很有特点。读你的作品，直接就能感觉到你的散文跟《农历》所使用的语言很不一样。

　　郭文斌：那是两个方向。《农历》是一个纯粹的世界，纯粹得有点另类，每当我的脑海中出现五月和六月这两个小

8

精灵的时候，现在大家看到的这套语言就跟了上来。面对这两个绝尘的小天使，两个不流于世俗又在世俗生活中成长的小天使，说实在的，在找不到一个合适的点的时候，没有语感的时候，我是不愿意去写的。这十五个节日我整整写了十二年，就是这个原因。要我强行坐下来写《农历》，第一写不出来，第二也不愿意。说来大家可能有些不相信，要写某个节日，我总要等到对应的那个节日气氛或者说是气象到来才动笔。比如说要写《中秋》，我就等到中秋假期，关掉手机，首先进入那个世界，才动笔。在那个特定的气氛中，你会真切体会到什么叫"灵感"，因此，《农历》的语言实际上并不是我刻意要那样，而是自然生成的。

郭　红：开始写《农历》时会想到要用两个孩子做主要人物吗？

郭文斌：这大概也是天意。关于节日，在《农历》之前我已经写了很多了，那时写的都是散文，比如《腊月，怀念一种花》《点灯时分》《中秋》，等等。既然是散文，主人公当然是"我"。两个孩子的出现很偶然，那是1998年，快过大年的时候，一天，两个孩子从脑海中冒了出来，非常活跃，非常有感觉，几乎没怎么构思，文字只是跟着他们奔跑、狂欢，不觉就是四万多字，也就是《农历》中的《大年》一节。

9

郭　红：是不是用两个孩子形象的时候，你写《农历》就更顺了？

郭文斌：对。它把你的记忆储存打开了，带动起来的题材，还有你的情绪、情感是最最原初的，而且农历这种宏大的文化体系，这样大的框架，只用一个视角我觉得是不够的。

郭　红：但是你并没有用一个故事承担，每一个节气里面基本上来说都没有一个明确的故事。

郭文斌：故事还是有的，只是不像传统小说那样典型，它是一种更"原始"的故事。在第三篇《吉祥如意》发表之后，李敬泽老师建议我改变一下叙述方式，不要老是两个小孩，但我还是非常固执地坚持下来了，因为只要一想到要把他俩换掉，就没了感觉，乔家上庄那个世界的门，一下子就关上了。这真是没有办法的事情。因此，我觉得最高的写作原理，就是两个字——天意，作者只能服从它。

郭　红：可能改了以后你就写不下去了。

郭文斌：对，后来连着写出两三篇之后，敬泽老师默许了，也接着发表了，这让我非常感动。

郭　红：他是意识到了你的方式和题材的相衬吗？

郭文斌：应该是。现在想来，用两个孩子去表达，可能更适合"农历"。我觉得，大年也好，所有那些传统节日也好，可能都是人类的童年记忆，所以在越来越物化、越来越欲望化或者说越来越喧嚣的时代到来的时候，传统节日式微是必然的。传统节日本身就是一种人类的童年记忆，那是人类的心灵未受污染之前的状态，所以我觉得用两个孩子很相应。

郭　红：节日会给每个人留下美好的印象、很深的感觉。

郭文斌：那是，因为它是一个被高度祝福化的时空点。我现在有一个可能比较偏执的观点，那就是祝福产生美，因为祝福是"真"和"善"的媒介。相对于孩子来讲，因为他们的心灵没有被污染，更加适合祝福成长，借用古人常用的一个词，就是更加"相应"。

郭　红：但是"农历"的大部分节气、节日跟孩子是没有关系的。是不是你觉得孩子更适合在中间担任一种学习的角色？

郭文斌：对。"孩子"这个词本身就是一种分别。从心灵来讲，不存在孩子和成人之分，或许在孩子的眼中看成人的世界很幼稚很孩子气呢。现在人们一提起"童年视角"，往往认为是在简化叙事方式，是取巧。

郭　红：我倒不觉得是取巧，其实不是，你并没有因为他们是两个孩子而削减内在的力度。

郭文斌：因为背后的叙事者还是成人。

郭　红：尤其是我读《吉祥如意》的时候，最强烈的一个印象就是你的那些文字后面有一个潜在的问题、一个困惑。有一个追问一直在故事里存着，孩子们在追问，实际上这是你的追问。如果不存在这个追问，不存在你尝试着通过他们来解答，那你写的童年是幼稚的；因为有了这个追问，就不是幼稚的。说到底还是写作的质量问题。作品的质量上去了，这时候说你用儿童做主角，就是为了与你叙述的目标相契合，和你的主题相配，是这种感觉。

郭文斌：对。看完《农历》，大家会发现，相当的篇幅在对话，这是我始料未及的。在叙事过程中，觉得只有对话才能表达你想要表达的，只能如此。后来，我在读传统经典的时候，十分吃惊地发现，对话也是著者最重要的动力模式。

郭　红：像《理想国》柏拉图，还有苏格拉底，包括孔子。

郭文斌：这可能是冥冥中的一个选择。

郭　红：这是你下意识地做出了一种与自己感觉比较相配的选择。

郭文斌：是的。当你写到那里的时候，问题自然出现了，你必须回答，一个对话就生成了。

郭　红：你也可以想象有另外一种方式，比方说"端午"，你可以写发生在端午的一个故事，把它起名为《端午》，但是那并不是针对端午本身的一个解说。

郭文斌：那是一种写法，但是作为长篇《农历》的特定节日，应该有一个特定的意象。

郭　红：你想把这个意象表达出来？其实这个很难。

郭文斌：对。完成一个特定的意象是不容易的，既需要特定的配料，还需要特定的配方。从一定意义上讲，十五个传统节日，就是十五个不同的意象。事实上也是传统留给后人的十五种精神营养。

郭　红：那你有没有过担心，就是用两个孩子的对话这种手法来写，故事性弱，会显得作品沉闷、不好读？

郭文斌：这个担心是有的，因为我在发了四五篇的时候，就有编辑明确地说我在重复自己，当时作为短篇分投，也有退稿，这个时候，如果定力不够的话，肯定会放弃。这时就需要一种寂寞精神作支撑，当然这种寂寞精神首先需要自信作底。有了这种寂寞精神，就能够有勇气和力量放弃暂时的红火和热闹，就会在心里想，不管你们认可与否，不管你们用还是不用，我都要把这个事情做完。事实上，在此之前我已经超越过自己一次，《大年》是1998年写完的，之后在各杂志社辗转，2003年才在《钟山》上发出来。如果一个作家有一种非常强烈的迎合心理，遇此，肯定会放弃这种题材和写法。我之所以坚持了下来，是自信帮了忙，这种自信也是一种自觉，一种价值自觉。

  郭 红：你是不是意识到了，从这个角度看生活是你所独有的，别的写作者不从这个角度看生活。

  郭文斌：这是一方面，更重要的一方面是，当时我预感到了一种"天意"，我的眼前出现了一个人潮，他们是一群试图"还乡"的人，却总是找不到"回家"的路。

  郭 红：你想为他们做"导游"？

  郭文斌：对。因为我也是其中一员，天已经黑下来了，可是我却找不到回家的路。就在我心急如焚时，我看到了炊烟，听到了母亲唤归的声音，那种欣喜是可想而知的，作为一个受益者，当然愿意拿这个感受和"伙伴"分享，不管他们信不信。

  郭 红：你是说，《农历》是一条"回家"的路?

郭文斌：对。我还有一个观点，就是别人能做的、已经做得很好的事，就用不着我们再去忙乎了，我们应该做那些有永恒价值但别人又不愿意做或者做不好的事情。因为这个世界上人太多了，产品也太多了，重复实在没有多大意义。如果按照通常的长篇形式，《农历》确实靠不上去，但我觉得用传统的方式真是没有办法传达我的价值理想，就是我在创作谈中讲到的那段话：奢望着能够写这么一本书，它既是天下父母推荐给孩子读的书，也是天下孩子推荐给父母读的书；它既能给大地增益安详，又能给读者带来吉祥；进入眼帘它是花朵，进入心灵它是根。我不敢说《农历》就是这样一本书，但是我按照这个目标努力了。

"农历"的精神是安详

郭　红：读这本书的时候，明确地感觉到你想要提供一种方式，你有许多东西想要告诉读者，有一种教化人心的企图和打算。我觉得文学的形式是无穷的，可以说很多形式都有自己的价值，从这个意义上来说，你提供一种新的长篇小说的形式，就丰富了小说的领域，但是，这也并不意味着传统小说的形式无法承载这个东西。就是说你用你独特的方式，用只属于你自己的调调来唱这个歌，但是不等于别人用别人的调调就唱不了这首歌。

郭文斌：我同意你这个说法，但是从"农历"本身来讲，首先它的节奏是慢的，甚至我觉得慢都不合适，应该是静，尽管它看上去非常狂欢。如果用传统小说的速度、节奏来要求它可能不适合。你看"点灯时分"，当我们面对面前的灯海、灯花的时候，那种心如止水的过程，事实上是一个走进安静的过程，也是一个走进纯粹的过程。

郭　红：因为你是在写传统节日，这种时候你开始回望、凝思，当然会是安静的，你必须进入这种境界和状态才和节日相配。

郭文斌：对。以前我也写过一些传统节日的散文，发现文字快不起来。我还写过一篇《大年是一出中国文化的全本戏》，倒是写得很快，读者反映也很好，转载率也很高，但是我自己知道并没有进入"农历"的血脉，还是在概念中空转。

16　　　郭　红：你是在作知识性的介绍。

郭文斌：对。因为没有进入农历的核。每一次回老家，当我走进那个小山村的时候，从那个山头上走过的时候，就觉得进入了一种节奏，那就是静。每次回到老家，晚上我都会一个人出去，坐在山头上，抬头，明月就在当空，一伸手，星星就在掌心。那种寂静，真是有种融化人的力量。这几年已经没有当年的感觉了，因为村里已经有拖拉机和摩托车这些东西了。当年没有这些东西的时候，那种持久的浓烈的厚实的寂静，真是太震撼人了。我觉得传统节日本身就是农耕文明这个根结出的一种果实，当我走进那个山村的时候，我已经得到了滋养。当然，现代人不可能都到小山村里去生活，我们需要在城市的喧哗中找到安静。

郭　红：现在的生活方式已经完全变了，比如城市化，不能像原来一样按节令来了，但是当你和土地有接触的时候，你会发现大自然节令的奇妙之处。

郭文斌：那是妙不可言的。我们知道，农历时代肯定是回不去了，但是我们完全可以找到"农历精神"。"农历精神"就是类似于一种安详的东西，它作为人的基因也好，集体无意识也好，肯定是在我们生命中存在的，它甚至可能是我们健康、幸福的保障。

郭　红：你好几次提过你原来得过一个大病，遇到高人指点，要你安详，从此你对安详从内心深处是信服的，而且我知道你也是在执着地传播着这种观点。

郭文斌：是的。我因此而获得了再生。作为一个人，受恩图报，是再自然不过的事情。当年，我可真是身心疲惫、身心焦虑、身心交瘁，现在，这种症状消失了，想想看，那是一种什么感觉。再看周围，城市人也罢，乡村人也罢，不少是当年自己的样子。后来，我发现了一个非常有意思的事情，像我的父亲今年已经八十六岁高龄，母亲八十，但是任何时候，他们的脸上都是欢喜，可是我从兄嫂的脸上已经看不到那种程度的欢喜了，在侄子的脸上又看不到兄嫂脸上的那种欢喜了。由此我想，我们一直在追求物质的丰富、生活的改善，但是当人们的目光中没有了喜悦，这还算不算进步？

郭　红：而且大家喜悦的内容也不一样了，更容易被外界的东西左右了。

郭文斌：那种外在的东西带给人的快乐已经不是喜悦了。我说过一个词可能大家不愿意听，现代人更多的可能是处在一种伪快乐或者说是泡沫快乐之中，它需要物质来作保障。而古人寻找的快乐更多的是不需要条件作保障的快乐，"有朋友自远方来"，他"不亦乐乎"，"人不知"他也"不愠"。他的快乐不需要条件作保障。就是说，他们寻找的是一种根本快乐。

郭　红：你所推崇的价值观，能不能总结一下呢？

郭文斌："安详"啊，或者说是"农历精神"。

郭　红：前段时间去海南东坡书院听到苏东坡在海南的

一些事情。在海南时他非常贫困，不能住官舍，只能搭茅屋，但是他很快又开始写诗，教当地人学习文化，改进日常生活的一些习惯，对当地人的文化传统产生了很长久的影响。你能说古人的快乐总结出来也是安详吗？

郭文斌：苏东坡是我非常喜欢的一个文人，但我觉得他还在寻找安详的路上，这从他的人生轨迹可以看出来。

郭　红：我欣赏他的就是，你说他是在寻找安详的路上，但是他一路上洒下的都是充满天才的诗篇。

郭文斌：对，但天才不等于智者。不可否认，他比别人已经快乐多了，但是他还没有找到根本快乐，这有他的诗文可以作证。难能可贵的是，他一生都在寻找安详的路上，或者说，他已经看到了安详的冰山一角，也许正是这"一角"，让他比其他人可爱了许多。

郭　红：你的安详观点我有一点困惑，我这么问也是因为我感到费解。"安详"我们理解可以是一种心理状态、精神状态，这个状态你是靠通过淡化你的物质欲望，简化你的生活，向内观察自己、内省这些途径来得到的，但是可能我们通过这种途径得到的又是其他的果实，不一定是安详。

郭文斌：有可能。2006 年，我有些自不量力，也有点儿歪打正着地提出安详的观点，没有想到给自己出了一道难题。

提出这个观点之后，有人跟着就问安详到底是什么，这才发现自己给自己立下了一个很大的题。所以在中华书局出这本书的时候，编辑建议书名用《安详》，我说不敢，还是《寻找安详》吧。在不断寻找的过程中，我发现，安详其实并没有原来想象的那么复杂，它既是一个"体"，又是一个"用"，因为古传统已经透露了这个消息。就是说生命它本身就是安详和快乐的一体两面，只不过人们已经习惯于向外看，让安详成了一种灯下黑，当然也就让快乐成为一种灯下黑。事实上它们本来就是一个东西，只不过看上去是两个面，就像一个钱币的两面那样。

关于你的困惑，我非常理解。不同的人通过淡化物质欲望、简化生活、内省这些方式，得到的结果可能不一样，但是如果我们不淡化物质欲望、不简化生活，特别是不内省，就无法找到安详。这就像不是每个人出门都能捡到金子，但是不出门就连捡到金子的可能都没有。有一点可以肯定，一个淡化物质欲望、简化生活、内省的人，他虽然不一定能够找到安详，但是他会离安详越来越近，他虽然不一定能够登堂入室，但是他至少可以闻得堂中音讯。

郭　红：记得有一段时间我也在和别人争论，现在很多人都说童年，说现在的孩子童年丢失了，不快乐了。我反驳说可能他们在野外奔跑的时间少了，但是童年最主要的是感受世界的这颗心灵是纯净的，它感受世界的时候心里没有先入之见，是一个纯粹的接受世界的过程，他童年接受的东西依然是他一生的乡愁。我这样说可能你会觉得有点悲哀。当你回到村里，翻过山梁，看到你熟悉的景物的时候你会觉得回到了故乡。这对现在的孩子来讲可能略有点遗憾，可是他哪怕走到冰岛去了，只要一看到麦当劳却觉得像见到亲人一样。可能这个时代的人就是用这种方式快乐的，快乐有境界高和境界低之分，但是每一个时代境界高的人一定是最少的，大部分是我们普通的人，用我们庸俗的方式快乐。

郭文斌：这我认同。现在的孩子和过去的孩子，乡村的孩子和城市的孩子，拥有的童年快乐和记忆是不存在优劣或者好坏分别的。这些年我编刊物，发现许多城市孩子写的童年记忆也很感人，火车道上的童年，工厂大院里的童年，等等。没错，童年记忆是不存在分别的。我想说的是，对于人的心灵的承载来讲，现代人的心灵负累要多得多。一个同样的心灵平台，现代人在上面堆积的东西太多，或者说必须堆积的东西太多。我们在乡村世界里只要很简单的物质就能保障生活，但是城里人很难做到。也有人说过，郭文斌你倡导大家过安详的生活，没错，但我现在生活在城里，没有工作我怎么安详？如果在乡村，至少不至于被饿死，只要有地种。当然，这是一个方面。另一方面，城里也有不少人，他们已经不需要为生计发愁，但仍然不安详，就是说，他们什么都不缺，就是缺安详。不少富翁，赚钱的目的已经不是为了保障生存，一些官员，贪污的目标已经不是为了保障生存，那么，是为什么？因此，我觉得对于城里人来讲，安详有可能是最后的土地，或者说是最后的故乡。

郭　红：这都是特殊的，我们谈论的不是这些。

郭文斌：是。古人的价值观与现代人是有区别的。古人教孩子"勿营华屋，勿谋良田"，不要买过多的田产，不要盖过多华丽的房子，那么，干什么呢？追求人格，追求根本快乐，但是现在我估计很少有家长这样教孩子了。

郭　红：只除了你们家吧，呵呵。

郭文斌：我从我的孩子身上发现，在未接受安详观之前，他很不快乐，接受了之后，很快乐，又非常上进。

郭　红：不那么浮躁和世故。

郭文斌：对。他发现他的人生变得充实起来。他现在也抽空做义工，做得很快乐。以前你要是说不给一分钱的报酬，要他在马路上站一天，他会说做不到，凭什么？

郭　红：至少从服务他人中感受到快乐和价值了。

郭文斌：对。这是古人早就发现的快乐逻辑。

郭　红：也许是生活方式的不同，人们感受这种价值观的敏感度降低了，比方说我们确实都是从大自然里获得食物的，然而他直接面对天地，我们现在面对的却是超市。

郭文斌：对。现在是交换，获取食物的过程是交换的过程，而在过去是直接领受大自然的馈赠。农历本身就是一个馈赠体系，也是一个如何正确领受馈赠的体系。以前读《道德经》，不懂得"生而弗有，为而弗恃，功成而弗居"是什么意思，现在才知道它讲的就是一种大馈赠大奉献精神，不求回报，没有分别，只是纯粹的奉献。

郭　红：一旦开始劳作就会有不同的感受，比如今年我只是在地上种了几颗南瓜的种子，偶尔浇浇水，但是却结了一院子的南瓜。大地是非常神秘、非常慷慨的。

郭文斌：那你说土地向你提什么要求了吗？

郭　红：要水和化肥。

郭文斌：向你要求签合同了吗？

郭　红：它和天合作。

郭文斌：对。它一点都没有要求。

郭　红：是。它和现在我们凡事都要首先协议是多么不同啊。

郭文斌：这就是天地精神。中国古人之所以强调效法天地，就是因为天地精神中有圆满的人格典范，有根本快乐。鲁哀公问孔子他的弟子里面谁的境界最高，孔子的回答是颜回。因为他"不迁怒，不贰过"。他为什么要首先强调不生气呢？当年搞不清楚，后来在寻找安详的过程中我突然明白了。人为什么会生气？生气是因为自我被冲撞啊。人在什么情况下能不生气？无我啊。那么，如何才能无我？利他差不多是一条最重要的途径。

于此，天地给了我们最好的参照，那就是"生而弗有，为而弗恃，功成而弗居"。我们且不要说像颜回那样完全消灭掉自我，就是把自我尽可能地弱化，人的快乐也会成倍增长，因为人的烦恼和焦虑来自患得患失，而要消除患得患失，唯一的办法就是我们去掉得失心。因此，古智者讲："以无所得故，故无恐怖，远离颠倒梦想，究竟涅槃。"这个"涅槃"，在我看来，就是一种大安详境界，它的前提是"以无所得故"，通俗地讲，就是他已经没有得失心了，反过来，一个人如果还有得失心，那他离安详还有很远的距离。

所以，古人比照天地精神消除自我。因为"天同覆，地同载"，所以"凡是人，皆须爱"。在这里面我们会发现孔老夫子所讲的"七十随心所欲而不逾矩"这种大自由境界，首先来自一个前提，就是耳顺。耳顺，就是别人荣你，你快乐，辱你，你也快乐，所谓得失一笑，荣辱不惊。那么，耳顺从何而来？无我。一个人，只要有自我，就无法宠辱不惊，所谓"名关不破，毁誉动之；利关不破，得失惊之"，所以，古人首先在超越名利上做功课。

传统文化是我们的根本

郭　红：我觉得你有一点确实给人很深的印象，那就是你对传统文化有很深很深的情结。如果说别的作家作品有很多西方的元素，很多来自西方的现代观念，但对你好像有一个特别纯粹的中国文化的根，你的作品里面这种色彩更浓烈。你是要刻意保持这种纯粹性吗？

郭文斌：是。不但刻意，而且自觉。一说到对传统的尊重，有人就会说你老土啊，落伍啊，但在我看来，传统恰恰是最时尚的。当所有人都在兜圈子的时候，你站在原地不动，也许是最好的抵达方式，因为当人们兜了一圈回来，发现你已经早在目的地了。你原地不动，但你却成了最先到达的。在我看来，这就是"先锋"。

郭　红：传统是超越时尚的。

郭文斌：对。它是超越时尚的。传统是母亲，是我们来的地方，我们的来处就是母亲啊，有谁能够拒绝母亲呢？说具体一些，传统就是天地之心，所以它是永恒的，不可能说今天有一个天地之心，明天又有另一个天地之心。

郭　红：这不对。即使传统是一条文化的河，它仍然会随着时代发生一些调整。

郭文斌：再怎么调整它的基本元素是不变的。

郭　红：我特别害怕这种比喻，我觉得你也应该警惕。这种比喻会把它固化了。当然传统有它基本的精神和元素在里面，但是传统一定是变的，就像我们这个时代的观念隔一段时间也是传统了，但隔一百年来看，它已经不是此前的传统了，变化大极了。

郭文斌：那我们两个人理解的传统的概念不一样，如果会变，它就不是传统。

郭　红：你的传统是得自孔子吗？但是可能孔子与他之前的中国的传统文化已经不一样了，你所说的传统是从哪里开始呢？

郭文斌：那不对。一些基本的价值是恒久的，你能说孔子时代的母爱和我们今天的母爱有什么不同吗？孔子之所以述而不作，正是在自觉地维护传统。

郭　红：这不是传统，这是本能。这是人的本能的遗传，这是生殖本能和种族本能，这是人性。

郭文斌：那文化承载什么？表达什么？文学表达什么？这么多年谁说母爱过时了？谁说亲情过时了？如果母爱不过时，亲情不过时，传统就不过时啊。

郭　红：现代的人也没有说母爱和亲情过时了，一样在追求爱情和努力做很好的父母。我觉得母爱和传统是两回事，当然这中间还有一个文化性。传统不能把母爱作为着落点。

郭文斌：当然，我只是用母爱作比，比喻是一种表达的方式，比如说这些年我们在探讨的道德问题。那么，什么是道德？你不用比喻还是说不清楚。什么是道我们是无法讲清楚的，但若用交通规则作比，大家就觉得好理解。这套最古老的"交通规则"并不是古人创造的，只不过是古人发现的。古人发现了一些基本的"交通规则"，比如"孝悌忠信礼义廉耻"，在现代仍然适用，人们只有按此出行才能获得安全，获得成功，获得快乐。在我看来，这就是传统。这些传统并不因为时代的变化而过时。难道时代变了，我们就不需要"孝悌忠信礼义廉耻"了？呵呵，这又是一个比喻，但它可以帮助我们理解本质，不然你怎么去讲道和德？"道，可道，非常道，名，可名，非常名"！老子在《道德经》的开篇中就告诉我们，手指可以指出明月的所在，但手指不是明月，但是他又必须借助手指来给我们讲明月的故事，这真是一个无奈。

　　郭　红：那你觉得如果我们将传统文化和现代文化作一个比较，最大的区别在哪里？

　　郭文斌：我觉得传统文化是一种根本文化，是一种灯的文化。呵呵，我又用了一个比喻。我在《农历》里面写了一个故事，盲女莠听完晚课，老师说天已经很黑了，你打一个灯笼回去吧。莠说，我一个瞎子打灯笼有什么用？老师说，有啊，你是瞎子，但别人看见你手中的灯笼可以让开你啊。莠说，那我就打上吧，就打着灯笼回家。不想半路上仍然和一个人撞了个满怀。莠说，难道你没有看见我手中的灯笼吗？对方说，你灯笼中的灯早已灭了。她就恍然大悟了。她悟到了什么呢？原来一切外在的光明都是靠不住的，一个人需要找到自己本有的光明。

　　我所理解的传统就是这个"本有的光明"，而能够让每个人点亮那盏永远不灭的、能够照亮他一生的心灯的方法，也是传统。

　　郭　红：这个表达太诗意了，能不能具体点？比如说我问你，老师，什么是传统文化？你说传统文化就是一个灯，那我还是不知道什么是传统文化。

郭文斌：对。但是借助这个比喻，我们至少知道了什么是内在，什么是根本性。换句话说，传统就是能够把人带向内在和本质的道路和途径，它强调的是根性、种性。当然，这又是一个比喻。

"天人合一"是第一方法论

郭　红：我就是这个感觉，你和自然和世界产生联系的时候，你其实是和更大的世界产生联系了。

郭文斌：对。世界是有无限层次的，它随着你的心量的扩展而扩展。当年，无法懂得"一花一世界，一叶一菩提"是什么意思。现在，当一个水果来到我面前，我真有一种感觉，它是一个十分自足的世界，那么美妙，那么不可思议。面对它们，我有时会有种非常强烈的感觉，仿佛能进入它们的内部，因为它本身就是一个世界，完美的世界。可是现在，你一口就把那个世界吃下去了，因此，每天吃饭的那段时间，是我最享受的时间，也是最感动的时间，也是最惭愧的时间，同时也是最受教的时间。

郭　红：或者说你和那个世界融为一体了，你把它纳入你之中了。

郭文斌：水果是如此，一花一草也同样。一个人如果没有这种感觉，要想真正懂得《农历》，就会有一些难度。

郭　红：也许讨论这个之前，最好的办法就是让大家去做半天的种植和采摘，去挖土去施肥，经过这种真正的劳作之后再来谈。

郭文斌：我还有一种记忆就是老牛犁田。天上还满是星斗，许多人还沉浸在梦乡，父亲就赶着牛上地了，那串丁零丁零响过巷道的铃声，永远留在我的记忆中。什么叫任劳任怨？牛就是。它知道今天该犁哪一块了，从这头到那头，从那头到这头，不辞辛苦，那种乖顺，真是让人感动。特别是看到它一边犁田，一边拉屎，你的心里就会特别难过。如此辛劳，生产出来的粮食，它自己又何尝品味过？

郭　红：牛很聪明，它知道自己的职责。

郭文斌：还有驴也是同样的。我小时候看它驮运，那么重的一个麦垛，弄好以后它就静静地站在那里和你配合，等着你把沉沉的麦垛扔到它的背上。还有禾苗的破土而出，如果你每天盯住同一棵禾苗，跟踪它成长的轨迹，你就能理解做母亲的某种感觉，体会到母亲看着孩子从出生到一天天长大的那种感觉。还有杏子的成长，从一朵花，到一个青杏，再到成熟，最后奉献给人，那个过程，真是悄无声息，却惊心动魄。

当有一天我突然意识到，原来我们平时吃的东西，全是种子，心里就打过一个闪电。

郭　红：我想果树本意并没想要奉献，它本想给自己长一个果实，让果实将来再长成一棵果树。

郭文斌：对。不管怎么样，我们都是在吃种子，所以人食用的过程也是一个不断欠账的过程，那可是无数的种子。古人讲，老牛就是来还账的，所以它愿意默默地耕作。前世功课没有完成，欠账太多，所以今生来还账。

郭　红：这要没有来生的话就还不清了，要是来生继续欠账怎么办？原来人是牛的讨债鬼，呵呵。

郭文斌：古人讲的特有意思，"众生一粒米，大如须弥山，此生不了道，披毛戴角还"。当一个人心中有这种观念的时候，他就会对自己的行为负责起来，就会"敬业"起来，因此，真正的"敬业"来自"畏业"。

郭　红：有一点，我觉得你说得特别好，看到年迈的父母亲脸上有一种欢喜。有一次有个老爷子给我帮忙干点儿活，他看起来很老很老。我说大爷您笑得特别好。那种纯净的，带着内心亮光的笑容特别好。你仔细一看可能他牙没刷，脸上都是皱纹，手上还沾着泥巴，但是你会觉得那个笑容是个真正的笑容，心里出来的。

郭文斌：他的内心是天然的。

郭　红：当他意识到你懂得他的时候，他自然在心里与你拉近距离了。第二次再见面他就非要给我塞几个东西不可，而且一定不要钱。我说这不行，您是做这个的，必须付给您钱。他可能都不识字。

郭文斌：我们现在一谈伦常，就会想到社会关系。在我看来，真正的伦常是一种天地人的关系。所以中国古人讲"天人合一"是有道理的，因为"天人合一"的背后可能是人的根本快乐，你不"天人合一"，就无法获得根本快乐。

郭　红："天人合一"就是人尽自己最大的努力去理解大自然，与大自然步调一致。

郭文斌：最简单的"天人合一"就是睡眠，如果一个人在"天人合一"方面做不好，可能连觉都睡不好。补充我们生命力或者精力的，食物是一部分，更多的是睡眠。可是，有谁想过，为什么人睡一觉会缓过劲来？

郭　红：可是如果饿着肚子睡觉多没劲。

郭文斌：这里面确实有很多奥妙。地道的中国农民是懂得这个的。一年二十四个节气，什么节气做什么，他们非常清楚，这也是一种"天人合一"的逻辑。"孝悌忠信礼义廉耻"之所以能够给人带来吉祥，同样是"天人合一"的逻辑。因此，无论是健康，还是幸福，还是成功，"天人合一"都是别无选择的道路。在我理解，它是第一方法论。

郭　红：现行传统的节气是按北方地区划分的。春天的时候我去种豆子，人家说你种早了。果然我的种植过程特别艰难，最后人家种得比我晚，长得还比我的更快更好。

郭文斌：不是种的晚的比你的长得更好，是他们种的时候正好。如果你有过农历经历或者小的时候有过农村生活的经历，不用说就知道，那是一套法令，是大自然的法则，什么节气种什么庄稼，那是对这种法则的相应。

郭　红：我开始不相信，就要提前种，四月初有的时候气温不低了，而且全球都变暖了，又是科技时代了，谁还相信节气呀，结果很失败。节气真的有道理。

郭文斌：反季节菜之所以会吃坏人，就是因为违背了"农历精神"，是逆着来。要说这不能单单怪那些菜农菜商，还怪受众的非分之欲，冬天非要吃春天的东西。虽然你吃到了，但是它已经失去了"天人合一"的原则，它不是大自然赋予的，是你非分要求的。因此，懂得这个道理的人，宁可食用冬藏

33

土豆冬藏萝卜，也不会食用看上去很新鲜的反季节菜。

郭　红：它更像是工业产品，不是农业产品。

郭文斌：很对。

现场即永恒

郭　红：我觉得你的使命感还是挺强的。

郭文斌：我认为作家本来就是为使命而来的。

郭　红：你是认为每个作家都有不同的使命，还是文学有一个使命？

郭文斌：在我心目中，文学不是小圈子的，不是局限的，是一个普遍存在。既然它是一个普遍存在，那么它就应该具有普遍的价值和作用。通常大家认为文学具有审美、娱乐、教育、认识功能，但在我看来，文学还有一种更重要的功能，那就是祝福功能。

郭　红：那就像问"文字对人有没有诅咒作用"是一样的，那过去有人弄一个小人扎上针诅咒另一个也是管用的？

郭文斌：应该是，但是首先受诅咒的是诅咒者自己，因为在那个诅咒发出之前，他的心已经被污染了。

郭　红：那个小人其实是他的镜子。

郭文斌：对。前段时间，我在西部作家写作营"文学与风景"主题讨论会上讲过一个观点：什么是风景？风景是被祝福的结果，也是这个道理。

郭　红：你这些说法令我觉得非常困惑。

郭文斌：是吗？那是因为你之前没有思考过这个问题，因此，我现在提文学的祝福性，肯定有不少人质疑，但你仔细想想，确实是有道理的。

我们还是回过头来讨论文学吧。我之所以认定文学具有祝福功能，是因为我看到了文字对人的巨大影响。我们知道，人在最关键的时候作出的决定是受潜意识支配的。而潜意识从何而来？相当一部分来源于阅读。人们在平常不经意间读到的一句话，有时会影响他一生。如果一个人在最危急的时候想到"人生自古谁无死，留取丹心照汗青"，他就会做一个民族英雄；如果一个人在最关键的时刻脑海中冒出的是"过把瘾就死"，他可能真的过把瘾就死了。这时，我们就明白了，古人之所以强调思无邪、善护念，真是非常有道理的。

郭　红：但我觉得这是观念在起作用，而不是文字。

郭文斌：不对。文字的组合本身具有诱导作用，这就像学生背英语一样，起初是一个单词，熟了就会成为一种肌肉反应，这时，单词已经变成潜意识。在我看来，人在很大程度上是被眼睛带坏的，因为古人认为，任何进入眼睛的信息都是一个种子，所以古人把心叫作心田。我在《农历》里面写到过，杂草种子一旦进入良田，是根本锄不尽的，所以，文字杀人是看不见的。一个杀手只要一杀人，国家公权就会制裁他，但是一本糟糕的书要流通出去，是不可控制的，古人把它叫洪水猛兽是有道理的，它在影响读者的人生观和价值观。在新近由中华书局出版的拙著《〈弟子规〉到底说什么》一书中，我详细写到了这方面实实在在的例证。

郭　红：我担心因为有了这种想法才会有"焚书坑儒"。

郭文斌：啊——这个词让人恐惧，但"焚书坑儒"恰恰弄反了。我的观点可能有些不受时尚者喜欢，但我确实认为，文化是需要引导的，如果我们不给文化作一个引导，不给读者把关，任由市场调节，是很可怕的。

郭　红：基本的原则是要有的，但不能是管制。

郭文斌：至少应该有人站出来倡导，就是说作为文化工作者要有责任心。在《农历》里我写到了一个公案：当年，百丈老人讲课，下课了，却有一位听者站着不走。问有何事，听者说五百世之前他也是个讲师，只因为讲错了一个字，被罚做五百世狐狸，今日期满，请百丈老人送他一下。百丈老人应允之后，听者就不见了。百丈老人就让他的学生到后院去找一位亡僧，学生很纳闷。百丈老人说我让你们去找你们就去。找遍后院，没有亡僧，却有一只狐狸死在大青石上。百丈老人说正是。遂以僧礼厚葬。这虽然是个公案，但其中包含着大慈大悲。只是说错了一个字就被罚做五百世狐狸，那么这么多年，我说了多少错话，写了多少错字，如果要罚，恐怕是永无出期。

郭　红：你对自己要求太高了。

郭文斌：你就不由得从心里升起战战兢兢如履薄冰的感觉。就把电脑里当年写的自以为很现代很先锋的作品，非常果断地删掉了，存也不愿意存了，何况拿出去发表。

郭　红：我感觉你很像个老师，不像个作家。因为你对观念、理论和教化这方面的心得和体会远远高于你对文学的虚构和感觉。

郭文斌：我们知道，一列列车如果方向正确，速度越快越好，如果方向错误，速度越快越糟糕。现在人们常讲细节决定成败，却没有人讲方向决定成败，这真是舍本求末。同样，我认为，如果一个作家的价值观正确，他的名气越大创造力越旺盛越有益于世道人心；如果一个作家的价值观错误，他的名气越大创造力越旺盛对社会的危害越大。

郭　红：现在西方人说，试一试吧，just try。孩子们说，这件事情我要不要做呢？老师说，just try。

郭文斌：这说的是局部的、一定范围内的尝试，但大创造首先是由方向决定的。比如说我要去北京，那我肯定要走向着北京的方向，如果向着广州，是肯定到不了北京的。再说，有些事情，孩子是试不起的，比如杀人，你可以试一试吗？比如吸毒，你可以试一试吗？比如未婚先孕，你可以试一试吗？

郭　红：刚才你也说到了爱情，这是我们访谈的惯例。我想问问，你对爱情的看法是什么？因为我们前面的访谈里张贤亮先生也谈得很精彩，王安忆也说过了，他们两个特别大的共同点就是认为不存在爱情。

郭文斌：对于爱情，可以仁者见仁，智者见智。我尊重并理解两位前辈的观点，但在我看来，爱情是存在的，而且它是永恒存在的。我认为"爱"和"情"是两个概念。我没有做过考证，就字面来看，"情"是"常青的心"，可见，"情"是让"心""常青"的那个东西。而要想让心"常青"，最关键的是要有爱。那么，什么是爱？古人是怎么理解爱的呢？有两种说法，一种是把我的心拿出来给你，这派学者认为，那个繁体字中间的象形是"心"；还有一种说法，中间的那个象形是"胃"，什么意思？知冷知热啊。这倒是更像中国人理解的爱情，知冷知热。所以中国的爱情比较含蓄，因为它是一种知冷知热的方式。

郭　红：那就是互相心疼了。

郭文斌：对。所以，不管是"把我的心给你"还是"知冷知热"，我觉得都有一个前提，那就是付出，都有一个利他在其中。因此，在我看来，爱是没有条件的付出。如果我今天对你好，心里就想着你明天也一定要对我好，在我看来，就不是爱。

郭　红：是交换。

郭文斌：对。我们现在通常讲的爱，像这种情形的很多。我在中山大学讲完这个观点，就有一个学生站起来跟我讨论。他认为，如果不求回报，我的爱又有什么意义？

郭　红：爱就是无条件地付出但希望有回报。

郭文斌：我只能告诉他，终有一天你会明白的。确实，当你真正体会过真爱，你就会觉得，爱本身就是意义，而且是最大的意义。

真爱是不求回报的，那是一种类似母爱的东西，父爱也一样，所以它永恒。只要这种关系一建立，我是你的女儿，你是我的父亲，这种关系就是不变的。因此，我还真有些认同女儿是父亲前世情人的说法，这种通过两世完成，最后变成一种纯粹的感情的时空穿梭，也许才是爱情。相比之下，今天的人们有些太心急了，第一次相见就说我喜欢你，第二次相见就说我爱你，第三次相见就说我要你，这是不是爱情？

因此，"情"应该由"爱"作大前提，而"爱"是无条件的付出。如果不符合这两个标准，那都应该是打引号的爱情。因此，我们现在谈论的更多的不是根本意义上的爱情。

郭　红：很特别，你的回答很特别，和你前面的理论是一致的。中国的传统文化对你的影响很深，就读书来说对你影响最大的作家或作品是什么？

郭文斌：对我影响最大的就是生我、长我、养我的那片土地，是父老乡亲。

郭　红：有什么具体作品没有呢？

郭文斌：一定要说的话，那就是我这两年在讲的民间传统。民间传统是和大地离得最近的那一层。当你生下来时，也许没有书读，但你不可避免地在接受民间传统。这一部分是最重要的。比如说，在上学之前，在父母的被窝里面听到的那些，在乡邻家的红白喜事时感觉到的那些，在父亲写的大红对联上看到的那些，等等。这是"人文"部分，更不要说"天文"了。

> 日月无声，昼夜放光。
> 天地不语，万物生长。
> 桃李无言，下自成蹊。
> 君子盛德，耕耘无声。
> 如来境界，无有边际。
> 有情众生，知泽知惠。
> 谨具牺牲，顶香奉献。
> 聊表寸心，伏请尚飨！

这是《农历》中"大先生"在中秋祭礼上读的一段话，你说，那无声的日月，不语的天地，无言的桃李，无声的耕耘，是不是一部部我们一生都无法读尽无法参透的大书呢？

郭　红：就是你从小耳濡目染的东西。

郭文斌：对。现在看来，正是那些成为我价值观的基础，也成了我为人为文的决定性导向。比如《农历》中，中秋节，

"大先生"让五月和六月把从自家树上摘下来的梨分送给所有乡亲，姐弟俩当时还不情愿呢，谁想回来时包里装得更多。这本身就是一种最朴素、最有效的受教育。再比如，过大年的时候，"大先生"要带着五月、六月到无名氏的坟上也就是我们常说的乱人坟上去烧些纸钱。还有大年初一黎明，"父亲"发现傻子家门上没有贴上对联，就把自家门上的揭下来去补贴。还包括各种形式的祝福、仪式，等等。

　　郭　红：你觉不觉得你有一个这样的父亲很幸运？

　　郭文斌：我觉得可能在古代所有的父亲都是这样的。

　　郭　红：古代并不是这样的完美社会。

　　郭文斌：我相信大多数都是这样，虽然他们并不一定都是"大先生"，很可能许多人都是文盲，但这不影响他们是大德智者。比如我小的时候，我的父母讲我奶奶那个时代，每天早晨起来第一件事是烧一瓦罐开水，放在马路边，再来干自家的活。那水是给过路的行人喝的。

　　郭　红：现在你在路边放一罐水，谁敢喝啊？

　　郭文斌：对。即使你真放，别人也不敢喝了。我们已经永远无法体会那"一瓦罐水"带来的喜悦了。

郭　红：你现在所谈论的，对你有影响的作家和物事，让我觉得你对小说是不会再有什么兴趣了。我想将来你也不会再写小说了吧？

郭文斌：有这种可能，但也不一定。

郭　红：那你不觉得一个有才华的作家，放弃了他本来做得很好的东西，转而来宣传这种教化，就是说从一个写作者向一个教师转化，是否有点儿可惜？

郭文斌：我不觉得自己是一个有才华的作家，也不觉得是一个教师，我更愿意把自己看成是一个传统的义工。我到现在也没有说一定要放弃什么或者选择什么，我是比较接受一种就像农历中庄稼或者树木生长的那种方式，该开花的时候就开花，该结果的时候就结果，现在该你做什么你就做什么。

郭　红：不想刻意为之，只想顺其自然。

郭文斌：对。比如今天有一个人需要我去和他谈心，他很痛苦，很可能马上就要崩溃了，需要跟我聊一聊安详，那我觉得跟他聊天就是头等大事，我肯定不能因为我正有一个写作计划而拒绝他的诉求。

郭　红：如果一个人很痛苦特别想读到你写的长篇小说

呢？会不会为了他写新的？

郭文斌：那当然，那我也许还会写下去。我觉得对一个作家来讲，还是开头那句话，缺什么去补什么吧。

郭　红：你希望自己的一生是什么样的？

郭文斌：我原来曾经设计过自己的一生，但是现在不愿意了。我更愿意有一种现场感，就是说时时刻刻都在现场，把这一刻作为永恒。因为现场是快乐的前提，或者说现场本身就是快乐。有那么一些日子，我寻寻觅觅拼拼打打却从来不快乐。现在，我更愿意把自己从不快乐到比较快乐的这个过程分享给读者。所以，我现在常常唠叨：我们追求权力难道不是为了追求权力带来的喜悦吗？我们追求财富难道不是为了追求财富带来的喜悦吗？我们追求爱情难道不是为了追求爱情带来的喜悦吗？但是，如果这一刻，我们就在喜悦中，我们为什么还要舍近求远？现场就是永恒。

郭　红：你今天说得很好，受益匪浅。原来对你的理解里面比较模糊的地方也感觉清晰多了。还有一个问题，西海固是一个很贫困的地方，但是在你的作品里我没有感受到这个东西，反而感受到那地方所带来的朴素、宁静和纯粹，这是你自己回望过去的感受还是文学加工后的效果？

郭文斌：在我看来，贫困压根就是一个假象。我这样说可能会引来许多人的反感，包括父老乡亲。他们会说你说站着说话腰不疼，你现在日子好过了，来说这个话，但是我现在真的是这么认为的。如果一个人找不到自己真正的"富贵"，即便他是亿万富翁，他也是贫穷的；但如果一个人真的找到他自己本原意义上的"富贵"之后，表面上他可能一贫如洗，但是他却是富有的。

郭　红：这是精神带来的富有，像特蕾莎嬷嬷。

郭文斌：从社会学意义上来讲，西海固确实是一个贫困的地方，甚至被联合国官员认为那里没有人类生存的基本条件。但是我确实在那个地方感受到了可能在别的地方感受不到的"富贵"，我特别感谢上苍把我降生在西海固那个地方。

郭　红：给了你对生活理解的诗意。对于你这个人来说，可能把你生在哪儿你都要感恩。

郭文斌：但是如果上苍把我降生在北京、上海或者纽约，那就很可能没有《农历》这本书。

郭　红：但你可能会换角度写出别的作品，而心里同样感恩。

郭文斌：你这样讲，拓展了我的思维。我在感恩西海固的时候进入了一种执着，感谢你对我的矫正。

　　郭　红：能否请您对《黄河文学》的读者们说一句话？

　　郭文斌：在我看来，这个世界上没有读者，只有知音，既是知音，就无须多说什么了。

　　郭红，哲学博士，《黄河文学》"文学的干净"栏目主持人。

（载于《黄河文学》2012 年第 1 期）

文学最终要回到心跳的速度
——答姜广平先生问

　　郭文斌引起人们的关注是在 2004 年发表了短篇小说《大年》之后。这个偏居西部的宁夏作家和他那与众不同的小说作品，常选取一种日常化的童年视角，来切入生活，打量人生。其作品在天真的童趣中别具纯真的情趣，字里行间洋溢着人间的温暖与心态的安详，这与人们所想象的西部的荒凉与苍茫大相径庭，也与其他作家作品里的酷烈与悲壮、挣扎与冲突、阴暗与挣扎，完全异质。郭文斌并不刻意书写严酷与贫困，这些内容都被放置在浓厚的人间亲情中。郭文斌的作品提供了另一种美学价值，以优美隽永的笔调描述乡村的优美隽永，净化着我们日益浮躁不安的心灵。郭文斌说："喜欢能给人带来安详、温暖的文字，那些能提醒你向往美好的东西，能唤醒你的灵魂，能让你对世界万物心存敬畏、感激，能让你从平凡的生活中发现美好，能使人心生宁静的文字，就是好的文字。"郭文斌近年来的创作一直坚持这样的创作路线，写出的文字安详温暖，如汩汩清泉，沁人心脾，发人内省，深受读者的喜爱。

　　随笔集《寻找安详》在 2010 年由中华书局重磅推出之后，广受好评，一印再印，读者评价《寻找安详》填充的是现代人因为价值多元而找不到北或者信仰危机带来的内心空洞，更为准确些说就是填充了社会转型时期终端价值观的空档，在人们最饥渴的时候送上一杯可口的安详茶，在人们最疼痛的时候送上一剂有效的止痛药，在人们无家可归的时候给人们指出一条离家最近的路。长篇小说《农历》创作历时十二年，著名评论家汪政说："郭文斌要表达比单一的农历、传统世俗节日要多得多的文化释义与文化情感。他试图以农历为依傍，演绎传统文化对生活的意义，塑造较为典型的传统文化人格，叙述个体在这个文化系统中的养成。"

　　问：在论及你的作品时，我们无法回避两个问题，一是关于西部作家的问题；一是关于作家与外部世界——当然，在你这里，更主要的是表现人与土地、人与文化的关系问题。我们先就第一个问题来聊聊。你对自己作为一个西部作家是如何界定的？

　　答：无疑，我是一个西部作家，这是无可更改的地理身份，但从本质上来讲，作家是不存在地理身份的，因为心灵不存在分别。它是"一"，不是"二"，如果是"二"，它就无法实现"感应"，也就无法实现"共鸣"，所谓"心心相印"，就从此而来。

问：李建军在《论第三代西部小说家》和《诗意叙事及其意义》里曾反复说及西部作家这个概念。过去，我们一些评论家就"南方叙事"谈论得比较多。这两个文学概念都有非常强烈的地域性。当然，西部作家这一说法，可能更具有强烈的地域性色彩，某种意义上，它是与"南方叙事"不同的两个概念。我觉得，"南方叙事"更像小说修辞，而西部文学或西部作家肯定是就题材本身而言的。应该可以这样理解吧？

答：李建军先生的论述我看过，按照他的行文逻辑是成立的，我也同意您的"修辞说"。从气质上讲，作家是存在南北方区别的，因为水土有别，这就像羊必须生活在大地上，鱼必须生活在水里一样，但是无论是羊，还是鱼，它们首先是生命，文学既要敏感于水土之异，更要敏感于水土之同。

问：毫无疑问，你写的是西部，西部的民情、民风，西部的文化特色。你是在写作之初就为自己设定了这样的文学使命吧？

答：那倒没有，最初的写作是混沌的，我是在写西部，但西部只是外衣，核心还是人，就像《农历》，看上去是西部题材，但"农历"本身是天地人之间的关系，是充盈在天地人之间的一种和谐力，它是"根本快乐"的保障，也是"根本幸福"的来源，无疑，这又是人类共需的。

问：先锋文学之后，这样的一种文学设定，在作家们那里，肯定是越来越少了。这是一种文学的回归。有时候，我们固然要强调"怎么写"，但技法是能穷尽的，有时候，我们还是要回过头来，或者，文学也应该倡导一种"慢"的艺术。走得太快，肯定也是违背文学规律本身的。

答：非常正确。文学最终要回到心跳的速度，因为那是"感动"的速度。感动只有在心灵同频共振的时候才能发生，为此，"慢"是归途，但也仅仅是归途，还不是"家"，文学的家在"静"里。

问：但一味地"慢"下来，可能会使小说过于繁冗、沉闷。当然，毫无疑问，这使小说的品质有了一种回归。正像很多读者所发现的，现在很少有作家再用那种工笔描写的方法来写小说了。

答：因此我说"慢"仅仅是归途，但"静"则不然，真舞者在进入舞之后，速度可能很快，但她的心是静的。真正打动读者的就是这个"静"，因为它是生命的来处。对于作家来说，这种"静"和他用的手法没有关系，如果他的心是静的，那他即使写意，读者看到的也是静，如果他的心是闹的，即使他用工笔，读者看到的也是闹。

问：我们还发现，在你这里，其实还有另一种文学虔诚：正像李建军所言，我们现在的文学，在很多作家那里，让人感受到的是"价值观上的虚无主义"，是"面对文学的玩世不恭，是对人物的冷漠和无情"。而现在，你重拾这样的虔诚感与敬畏感。也许，我们今天的对话的一切出发点都必须从这里开始。

答：是。如果文学离开了虔诚，那就失去了根，因为读者的阅读，本质上是寻求一种温暖、一种感动，而温暖和感动的前提就是虔诚。孟子说，"不诚，未有能动者也"，就是这个意思。

问：优秀的文学技巧和出色的才思，在我们作家这里并不缺少，但为什么缺少优秀的作家，可能原因就在这里。我们的作家，我以前讲，中产阶级化了，相当危险。现在，我还是这种感觉，多数作家，现在差不多仍然是吟风弄月，是在构筑自己的象牙之塔。其实，离真正的生活是非常遥远的，离生活中的"真善美"同样遥远。

答：对。文学需要技艺，但技艺不是文学。至于作家中产阶级化是否会影响文学品质，倒不是绝对的，关键是要看他的心是否已经"中产化"。

关于"真正的生活"，我也有些不同于通常的看法。我理解，"真正的生活"应该是发生在"心灵大地"上的，借用古人的一个词，就是"心地"吧。如果一个作家，他没有发现这块新大陆，或者说他的这块大陆是沉睡的，他即使走遍世界，也找不到"生活"。

问：反观世界范围，舐舐伤口的作品仍然有增无减，而且也得到诸多重视，其影响也不可小视。然而，总觉得关注当下与今天的作家不多。而你在这方面，则特别注重揭开当下生活的真实，特别善于发现当下生活中的美。

答：我非常喜欢"当下"这个词。古人讲，"泉水在山乃清，会心当下即是"，"是"什么？是真之所在，是美之所在。显然，"伤口"不是当下，"舐舐"更加隔离了当下。现代大多人犯的一个错误是，舍近求远，舍本求末，结果是一生都在追逐，到头来既见不到"山"，也见不到"水"，当然也见不到"心"。

如果我们在品"这一口"茶时错过了茶，我们即使把《茶经》背个滚瓜烂熟，也找不到茶；如果我们在喝"这一口"水时错过了水，我们即使泡在大海里，也找不到水。

问：联系你的安详学说，汪政与晓华的判断同样是我们的判断，你是在以宗教般的虔诚，来礼赞生活的美好。所以，现在的问题是，我们发现，往往一个伟大的作家，是有哲学思想、宗教意识或文化意识支撑的，但这可能恰恰是当代中国作家最为缺失的东西。这是个大的话题了，涉及的东西可能也会很多。人们意识到了这一点，但是，我发现多数作家并没有准备这些东西就匆匆上路了。

答：您讲得非常对。这就像一个人没有准备好灯就开始赶夜路，结果可想而知。因为我吃过赶夜路的苦，所以我知道灯的重要。

问：但问题是，我们是不是可以说，你的描写其实已经与沈从文、汪曾祺这一代作家不同了？

答：不敢和这两位大家相提并论，也有评论家说我的创作受他们影响，还有废名，但说实话，这几位大家的作品，我恰恰读得很少。如果说气质上有些接近，那大概是因为我们的心性相近吧，就像相同的土壤上容易长出相近的果实。

问：与此相关的是，可能很多作家也并不是不擅长此道，而是因为"文学已进入一种后小说的时代"。"文学已进入一种后小说的时代"是我与评论家费振钟对话时，谈到的一种观点。当然，这首先是费振钟先生的观点。既然是后小说时代，可能我们所说的小说的一些东西，哪怕是最为精粹与优秀的东西，也可能会被抛弃，被改写，被重置。

答：古人讲，境由心造，相由心生。在我看来，心也由境造，心也由相生。当然我这样讲有些大逆不道，我只是想说，强大的环境是可以影响心灵的，一个人面对镜子久了，就会把镜子视为自己。因此，当世事纷乱到极致时，我们要让小说家保持初衷，几乎是不可能的事了。当差不多所有的作家都在随波逐流的时候，有那么几个人站在源头，或者说是岸上，冷眼旁观，他们的目光，就有可能是真理，这也许是我们在后小说时代的一种奢望。

问：所以，我们不得不这样问：我们可不可以认为你的小说是对传统意义上小说定义的回归呢？

答：不敢说，但我认为，小说的首要使命应该是祝福，如果我们抛弃了小说的祝福精神，等于我们抛弃了人。

问：在你的作品里，我们首先可能遭遇的是关于节奏的问题，像《生了好还是熟了好》《点灯时分》这样的作品，肯定是以某种节奏上的让步才能成立的文本。像这样牺牲节奏以全小说意味，除了想呈现一种民俗与礼俗，你是不是还有什么目的？

答：《点灯时分》之所以呈现出现在这种节奏，是因为它的主题是"灯"，既然是灯，就不能有风。因此，这也是一个天然，一个水到渠成。在写作时，我是没有想过"目的"的。

问：你在作品里，大多都刻意选择了儿童视角。儿童视角的选择，一方面，我觉得是解决了"怎么写"的问题，但另一方面，它又是一个重要的"写什么"的问题。很多作家也选择了儿童视角，但是，儿童却被悬置。在你这里，儿童视角与儿童心灵，是并存的。除了神秘性、诗性等原因，选择儿童视角是不是让你觉得更便于展开呢？我曾想过，这可能也是你的方向，毕生追求的方向，让文字从现在回溯，用你的话讲，就是寻找到"回家的路"？

答：有这个意思。事实上，儿童和成人也是一个分别。如果我们的心是没有经过污染的，那成年也是儿童；如果我们的心是经过污染的，那儿童也是成年。我这样讲，可能有些不是特别恰当，但是一个孩子在没有性成熟之前，他是天然的，当他的性成熟之后，欲心就产生了，随之，私心就产生了；而一个人一旦有了私心，平常心就失去了，清净心也就失去了；而一个没有清净心的人，是无法准确地打量世事的，当然更无法准确地打量心灵了；而一个作家，他的作品不能准确地描绘心灵，它怎么能够打动读者？

问：在儿童视角的引入中，我还发现了另一个意味深长的问题，往往，你是以儿童来面对年深月久的"传统习俗"与"礼仪习惯"的。这种时间上的对峙，你是在写作之前就想好的，还是在写作过程中突发的灵感？我们发现，就是在新作《农历》

中，你也是这样设定的。当然，我并不是说你仅仅让儿童去面对四时八节，这不可能，也做不到。但是，你没有忘记儿童，你一直让儿童共时、在场。

答： 我前面讲过，儿童的心是清净心，就像一盆水，只有在它非常安静时，我们才能看到映在其中的月。同样，要打量这轮"农历"之月，成年人的目光显然是不合适的。至于是否在之前就想好，还是突发灵感，可能突发灵感更准确，因为真正的"灵感"，还是来自清净心。

问：有人说，像《大年》等作品里，还是写到了西部自然的严酷与物质生活的贫困。但我觉得，这里，一定不是所谓的苦难叙事。我倒觉得这是一种提醒，提醒人们，我们过去的美好生活里，就有这样的元素。所以，我时常觉得，你选择儿童视角也是一种提醒，提醒我们发现儿童，提醒我们用赤子之心看待一切。这也是一种回归与回家吧。

答：对。我在《大年是一出中国文化的全本戏》一文中写过，"大年"有可能是人类的童年。

问：话题回到当下的文学生态。总觉得，中国没有真正的儿童文学，没有童话。而你笔下的儿童叙事，以及很多作家的儿童视角下的作品，人们又习惯地以纯文学的眼光来看待。

答：在我看来，真正的儿童文学，恰恰应该是成年文学，而真正的成年文学，恰恰应该是儿童文学。这就像母子对话，你能分清哪个是儿童，哪个是成年吗？我这样讲有些绕了，还是那句话，当我们一旦有了儿童和成年之分时，平常心已经失去了，平常心一失去，文字就落在现象层面了，文字一落在现象层面，心灵那一层就被遮蔽了，心灵这一层被遮蔽，感动就无法发生了，不要说发挥文学的认识、娱乐和教育功能，当然更谈不上发挥它的祝福功能了。在我看来，真正的娱乐是享受"根本快乐"，真正的认识是关于"根本快乐"的认识，真正的教育是关于"根本快乐"的启迪。

问：对了，你的儿童视角的叙事策略，有没有对当下一般意义上成人叙事的否定？饶有意味的是，我们发现，很多杰出的经典，竟然大多是用儿童叙事视角或者用一种所谓的"白痴视角""傻瓜文学"来替代的。其实，说及这一层，我深有感触的是，我们很多作家的写作其实非常危险或者了无意味，"怎么写"的问题，其实并没有得到解决。正像我经常感叹的，很多作家的语言问题也并没有得到解决，却以井喷的速度在写小说。

答：我不敢说否定什么，我只是觉得我现在的表达方式是一种自然的流淌，就像小溪有小溪的流淌方式，江河有江河的流淌方式，瀑布有瀑布的流淌方式。我在写《农历》第一篇《大年》之前，有两个孩子蹦在了我的面前，他们是那么快乐，那么幸福，我的笔就跟了上去，流淌就发生了。之后的日子里，我的眼前当然也出现过其他的人物意象，但都没有他们那么让我感动。

至于您讲到的"怎么写"的问题，古人的逻辑是"应答原理"。就是说，真理不会耳提面命，它有求才应，一如良医，只有患者求医他才下药。但是现在的不少医生，你不求他也下药，那就会出问题。文学行为也一样，就像今天我们这个访谈，如果没有您的问，就没有我的答。但是现在的情况是，不问也答，这已经失去"自然"了。当写作变成一种强加，一种推销，一种勾引，一种商业订货，事实上已经成了一种暴力了。想想看，有这么一家人，丈夫从早到晚地演讲，妻子能够受得了吗？还像个家吗？自然的情况应该是，丈夫问妻子，他的衬衣放在什么地方，妻子告诉他，在某一个衣柜里，妻子问丈夫这顿想吃什么，丈夫说香椿炒鸡蛋。因此，家的逻辑是一种问答逻辑，因为问答，家成为一种和谐、一种温暖、一种温馨。

58

问：当然，这里又必须谈到分类了。就像我们开头所说的西部作家问题，我其实不赞同将作家分类。譬如在你这里，没有必要将你贴上标签，谓之民俗作家或乡土作家。但说到底，我觉得，优秀作家的品质都是相似的，那就是对文学母题的回答与回应。在你这里，我觉得，回归是一个母题，回溯我们曾经失落的，也可以是一种母题。

答：非常正确。

问：这方面，我觉得李敬泽也说得非常到位。其实每一位作家在写作时，都将自己的立足点当作世界的中心，然后从这个地方向远方出发。

答：敬泽老师讲得非常对。事实上，按照古人对世界的认识，我们每一个人本来就是宇宙的中心。

问：突然发现，我过去评价金仁顺时曾说她是身居北方进行着南方叙事。我也突然发现，从你行文的细腻、唯美、婉约角度看，你是西部作家中的南方叙事者。这让我觉得，你便是从这个角度弥合了地域与作家的地理特性，同时也使你在两部作家中显得格外跳脱。

答：啊，您这么认为我很高兴。

问：前些时，我参加我们家乡一个作家刘春龙的作品研讨会，讨论他的《乡村捕钓散记》这本书。我突然发现，你的很多作品，与刘春龙这本书有着某种共同的东西，就是你们都试图在打捞那些将要消逝的事物。所以，从某种意义上讲，打捞历史的努力，既是文学母题的需要，也是文学的任务之一。如果没有《诗经》，我们还能从哪里听到先民的呼吸与歌吟呢？

答：是。也不单单是打捞，如果说是打捞，也是打捞我们自己，因为人的成长本身是一个走失的过程。因此，诗意不存在进化，诗意在根那里，就像花朵，究其本质，它是根的诗。

问：这又让我想起文学的功用了。文学的功用之一，可能就在于它的无用之用。人们太重实用，却忽略了这样的无用之用。

答：赞同您的观点。无用之用，才是大用。这就像"当下"，相对于目标来说，它是无用，但事实上，它是大用，是生命的全部。

问：关于性的描写，肯定也是我们不能回避的一个方面。你在性的描写方面，其实用的仍然是儿童视角。

答：是。我讲过，性本无美丑，这是相对于清净心而言的，就像色无善恶，只要打量它的目光是清净的。

问：至于"死"这个文学母题，你同样没有回避儿童视角。《开花的牙》和《生了好还是熟了好》里，我只能认为，那种童年与死的绾结，是一种神来之笔。

答：啊，先生过奖了。在我看来，好的文字，都是神来之笔，至于"死"，更多的作家是戴着有色眼镜来写它的，事实上，如果我们了解了真相，"死"是不存在的，它是一种开花。

问：我曾与王旭烽聊她的《茶人三部曲》，谈到了一个话题，就是小说文化与文化小说。今天，在你这里，我觉得，我们仍然要面对这个话题。我觉得，某种程度上，你的小说是一种文化小说。或者说，你以一种文化理念来引导你的小说写作。我觉得，在你的作品里，已经有了很好的呈现。并不是所有作家都能将文化作为小说的元素之一的。

答：在我看来，文化和小说本是水乳交融的，母乳之所以什么营养都有，就是因为它来自母亲。母亲在给孩子哺乳时，只把奶头塞进孩子嘴里就行了，她并不需要拿个勺子，按照奶粉那样，多少蛋白多少钙多少糖地兑。好的小说也是一个有机体，因此，好的作家首先应该是一个母亲，她是带着爱去哺乳的，事实上她的心里连爱这个词都没有，但她提供的乳汁，却什么都不缺。

问：此外，在你的作品里，我们要谈到一个非常重要的问题就是时间。时间的特点，很多人都在谈，我在你的作品里发现的是时间的延滞。也就是说，其实，时间这个东西，在很多人那里，是没有什么感觉的，那就是几十年如一日。当然，我们也得允许一部分人有另一种感觉，就是度日如年、一日三秋什么的。然而，问题是，在你写的那些人物那里，我觉得，可能时间的感觉是前一种。不要说他们，即使是我们自己，这几十年来，似乎对外界的变化，也感觉稍显迟钝。

我读运沂那篇《是评者误读还是作者张冠李戴》，觉得很多人实在还是未能懂得文学，特别是未能读懂文学里的时间。

答：对。一个没有弄懂"当下"的人，是无法弄懂时间的，因为时间是"当下"做的一个游戏。我在《农历》之《大年》一节中，借五月、六月和"父亲"之口探讨过时间。"父亲"说，如果人们能够把妄想除尽，时间就消失了。

问：关于时间，其实有个读者阅读心理期待在内。就像我读你的小说，每一篇，我可能都会设定为作者是写当下。直到进入了小说的深处，才与作者笔下的东西共在，也才更深刻地体认读者笔下的时间。我觉得，我们可以这样认为，在西海固，可能，20 世纪 60 年代与 70 年代是差不多的，70年代与 80 年代也没有多少差异，而 80 年代与 90 年代，对这样一个独特区域的改变，恐怕同样微乎其微。不要说西海固，即便是我生活的苏北乡村，几十年来的变化，也同样微乎其微。所以，我觉得要纠缠于时间，但不必在时间上纠缠过多。一篇作品之能否真正成立，时间当然是关键，但毕竟，如果不是以时间为主人公的书，时间是可以模糊的。

答：赞同您的观点。

问：其实，在中国，乡村是没有政治的。或者说，乡村政治，是另一处形态，不是我们所看到的纸上的政治。作家的任务之一，倒是要写出这些纸上政治以外的东西。

答：非常正确。

问：也因此，我觉得，你作为作家的意义，在这一点上，肯定是完成了自己的使命的。不但完成了，而且，你把那个地方特别的意味写了出来并使之成为一种具有价值引领意味的东西。这种价值引领，我觉得，最重要的，是让人们发现什么是我们所不具有的，我们如果不具有会不会更加不堪。

答：对，知道我们不知道的，才是知道。

问：从这个意义上讲，作家其实是一种叩问者的角色。虽然，你满纸吉祥与如意，但我能体会出背后的叩问与苍凉。不然，为什么会那么震动文坛呢？现时代，能够震动我们的东西太少太少了。

答：您过誉了，但您的目光确实触到了我的心底。我的心中常常有种苍凉感，但这苍凉不是来自自己，而是一种不自量力的心愿，那就是希望天下吉祥如意，希望每个读者吉祥如意，而吉祥如意就在人们面前，人们却不识得。

问：《水随天去》看来是一篇特殊的小说，特殊性首先在于它是对你自己的革命，既不同于所谓的西部小说，也不同于像《小城故事》这样的都市小说。这篇小说可能显得过于空灵与超拔，不知你是否有这样的感觉？

答：是。那是在寻找安详路上的一篇东西，虽然超拔，却也真实。那个父亲，希望儿子先弄懂"知道"，再做人生功课，但儿子就是"不知道"。一个父亲，不能让儿子知道"知道"，你说他的心里该是多么苍凉。

问：水上行无疑是个有深度的人物，但这一人物的刻画，是否过于理性了？事实上，这时候的父亲水上行，代表了包括你我在内的中国知识分子的灵魂状况。只不过，水上行遭遇的矛盾，虽然也为我们所面对，但是，水上行不愿意就这么过去，而我们，轻易地将一些东西忽略了。所以，我理解这篇小说，可能是对中国知识分子灵魂的提醒与提问。

答：是。是对所有人的灵魂的提醒和提问。

问：这里，我又想问一句，水上行是否有点画地为牢的意味呢？其实，这个时代与社会，并不需要他为自己设定什么。当然，我知道，你是为自己设定了一个界限的，"要使自己手中的笔具足方便之德"，然而，在这里，水上行却没有对自己行方便啊！

答：他是行大方便。读者之所以认为他不方便自己，是因为我们现代人太随便了，太习惯了随波逐流。其实，最大的方便是方便他人、方便社会、方便自然、方便环境、方便伦理和道德。

问：说到文化小说，我觉得这也是一篇文化小说。你将儒释道集中于水上行一身，但父亲的结局，放逐自我，是不是意味着你并没有找到有效的解决之道的原因？当然，非常欣喜的是，这篇小说开始对着我们自己下刀了。似乎从某一个时代开始，我们的小说中，知识分子开始缺位。既已缺位，就更遑论灵魂与自省了。

答：对。水上行最后选择了出走，但出走是一个象征、一个手段，他的目的是归来。

问：当然，我们也发现，这类小说在你的笔下，显得还是贫弱了点。我的意思是，数量显然还不是太多，因而，可能也没有能形成一种丰厚的文学资源。

答：那倒不是。《农历》中的"大先生"，还有"大先生"膝下的五月和六月，都是他的同道，并且比他的道行深多了，因为他们回到了生活，回到了自然。

问：我本来不打算与你谈先锋文学的问题的。然而，看来20世纪60年代出生的作家，势必都绕不过先锋文学。坦率说，80年代以来，文学历经嬗变，然而，我只认为先锋文学尚可以一时之盛而成为一种文学潮流与文学流派。虽然，我与很多作家谈到先锋文学的技术性，但不管怎么说，先锋文学已经成为一种坚硬的文学存在，几十年来，都在发生着影响。以后还会不会发生影响，谁也说不好。毕竟，这是一个将西方百年文学在中国进行了一次全方位演绎的文学时代。我终于从《陪木子李到平凉》这里看到了先锋文学对你的影响，同时，我也读到了博尔赫斯的影子。只不过，这种判断是否确切，是要等待你的判断的。

答：让我惊异的是，评论家包括您认为影响了我的人，恰恰是我最少读到的。至于先锋文学，正如您所言，我们不可避免地受到了它的影响，因为我们走上文学道路时，正是先锋文学遍地开花的时候。

问：《陪木子李到平凉》可以解说的东西非常多，语言风格似乎在这里也有一种"突兀"般的逆转。文体上也似乎更注重一种新人耳目的修辞效果。有人说，那两道思考题，"突兀"而"霸道"。

答：是。当时出那两道题，我有一种快感，有种一棒把人打愣的冲动，但这种冲动的背后是"慈悲"，因为作者的动机是让人们通过"这一愣"，从梦中醒来。

问：但这样的小说，在你的全部作品中仍然与我们刚才说到的《水随天去》一样，似乎只是偶一为之。这算不算你想向读者进行一次小说的炫技表演呢？你想借此告诉人们，对那种民俗与礼仪习惯的叙事，没有影响你的小说现代性技巧的形成。

答：也许潜意识中有这种想法，但在我看来，最现代的，恰恰是最传统的。换句话说，只有传统才有保鲜功能，现代的风雨在变换，不变的是天空和大地。

问：我们了解到，你的安详学说已经丰沛到足以自成体系的地步了。你觉得安详学说的追求与研究是不是对你的小说写作形成了重要影响？

答：也许吧。这就像一头牛，它自会产牛奶，一只羊，它自会产羊奶，一个人的心泉里是什么，就会流淌什么。

问：可能，当代作家像你这样既写散文又写诗歌的小说家已经不多了，然而，你还有一种文化的世界在你的精神领域里，这可能就更其鲜见了。我可不可以认为，你这是一种努力成为大作家的"野心"呢？

答：老实给您讲，我在写作上没有野心，恰恰一直不自信。我从来没有想过自己会成为一个大作家，当年和好友石舒清聊天，他说他的理想是成为一个大作家，我还在心里笑呢：我们这些人，怎么可能会成为一个大作家？不想后来石舒清真成了大作家，我的作品也出乎意料地被大家认可，让我常常有种受宠若惊之感。事实上，我一直有种准备放弃写作的打算，常常想等写完这篇就封笔吧，就去解决生命的根本问题吧，就像水上行那样。后来之所以坚持了下来，是因为回到了平常心，因为"解决"之想本身就是一个对立。现在看来，这种解决之想绝对有用，它让你笔下的文字变得超脱，变得"仁慈"，这种"仁慈"有时以"无情"表现出来，但它恰恰是一种"有情"，也许正是这种"有情"，为我赢得了读者吧。

问：我们现在不得不谈到《农历》了。这本书，看来是想为过去的写作做一次漂亮的总结吧？

答：您可以这么认为。

问：十五个节气，不再是农事与季节的事，而是一种生命营养，一种化育。这可能是很多人都没有能识透的大自然的生命情怀。

答：是啊。

问：这样看《目连救母》，就更有意味了。反观你过去的同类题材的写作，发现"饥饿"确实真的是一个大主题，并对应了我们所历经的时代。所以，中元节何曾能够缺失啊！

答：感动于您的相知。

问：不过，聪明的读者，还应该看到另外的东西。至少，我们谈到这里会发现，我们刚刚津津乐道的文化小说或小说文化，更应该具体到一种小说的伦理上。我觉得，你的小说，在这方面为当代文学提供了一个非常重要的关键词，那就是伦理小说或小说伦理。这种伦理追求，我觉得从梁启超时期便开始被人注意了。然而，现在，这一追求，恰恰在一些作家在对所谓的现代性、后现代性的追求中，再不就是一种多元时代的浮躁与狂欢中丢失了。

答：是。

问：我的意思是，你的小说首先是一种善的小说，然后，才是一种真的小说与美的小说。

答：事实上，这三者是无法分离的，善是动机，真是目的，美是手段。

问：所以，这样看《农历》，其实是你的一次对天、对地、对人的双手合十。你以这样的方式，为过去所有中短篇中那些吉祥、如意、礼赞、虔敬，做了一次百川归海的集成。

答：谢谢您能这么理解。

问：这本书，我们也可以看成是对人性的救赎。在这本书的阅读过程中，我们可以暂时远离尘埃，远离经济时代的恐慌，回归农历，在中国文化传统中实现自我救赎和自我回归。这本书的世界性意义，我觉得也在这里。这是一本奇书，也是一本宁静而至于震惊的书。

答：先生过誉了。

问：我非常相信，之后，仍然会有一天，人们将《农历》当作一个事件，同时，我也相信，《农历》，就是这样的中国《农历》，会以这样的面目走向世界。所以，我们不妨这样认定，这是一本值得期待的书，也是中国当代文学几十年中重要的斩获之一。

答：我也希望它有一个好的前景，因为我是把它作为此生最大的一个"善"来完成的。

问：构思这本书，看来用了你不少心力。

答：其实这本书就像一朵花，它是一个自然生成，倒觉得没有怎么构思，只是一个从朦胧到清晰的过程，这个过程中，李敬泽老师给了我不断的鼓励。

问：最后，我们回归一些常规性的问答。你是什么时候走上文学之路的？在你的写作之途中，哪些作家给了你影响？

答：说句开玩笑的话，我想我是在前世就走上文学道路了，对我影响最大的应该是"农历"，还有"农历"中的父老乡亲，还有生我养我的那片土地。

问：作为一个20世纪60年代出生的作家，显然，域外的文学营养同样会对你产生大的影响。对你影响最大的国外作家有哪些？

答：都有。要说对我影响最大的，还是"农历"。

问：这次未能就你的全部写作进行探讨，深为可惜。更重要的，是未能就《农历》进行展开。期待今后有更为深刻的合作。我期待自己的是，将会以专章论述的方式来写一写我所读到的《农历》。

答：谢谢先生。

姜广平，1964年生于江苏兴化，1986年毕业于扬州师范学院中文系。作家、评论家、教育学者。

（载于《西湖》2013年第2期）

探寻"安详文学"之路

周新民：我看你毕业于固原师范，师范的培养目标是乡村教师，但你却成为作家，这让人对你早期的文学阅读、文学创作准备情况充满好奇。

郭文斌：在我的记忆里面，那个时候没有上大学的概念，感觉里考大学就是考师范，所以学习好的同学基本上都考到师范了，考不上师范的才上高中。实事求是地讲，当时还没有什么文学理想，所以人的命运，现在回想起来，有一种我们没办法去把握的东西。

固原师范的学制是四年制，三年级的时候在《固原报》上发了一篇小杂文，点燃了我的文学梦。这是一次非常大的激励，尽管稿费只有四块钱。这是一件小事，但对于一个人来讲，非常重要，因为那时候在班里有一位同学的稿子在《固原报》上能发表，是一个很大的荣誉。而且通过自己的创作还可以拿到四块钱稿费，既有精神上的享受，还有物质上的鼓励。那么就想着，如果将来写大稿子的话，就有更大的精神享受，也有更大的物质收获。我的文学创作缘起就这么简单，不像有些作家从小就有文学梦。

现在也有不少记者问我，哪一位作家对我影响最大，哪一部文学作品对我影响最大。说实话，我在上师范之前，是没读过几本书的，为啥呢？没书可读。小学、中学，几乎没图书室、阅览室，就连课本往往都没有，开学很久了课本还到不了，只好借旧课本。我在想，到底是什么让自己写了《农历》，是什么给了自己创作资源和激情呢？想来想去，还是那一片土地。虽然没书看，但是有部大著供自己读，天地、农历、节日、父母、父老乡亲的生活，包括自己的成长本身，那种天然的生活。现在想，也许正是当时没书读，恰恰成就了自己。为啥呢？精神没被格式化。

回过头来看，小时候伯父、父亲他们过大年时唱的秦腔，其实就是文学。当年没感觉，现在觉着太重要了，为啥呢？你看我的伯父，可以不重复地把十几出戏唱下来，当年我在被窝里，就一出一出地听。我伯父我父亲他们就是土演员，每年一到腊月，一村人就集中在我们家排戏，戏要排到什么程度呢？我在《农历》里面写到了，从"上九"开始，一直演到整个正月出来。演员就是我的父亲、我的伯父，就是村里这些人。

我非常感谢命运的这种安排，它就是让你没书读，就是让你不要带着成见写《农历》。如果有书读，读多了，你的心灵就被格式化了，你自性的光芒就被遮蔽了，你打量那片土地的目光就不可能那么天然和纯粹，你就不能以一种很原始很朴素的心态打量那片土地。童年的遮蔽是最严重的遮蔽，因为它是养成阶段，养成近天性。

但要写作，又不能少了一定的写作基本功，于是上苍又在成年阶段安排我补课。中师毕业后，我在母校将台中学教语文，就想着在教学上干出一番事业。讲课前，我基本上都会把课文背下来，就是那个时候，才感觉到汉语的那种美，那种音韵感。后来考到宁夏教育学院，又疯狂地读了两年书。也就是在教育学院上学的时候，才正儿八经做起文学梦，有了一点点文学自觉，开始在省刊《朔方》上发稿子。后来去《六盘山》杂志当诗歌编辑，一干就是八年。这一段经历是我职业文学道路的开端。

周新民：从一名中师生成长为一名著名作家，真是不容易。我从你刚才童年文学启蒙教育的回忆中，找到了你的文学作品普遍采用儿童视角的原因。

郭文斌：我也一直在思考这个问题。童年视角有一个特点，污染少，它跟天地同根同心。特别是写长篇《农历》的时候，我感觉着只要一进入那个世界，灵感马上就过来了。只要两位主人公五月、六月在我的眼前一奔跑，文字就自然开始流淌，并且非常湿润，非常温暖，且不说读者读着这样的文字是否有滋养感，我自己就非常享受。有人说，那是一种带着天地之气的文字，带着日月光华的文字，虽然有些过誉。我也没有想到，它还有缓解现代人精神焦虑和抑郁的作用，有不少受益者，一买就是几百本，甚至一千多本义捐，对比我的其他几部文学作品，它携带的能量显然要高一些，因为它接近真，不像成人视角一写就进入假。这是我后来在编选自己文集的时候发现的，因此，许多成人视角的作品，我在作品集成的时候都放弃了。

儿童永远问大问题，我从哪里来，到哪里去。大人永远问小问题，钱从哪里来，享受到哪里去。因此，老子说"常德不离，复归于婴儿"，"众人熙熙，如享太牢，如春登台，吾独泊兮其未兆，如婴儿之未孩"，孟子说"大人者，不失其赤子之心者也"。

周新民：你的小说常常书写节日。《大年》写春节，《吉祥如意》写端午，《点灯时分》写元宵节。长篇小说《农历》则是书写中华民族一年之中的所有节日。你为何对中国传统节日有如此浓厚的兴趣呢？

郭文斌：的确如此。之所以关注节日，倒不是因为世俗意义上的节日是生命中最幸福的时候，有好穿的好吃的。那是一方面的原因，但不全是。真正的原因是什么呢？节日具有祝福性。这种祝福性，体现在节日特有的返乡暗示，或者说归根于象征，换句话说，它里面有归意。事实上，节日是人的天性跟天地精神最吻合的一个时空点。平常你过的是世俗化的生活，一进入节日你就进入祝福状态了。

你看，过大年的时候，把祖先请来了，把天官请来了。那一炷香一点，那门神一贴，灯笼一挂，你感觉着天地人在那一刻真是合一了。现在回想，真正的原因就是它是一个非常有神圣感的时刻，即古人讲的"与天地合其德，与日月合其明，与四时合其序，与鬼神合其吉凶"。天、地、人、神正好合上了。

我曾在《农历》里面写到，五月和六月在大年三十的一个时空段，就是整个对联呀年画呀都贴完了，守岁的时候还没到来那段时间，五月和六月幸福得就像两尾鱼在时空之水里面穿梭。五月跑到东屋六月跟到东屋，五月跑到西屋六月跟到西屋，他不知道为什么要那样跑，不知道为什么要那样跟着，他就是一种享受。那种享受现在回过头来看，就是传统文化里面讲的一种纯粹的喜悦，纯粹的安详。为什么？因为这种快乐它不是物质给你的，不是外在条件给你的，它是一种生命本身带来的狂欢，我把它叫作生命的狂欢。

好多人说西海固文学是苦难文学，我不这样认为。我说，老天如果把我生在上海，或者生在北京，可能就发现不了这种狂欢，也没办法表达这种狂欢。恰恰是在那种物质条件朴素到极致，简约到极致，让你的灵魂赤裸裸地存在于天地之间的地方，没有任何的外在因素对你遮蔽，你才容易跟天地融为一体。五月和六月事实上是天地狂欢的化身，那是一种来自天地精神的狂欢。这跟我后来寻找安详的感觉是一致的，如果我们能够回到生命的本质地带，它就是一个喜悦，没别的东西。就是说在本质地带里头没有痛苦，没有忧愁，只有喜悦，就是生命的狂欢。它是一个圆满，它是一个坚定，它是一个永恒，它是一个心想事成。人的痛苦是从哪里来的呢？人之所以痛苦正是因为从本质地带离开了，就是说从故乡出来开始流浪的时候人就有痛苦了。

传统节日带给我们的是一种准宗教的体验，但它不像宗教直接把你指向本质地带，而是通过化文为俗，把这种指向藏在各种仪式里、气氛里、风俗里，通过这些仪式、气氛、风俗，通过连绵不绝的祝福性环节，让生命安静下来，让时间成为变量，让幸福成为常量。让生命从外在回到内在，从流浪回到故乡。而现在好多人在故乡找不到那种古典味了，一些仪式也淡出历史舞台了，怎么办？不少人就想起《农历》，集体读诵《农历》，让心灵借之得以安顿、安养，得以和宁静的天地狂欢促膝，体味当下回归喜悦的温暖和幸福。

而对于生命来讲，当下就是永恒。

所以，我认为节日不仅仅是风俗，它是一个非常有精神性的仪式，它是一条条回家的路，一个个回家的通道。生命的终极意义是回到故乡，第一故乡。

传统的节日，正是古人精心设计的归途。

周新民：我注意到，在《三年》《一片荞地》《呼吸》等篇章中无一例外地详尽地描写了死亡的礼俗，如《三年》跪迎纸火，点燃黄表、木香、金银斗、花圈、香幡，跪听祭辞；《一片荞地》详述丧仪：正相、凉尸、守丧、做寿木、做献板、写领魂幡、杀引路鸡、吊唁、献馍、烧纸、殓棺、下葬；其他作品如《农历》也涉及对鬼神的祭奠等风俗。我从中读出来了你对生命的敬畏。

郭文斌：《弟子规》讲："事死者，如事生。"事实上，中国人的思维是非线型的，它是一个圆，生死也是如此。圆上的一点，既是开始，也是结束，既是结束，又是开始，换句话说，生和死没有区别。"出生入死"这个成语的本义是从故乡出来就是生，回到故乡就是死。从本质地带出来就是生，回到本质地带就是死。既然如此，善待死就是善待故乡，礼敬死就是礼敬故乡，而故乡是"娘"在的地方，那么，对死的礼敬就是对"娘"的回望，这是大孝。而孝是"一"，是生命能量的通道，如果我们把这个通道堵上，生命就枯萎了。

周新民：你的小说大都书写乡村的人性美。"美"是你小说的核心要素。你能谈谈你为何以"美"作为主要创作旨归？

郭文斌：真正的文学，它一定是带有祝福性的。换句话说它一定是要把人带到故乡去的，带到母亲身边去的。现在呢？你迷路了，都没有几个人愿意给你指路了，孩子走丢了，甚至有人会把他拐卖掉，这是不少现代人的心态。那么，一些作家、传媒人有没有这种心态呢？有，一下笔就诱惑读者。我这几年在全国做文艺志愿者，发现了一个问题，好多女孩子的心灵创伤来自什么呢？来自她当年被别人诱惑过，通过利诱，对她进行生理侵犯。现在的作家、传媒人有没有这个倾向呢？有，一上来就勾引读者。用欲望，用色情。

在我看来，文学恰恰应该反勾引。有责任感的作家他应该设法把走丢的孩子送回家。一部作品，花了三四天时间读完，有没有一种找到家的感觉，有没有把心安妥的感觉，这是底线。就像当年二祖慧可不惜一切代价，去找初祖达摩为他安心。为了打动达摩，他居然砍下自己的胳膊。可见安心的重要。现在我们遇到的问题跟慧可是一样的，谁的心安呢？如果心安了就不会贪污，如果心安了就不会焦虑，如果心安了就不会痛苦，对吗？许多人心都不安，因此，作家们应该有一种自觉意识，用自己的文字把读者带到一种心安的状态。但是我们看到现在许多文学作品，不看则已，看完更加焦虑，对吧？

在我看来，美是和谐，是善，更是真。大美一定是真。只有到真那里，心才能安，心安了，恐惧感就消失了，恐惧感消失了，大快乐就到来了，大幸福就到来了，当然，大美也就到来了，否则，一切美都是局限的。

周新民：结合你的作品和你刚才所阐释的观点，我把你的文学创作追求归结为建构"安详诗学"。我觉得"安详"在你的文学作品和你个人思想中，带有哲学本体论的意义。你为什么要把"安详"作为你文学创作的核心思想？"安详"在你的文学作品和你个人思想中，具有什么样的内涵？

郭文斌：之所以把安详作为创作的核心，是因为借助安详，自己从焦虑和抑郁的痛苦中走了出来。接着，发现整个世界都处在一种焦虑和抑郁的状态之中。有那么几年，这种感觉特别强烈，总觉得人类会有爆发性的大事发生。这时，回头去读儒释道的经典，有种豁然开朗的感觉。在经典和现实的强烈碰撞之后，有一个十分美好的沉淀过程。渐渐地，一个概念出现了，那就是"安详"。在接下来的内涵和外延确立中，自己走出焦虑和抑郁的经验帮了大忙。一定意义上，《寻找安详》就是我从焦虑和抑郁中脱身的路线图。

由此，再打量文学创作，吓出一身冷汗。突然发现，自己读过的许多文学作品中，都弥漫着焦虑和抑郁。那么，读者沉浸在其中，不就在感染吗？这让我意识到，审美、教育、认识、娱乐功能，都不是文学的第一义，文学的第一义，应该是建设，是祝福。因为读者首先是生命体。换句话说，如果一部作品不能给读者提供生命的建设性、祝福性，我们读它，又有什么意义呢？接着，许多现实性的思考就明晰起来，比如，文字的安全性。很多文学作品把忧伤强化到极致，并且审美化，甚至把死亡审美化，这不是极其危险的事情吗？因为文字具有诱导性，心理暗示本身就是生命动机，人会自觉不自觉地接受这种心理暗示。那么，要是读者接受了死亡暗示呢？这个责任谁负？带着这些思考，从2006年开始，我开始以志愿者的身份在全国进行安详生活观、安全阅读观、底线出版观、祝福性文学观的验证性演讲，不想得到大家的强烈呼应。在广东中山图书馆的一次演讲打动了馆长吕梅女士，在她的强烈推荐下，《寻找安详》在中华书局出版了，不几年，发行近十万册。

至于什么是安详，最简单地讲，它是一种不需要条件作保障的快乐，它是生命本身具备的品质，只要我们能够把目光折回去，它就在那里。

周新民：现代文学的重要主题就是书写死亡、书写孤独、书写颓废，最终导致现代人不能从现代文明病中摆脱出来，相反，越陷越深。这也就是很多现代作家、诗人走上不归路的原因，是极其危险的。

郭文斌：对。青少年很容易接受作家的心理暗示，特别是那些有名气的作家，他们崇拜的作家。有些作家、文学评论家，认为揭露社会黑暗越厉害，作品就越深刻；写人性变态越厉害，作品就越深刻。他们认为像《农历》这种作品，分量不够，深刻性不够，但我不这样认为。什么叫深刻？带人回故乡才是深刻，面对灵魂才是深刻，对生命的关怀才是深刻，爱才是深刻。换句话说，生命的根本问题才是深刻，就像一棵大树，根才是深刻。我之所以用十二年时间写长篇《农历》，正是因为它深不可测，它是中华民族的基因链，是中华民族的DNA。现在，我仍然觉得自己没有触摸到它的根本处。就拿农历链条上的一个个宝珠节日来说，它关照的是个体生命和宇宙生命如何同频的问题，这难道不深刻吗？只有同频才有健康，才有幸福，才能回到根本故乡，这难道不深刻吗？

周新民：你是大型电视纪录片《记住乡愁》的文字统筹人，我想请你谈谈一些感想与体会。

郭文斌：这是长篇《农历》带给我的好运，它由中宣部主导，有多家单位支持，由央视组织拍摄。非常难得的是，我们情投意合。我认为《记住乡愁》的主题应该表现中国传统文化的合法性、魅力、生命力，特别是时代价值，不想上面的意思正是如此。

在给编导们讲课的时候，我特别建议，要通过镜头让观众看到，一个家族，一个一千年的家族或者几百年的世家是怎么传下来的，秘密在哪里。

从前六十集看，秘密就在家训的制定和执行里。概括起来，就是心量。就是说这个家族如果心量大，能量就高，子孙就旺盛。

天在下雨的时候，它给每一个人的是公平的。你拿出一个盆，它给你一盆；拿出一个缸，它给你一缸。就像钱学森家族，他的家训是"利在一身勿谋也，利在天下必谋之"。就是说，一件事情如果对我们一家人好，不干；如果对天下人好，咱去干。钱家就出大人物，范仲淹家族也是这样，孔子家族就不用说了。《记住乡愁》前六十集拍出来的这些大世家都是这样，让人们看完之后相信一句话："积善之家必有余庆，积不善之家必有余殃"；让我们看到世家是怎么形成的，并思考一个问题：这个家传到我这一代，怎么把它传下去，我的儿子、我的女儿怎么把这个家传下去。

四大文明中唯一没有中断的文明是中华文明，它跟《记住乡愁》讲的道理是一样的，人的长寿、家族的长寿跟民族的长寿道理是一样的。中国人讲"五福"——长寿、富贵、康宁、好德、善终。没有长寿就没有幸福可言，没有善终就没有幸福可言，没有康宁就没有幸福可言。那么，怎么样才能拥有五福呢？

《记住乡愁》里面藏着许多秘密。你看徽商，现在我们都认为他失败了，但他失败了吗？没有。他只是把财富变成了另一种能量方式，并且是更加永恒的能量方式。徽商当年赚了钱干吗呢？回家修祠堂、续家谱、建义学。让孩子读书，所谓"十户之村，不废诵读"。当年的徽州大地，即使是只有十户人家的小山村，你也一定能听到诵读的声音。明清时代，徽州考上进士的，就有一千左右。一个范进中举都高兴得疯掉了，人家光进士就一千左右，那需要一种怎样的集体能量作保障？可见，他们把生命的重量变成能量，存在这个家族的永恒账户上了。

我这些年常常讲一个永恒账户，就是人的潜意识。

潜意识它有几个基本属性：第一，自动记录性；第二，自动播放性；第三，全息性；第四，永恒性。就是说，人一辈子的命运，事实上是前一个生命周期拍摄的电影底片的播放而已。现在又给下一个生命周期拍底片，自动拍摄，自动播放。全息感知，就是说潜意识是共享的。

现在人们都认为人有隐私，其实放到潜意识层面没隐私。你看那个小孩子，睡着了，但他知道妈妈在不在他身边，妈妈一离开房间他就哭，妈妈回来在他肩膀上拍拍，说，妈妈在，妈妈在，他又睡着了。妈妈在他身边干活，再大的动静，他都睡得很安详，但只要一离开他就哭，说明潜意识是永远在工作的。现在的催眠治疗，证明生命是永恒的，这个永恒性就体现在我们每个人都有一个永恒账户上。同样，家族也有一个集体永恒账户，民族也同样，子孙后代可以享用它的余额。因此，古人活着，不但为自己着想，还为子孙后代着想，有福，他不会享尽，还要给子孙后代留一些。正如大地上的资源，他也不会开发尽，使用完，心心念念子孙后代还要用。

周新民：你对中国传统文化很有情感。我要跟你探讨一个问题。中国传统文化是中国古代社会特定的这个经济、政治条件决定的。今天，你认为传统文化里面有些东西是否会和当下的社会现实有距离？

郭文斌：没距离，传统文化它是为人服务的。试问，三千年前人的心跟三千年之后人的心一样吗？肯定一样啊。三千年或者五千年放在灵性这个链条里面，那是沧海之一粟。科学家告诉我们，到四维空间，空间可以折叠，时间可以折叠，什么意思？终点跟起点可以折叠，何况我们的灵性，三千年算什么呀。对于心灵来讲，三千年前跟三千年后是一样的，三千年前的母爱跟三千年后的母爱是一样的，三千年前的阳光、三千年前的空气、三千年前的水，跟三千年后都没变化。有些东西它是不会因为时间的变化而变化的，如果说三千年后的东西用三千年前的公理解决不了了，那三千年前的那个公理就不是公理。传统文化恰恰是反潮流的。如果说三千年前的一个公理，三千年后没用了，恰恰它就不是真文化，能过时的东西它就不是真文化。在我看来，传统文化就是真文化，不过时的文化。

孝悌忠信礼义廉耻，这是中国人的文化基因。如果我们现在不解决传统文化的问题，不解决孝悌忠信礼义廉耻的问题，法律再健全你也管不了根本问题，为什么呢？如果法官的品质出现了问题呢？对不对啊？如果法官贪污了呢？法官要是受贿了呢？

时代再发展，儿子孝顺父亲没错吧，父亲爱儿子没错吧，对不对？时代再发展，做官的廉洁没错吧。这就是传统。

再看现在的一些顶层设计，"八项规定"也好，路线教育也好，就是传统啊。"八项规定"用古人的说法就是惜福啊，因为它让全民族把面缸里的面粉省下来，变成了这个民族的长寿、富贵、康宁、好德、善终。如果把面缸里的面粉都在桌子上挥霍掉了，中国梦怎么实现？中国梦实现需要生产力，生产力就是面缸里的面粉。你看他第一步先惜福，把福气惜下来，把面粉攒下来，才有可能去实现中国梦。一个民族走到今天，要是面缸里没面粉了，那就意味着这个民族就要到终点站了。没有长寿你哪里有善终啊？这很关键。

但传统文化从形式上要和时代适应，比如说过去的人穿着汉服站在讲台上，现在周老师穿着西装站在讲台上，这个不重要。重要的是，讲的内容应该跟三千年前一样。瓶子我们可以换，但是酒不能换。就像手机是现代工具，但它可以传播经典。

不是真理的东西，不要说三千年，三十年都活不下来，为啥呢？人有灵性，既然是灵性，那它就很灵敏，就有高度的鉴别能力，只要不符合天性的东西很快就会被淘汰。你看历史上反传统的朝代没有长寿的：秦始皇反传统，二世就结束了；元朝反传统，短命。清朝比元朝就聪明得多，满人进关才多少军队，他靠什么东西延续了几百年的江山呢？他一进关把儒释道三家的祖先赶快请回来，你清流不是很清高吗？我把你的老师请出来，尊孔尊教，知识分子马上被收编,对吧？就像我尊重你，周老师，你的研究生还能不尊重我和认同我吗？他聪明啊，所以这个马背上的民族把天下坐下来了。

这是天道，传统只不过是古圣先贤对天道的一种认识，正确认识。它不是祖先创造出来的，它只不过是智者发现的宇宙规律。地球是围绕着太阳转的，月球是围绕着地球转的，这是规律，这不是孔子创造的，也不是老子创造的。《周易》也同样，只不过是祖先发现的规律。反传统，事实上是反规律，事实上是反天地精神，不是反哪几个人。你把孔老夫子打倒了，那不是把孔老夫子打倒了，是把他发现的这一套规律放弃了，把规律放弃了，就要受到规律的惩罚。心跳一定是有一个稳定频率的，如果有人要把心跳翻一倍，生命就结束了。规律是不可挑战的。

在规律面前，人只能谦畏。人越认识到这一层，就越谦虚。你看《周易》八八六十四卦，只有谦卦全吉。为什么只有谦卦全吉呢？尊重规律，尊重传统。远的不说，习近平总书记就非常尊重传统，无论是对内，还是对外，短短几年就把人心收回来了。在我看来，他现在反腐的目的不仅仅是为了反腐，是为了收人心啊。我甚至认为，就是为了让"乡愁"赶快在中国大地上变成一种显学啊，变成人们的生活习惯。反腐是为传统文化回归争取时间。他最后要做的事情呢，是要让这一套人们自我管理的生活方式、生活习惯重新回到大地上来。

过去，国家管理只到县级，县以下谁管？文化。对吗？乡人自我管理，靠的是什么？祠堂、家谱、家训，就是传统啊。汉文帝时，犯罪率低到官员都没活干。后人传诵的不少好文章多是官员写出来的，官员在任上没活干，不吟诗作赋干嘛？管理成本很低啊。你看《记住乡愁》中好多村落一二百年都没有犯罪的人，没有离婚的人。

有一个信义村，大家上地的时候，把标好价的菜装到篮子里，拿到村头，挂在树上，旁边挂一个收钱袋，去种田，种完田回来，一结算，不差一文啊。现在仍然是这样。那你想周老师，这样的管理，国家机器多轻松呀，对吗？大人们把小孩带到那里去，熏陶，教育，从小就在心里种下诚信的种子。如果我把菜拿走，却不投钱，谁也不知道。但多少年来，没有发生过这种事情，拿菜投钱已经成了他们的自觉行为了。

山东有一个村支书，白天做一件好事，晚上向投豆亭里投一粒黄豆，做一件错事投一粒黑豆，一年下来结算，看他这一年做的好事多还是坏事多。如果所有的官员都这样干，还有腐败问题吗？哪里有腐败问题啊？

周敦颐家族也拍了。主人公的身份是县委的一名重要干部。他的三个儿子现在居然还是农民，当年他居然让他的儿子放弃了国办工厂去招工。让我们感动的是他的儿子不抱怨，儿媳妇也不抱怨，为啥呢？周家世世代代廉洁。这个主人公八十多岁了，记者采访时问他为什么这样做，他说，他们周家世世代代廉洁，不能到他这一代把这个名声坏了。你想如果所有的官员都这样做的话，国家的管理成本该有多低？那一集让我特别感动，感动的不是周家这位老人做得好，而是他的后人境界高，他们没有抱怨老人。招工谁都有机会啊，如果没有这样一位父亲，也许他们恰恰就成为工人了，因为人人都可报名，人人都有被录取的机会，正是因为他的父亲是县委干部，他就不能报名，他的父亲之所以这样做，就是为了保持祖上留下来的廉洁家风。

为此，我在《人民日报》《光明日报》《文艺报》上发了不少文章，表达对这档大型纪录片的感情，发在《人民日报》上的题目是《记住乡愁，就是记住春天》。

周新民，1972 年出生，华中科技大学人文学院教授、博士生导师。2002 年毕业于武汉大学，获文学博士学位。在《文学评论》《中国现代文学研究丛刊》等刊物上发表学术论文、文学批评文章百余篇，著有《"人"的出场与嬗变——近三十年中国小说中的人的话语研究》等著作。

（《中国"60 后"作家访谈录》周新民著，
中国社会科学出版社 2017 年 2 月版）

农历精神

——答《上海文化》编者问

问：近年来，你一直在讲"农历精神"对人类永续发展的意义，并且讲得很绝对，似乎除此之外，没有更好的办法让人类走出困境，能谈谈你的逻辑依据吗？

答：这个逻辑依据，就是历法。历法，通常讲，是推算年、月、日，并使其与相关天象对应的方法。对应，是其根本。

历法有三种：

阳历，也就是太阳历，以太阳周年为视运动周期，即回归年，约等于 365.2422 日。一年划分为十二个月，与月亮运动毫无关系。根据阳历，可知寒来暑往四季变化，合理指导农事。公历，也就是格里高利历，是阳历的一种。

阴历，也就是太阴历，以月亮的圆缺周期（约等于 29.530588 日）为一个月，积十二个月为一年。它完全不考虑太阳的周年视运动规律，不能显示四季冷暖状况。

阴阳历，也就是我们常说的农历，它取月相的变化周期即朔望月为月的长度，参考太阳回归年为年的长度，通过设置闰月以使平均历年与回归年相适应。根据农历日期，既可知道潮汐涨落情况，又可大概掌握四季更替状况。

作为中华民族的时间制度，农历是中华根文化在历法上的对应，相较阳历和阴历，它更加注重平衡、和谐，更加注重整体性、系统性。由此引发的政治制度、道德制度、伦理制度、文化制度，决定了人的认知方式、思维方式、行为方式、学术方式，而这些都以中道为圭臬，高效保持了中华文明的生机和活力。体现在政治上，就是历法统摄下的超稳定大一统政治循环体系；体现在经济上，就是春种夏长秋收冬藏的自足循环体系；体现在文化上，就是天文和人文高度呼应的天人合一循环体系。

天文是根，是本，政治、经济、文化是枝叶，其协调机制，就是农历，由非常强大的数学作后盾。

这次全球疫情大暴发，从相反的方向证明了这种政治、经济、文化体系的合法性。这个"法"，一定意义上，就是宇宙意志，也就是中国人常讲的"道"。为此，我们就容易理解，古人为什么说"得道多助，失道寡助"，为什么说"是道则进，非道则退"。因为只有合道，才能吉祥如意。

几千年来，这种天文和人文的主动性呼应，渐渐演变为民俗，特别是节俗。拙著长篇小说《农历》，就是这种节俗诗性部分的文学再现。

问：你刚才说，对应是历法的根本，怎么理解？

答：历法的原始价值在于指导农业生产。天子的权威正在观象授时，借助观测天象为百姓提供时间服务。每次授时都准确，天子权威就树立了。一个可以和天"沟通"的人，自然就具备了君权天授的合法性。

我们现在用的许多语言，都来自天文，比如"二月二，龙抬头"，比如"七月流火"。

天文将黄道附近的星象划分为二十八组，表示日月星辰在天空中的位置，俗称"二十八宿"，以此作为天象观测的参照。"二十八宿"按照东西南北四个方向划分为四大组，产生"四象"：东方苍龙，西方白虎，南方朱雀，北方玄武。"二十八宿"中的角、亢、氐、房、心、尾、箕七宿组成一个龙形星象，人们称它为东方苍龙，其中角宿代表龙角，亢宿代表龙的咽喉，氐宿代表龙爪，心宿代表龙的心脏，尾宿和箕宿代表龙尾。

《说文》讲龙"春分而登天，秋分而潜渊"的记载，实乃东方苍龙星象的变化情况。苍龙星宿春天自东方夜空升起，秋天自西方落下，其出没周期和方位正与一年之中的农时周期相一致。春天农耕开始，苍龙星宿在东方夜空开始上升，露出明亮的龙首；夏天作物生长，苍龙星宿悬挂于南方夜空；秋天庄稼丰收，苍龙星宿开始在西方坠落；冬天万物伏藏，苍龙星宿隐藏于北方地平线以下。每年的农历二月初二晚上，苍龙星宿开始从东方露头，角宿，代表龙角，开始从东方地平线上显现，大约一个钟头后，亢宿，即龙的咽喉，升至地平线以上，接近子夜时分，氐宿，即龙爪也出现了。这就是"龙抬头"的过程。之后，每天的"龙抬头"日期，均提前一点，经过一个多月时间，整个"龙头"就"抬"起来了。

"七月流火"出自《诗经》中的《国风》："七月流火，九月授衣。"这里的"火"即指"心宿"，就是"大火"星。每年仲夏午月黄昏，"大火"位于正南方，位置最高，而到了七月黄昏，它的位置由中天逐渐西降，"知暑渐退而秋将至"。人们把这种现象称作"七月流火"。

问：看来，好多人都用错了。

答：是啊。在这样的天文背景下，能够顺时施政就成了先进政治的标志；能够对天负责，就成了先进人格的标志，所谓"祝史正辞"。

由此，再体会"天命"这个词，我们就会有新的感觉。

换一个角度讲，宇宙之所以永恒，就在于整个天体都在按轨道运行，离开轨道，天体就会陨落。人是宇宙的一分子，不可能法外逍遥，要想安宁，就要"人法地，地法天，天法道，道法自然"。只有如此，才能"天长地久"，所谓"天地所以能长且久者，以其不自生，故能长生"。可见，天道无私。这种无私，体现在人伦中，就是古圣先贤总结出来的"孝悌忠信礼义廉耻仁爱和平"，更为准确些说，"孝悌忠信礼义廉耻仁爱和平"，是古圣先贤总结出来的维护这种"无私"的人文制度。这种人文制度，事实上是天文制度的对应。细细琢磨，整个天体都在遵守"孝悌忠信礼义廉耻仁爱和平"，它是一种和平运转，忠信运转，仁义运转。所谓"至信如时"。于此，我在长篇《农历》中，借五月与六月的对话，讲得比较多。

这种对应，体现在人格教育上，就是感恩心、敬畏心、慈悲心。如果用一个字来概括，就是爱。中国文化就是从此生发出来的。因亲以教爱，因严以教敬。爱敬存心，这个人就会获得吉祥如意。

这种天文和人文的对应，体现在方法论上，就是《周易》《黄帝内经》《道德经》等经典传统和以二十四节气为主轴的节候传统。二者相化，就是源远流长的民间传统，其中特别重要的一部分，就是中华传统节日。

先说经典传统。《周易》六十四卦，六十三卦吉凶参半，只有谦卦全吉。而谦的本义，就是无我。《说文》释谦为敬，《玉篇》释谦为逊让。我们可以想象一下，如果宇宙天体相争，会是一个什么结果。所以，《易·系辞》说"谦者，德之柄也"，一切道德，都从谦而立。可是，看看今天的世界文明生态，谦吗？

问：这和历法有关系吗？

答：有。我前面讲过，我们的历法是阴阳历，阴阳历本身就讲阴阳平衡，孤阴不长，独阳不生。如果我们只关注太阳，不关注月亮，在节气制度上肯定会出现漏洞和缺陷。于社会而言，如果我们只关注民主、自由，不关注集中、纪律，生活往往就会乱套。只有个体性和整体性高度统一，社会才会和谐。于文化而言，只有儒法，没有道墨，人的心灵就无法张弛。过度的有为是灾难，过度的无为也是问题。

因此，历法对文化的影响巨大。一定意义上，它就是文化之根。换个说法，文化是历法的投影。阴阳历衍生出来的文化，更加注重节制、节度、节约。二十四节气，就是一种大节度。这种节度，在人气质上的投射，就是顺应自然、尊重自然、爱护自然。这个"自然"，不同于今天讲的大自然，而是本然，就是宇宙第一性；对应在人，就是本性。中华几千年的文化和教育，都围绕维护这个本性展开，简单地说，就是反污染，就是始终保持觉醒。

于此，孔子开出的修学次第是"志于道，据于德，依于仁，游于艺"。《中庸》进一步明确指出："天命之谓性，率性之谓道，修道之谓教。"庄子则用一个"齐"字解决问题，齐万物，齐是非，齐生死。"逍遥游"的大前提是"天地与我并生，万物与我为一"。

因此，中国古典教育是紧紧围绕拓展心量进行的。所谓格物、致知、诚意、正心、修身、治国、平天下，一圈一圈地展开。儒家教育由孝到悌，由家到国，也是如此。

而一个人真正的敬畏感的形成，就是认识到宇宙的浩瀚和个体的渺小。

问：但你前面讲，"农历"是中国人的历法，适用全世界吗？

答：当年英国历史学家汤恩比讲，未来属于中国，就是从这个意义上讲的。通过几千年的试运行，西方文化走不下去了，在我看来，跟西方文化的"独阳"有关。印度文化也走不下去，因其骨子里是"独阴"。只有中华文化，既注重阳，又注重阴，阴阳平衡，水火既济。用一个卦来体现，就是"泰"。当一个国家，始终处在这个卦象上，它就会国泰民安，即使有灾难，也会"否极泰来"。

我们简单地看几组爻辞：

"拔茅茹，以其汇，征吉"，意为拔柔软小草的时候，将草叶会合在一起拔，出征就会吉利。其意象是，主方与客方的利益像草一样缠合在一起。因此，主方需要时时考虑客方利益，协同客方一起行动。

"包荒，用冯河，不遐遗；朋亡，得尚于中行"，意为包括荒凉的原野，越过河川，不遗漏遥远之处，广阔无与伦比，公正的行动就会得到尊崇。在广泛的范围内，主方处事不偏不向，公正公平，客方就会尊重。

"翩翩，不富以其邻，不戒以孚"，意为轻快地行事，不以取得邻居的利益而富裕，以诚恳取得信任，客体就不再戒备。

这不正在讲当下的中国吗？

问：你把《周易》泰卦这么解读，有意思。问题是，国际社会能接受吗？

答：中国人讲天时地利人和。天时到了，人们自会接受。汤恩比就接受了啊。再说，为了让人类永续发展，大自然力量也会帮忙。这次中药大放光芒，就很能说明问题。从专家的介绍来看，但凡用中医干预的病人，大多数从危症转入重症，从重症转入轻症，从轻症转入痊愈。媒体现场报道，病人口耳相传，大夫客观介绍，让中医推广全民化，全媒化，最后全球化。一种文化，连同这种文化指引下的医疗方案，能够大面积降低死亡，挽救生命，没有比此更高的文化价值；一种文化，能够大大降低医疗成本，纯西医几十万元才能解决的问题，中西医并重几千元，甚至几百元就可以解决，没有比此更高的经济价值；一种文化，能够无私奉献给人类，并且带着牺牲性，没有比此更高的伦理学价值。

当年，一位白求恩，让我们对加拿大人充满了情谊；现在，众多的中国专家，带着物资，分赴疫情严重的国家开展救援，带给这些国家的信心、安慰、镇定，特别是情谊力量，更是无法估量的人道价值。这些价值，自然也会客观地变成天然

97

的外交价值、国防价值，成为坚定中国人道路自信、理论自信、制度自信，特别是文化自信的"天时、地利、人和"。

问：你是说，中医会把中国文化带出去？

答：是，因为中医的核心就是"用中"。而中国文化的核心也是"用中"。用儒家心法来讲，就是"人心惟危，道心惟微，惟精惟一，允执厥中"。这个"中"，对应在"天人合一"上，就是天人相通。中药之所以能治病，就是其性通天。换句话说，作为天地化生的中药，看上去是普普通通的一草一木，却是宇宙能量的载体。

没有中医，中华民族不可能有现在的人口体量，如果当年不实行计划生育，现在人口该有多少？

央视国际中文频道做了7集《中华医药，抗击疫情》，最长的节目达86分钟，但收视率不降，可见全球观众是多么渴望了解中医。

而中医，就是以"中"为"医"，一定意义上，"中"就是"医"。这个"中"，可以理解成整体性、永恒性、系统性，也可以理解为联系性。这次全球疫情大暴发，让我们刻骨铭心地认识了这种联系性。

80%的传染病起源于错误的人和动物关系，起源于错误的生活方式，就是离开了"中"。从中国文化的整体观来看，动物和人也是整体，整体关系一旦被破坏，我们就要为修复这一关系付出代价。

　　细想起来，病毒之所以会肆虐，也是借助整体性，如果没有整体性，它们又何以无孔不入。所谓同呼吸、共命运，没有谁能截然把自己和对方分开，因为山川异域、风月同天，因为空气是整体，水是整体，天地是整体。

　　问：这种整体性，在农历中怎么体现？
　　答：最朴素地讲，就是平等意识。在拙著长篇《农历》"干节"一章中，有这样一段：
　　"六月要捣毁一个喜鹊窝，五月不让，为了制止六月，五月给六月讲了"肝肠寸断"的故事——娘说从前有一个馋痨拿枪打死一只小鸽子吃肉，第二天推开房门一看，发现门槛上蹲着一只老母鸽，已经死了。那人照样把这只母鸽开剥了，发现它的肠子是断成几截的。娘说这叫肝肠寸断，从此这个馋痨再也不打鸽子了。"
　　老子讲："天地所以能长且久者，以其不自生，故能长生。""长生"的前提是"不自生"，不唯我独尊，不把自己的幸福建立在其他生命的痛苦之上。孙思邈讲，以杀生来养生，定会南辕北辙。因为杀生一定伴随杀机，而健康来自生机。
　　在我协助央视采编的五百集大型纪录片《记住乡愁》中，我们看到，不少村镇，薅草时要先敲锣鼓，让田垄间的虫子

99

先离开，再下锄；不少村镇，人们打鱼上来，一称，不够二斤的要重新放回；不少村镇，把树人格化保护，盖房用树，要经过全村人同意，举行庄严的仪式，才能砍伐。人们活在一种大人情味中，这种人情味，正是乡愁的根和魂，也是中华民族的根和魂，它的逻辑依据正是"你就是我，我就是你"的生命整体观。

农历之所以几千年来没有从我们的生活中淡出，正是基于它的整体性。这种整体性以二十四节气体现出来，以阴阳五行体现出来，以人的敬畏和感恩体现出来，以趋吉避凶的优势体现出来，我把它称为"农历精神"。这种精神，在哲学领域，以《周易》《老子》等典籍显现，在医学领域，以《黄帝内经》《伤寒杂病论》《神农本草经》等典籍显现。

如果整体性不好理解，换个角度，同体意识，就好理解了。

若用同体意识来看，你就是我，我就是你，你受伤就是我受伤，我受伤就是你受伤。正如头受伤了，要去医院看，腿就不能说，这不关我的事，我不去；正如左眼受伤了，右眼就不能说，这不关我的事，我不管。就生命整体而言，头就是腿，腿就是头，左眼就是右眼，右眼就左眼。对于人类来说，也是如此，唇亡齿寒，是真理。因此，"见人之得如己之得，见人之失如己之失"。"凡是人，皆须爱；天同覆，地同载"，如果一个人不能了解这一点，就很难理解中国文化，很难理解中国人为什么会有一种天然的同情感，会有一种一方有难八方支援的集体意识。这是由中国哲学本身决定的。由此，我们就能理解，中国人在任何时候，都为发生灾难的国家提供援助，从不幸灾乐祸，从不落井下石，因为我们的文化基因是整体性，我们甚至能够做到以德报怨。

问：问题是，人类如何认识这种同体性。

答：可以借助现代人的利润思维，也就是说，要找到人的第一关切趋吉避凶。文化工作者，特别是传媒、教育平台，要反复论证一个观点：

当人们敬畏自然时，便能与天地融为一体，和谐共生，吉祥就会到来；当人心中没有敬畏的时候，整体性带给人的福利就会离去，灾难就会到来。

还是那句话，当人把心量扩充到能平等对待万事万物时，吉祥如意就会到来。

切入点是教育。应当着眼于整体，进行心性教育、道德教育、知识教育、美学教育、生存教育等全面发展的整体性教育，唤醒人们对自然、对土地、对万物的保护意识，唤醒人们的感恩心、敬畏心。

尤其要重视节俗教育，再好的文化，如果不能化为民俗，是不能传之久远的。成为民俗，就会成为民间自觉、民间自动、民间循环，就会成为一种像节候一样循环的存在机制，从而具备稳定性、永恒性。

问：可现实是洋节大行其道。

答：是啊，这正是我要说的。洋节为何大行其道？无非有这么几个原因：

一是西方的和平演变战略。美国前总统尼克松在其著作《1999：不战而胜》中写道："当有一天，中国的年轻人已经不再相信他们老祖宗的教导和他们的传统文化，我们美国人就不战而胜了。"洋节大行其道，背后有着旨在让中华文化转基因的大量的长期的持久的战略性资金支持的原因。

二是我们自己的文化态度。现在全民学英语，全民看体育赛事，全民看模特表演，全民看娱乐性大片，特别是外星偶像化推波助澜，让商业模式成为生活方式，为西方商业文化提供了"得天独厚"的气候和土壤，导向性审美出现了偏差。

从认知方式来看，西方文化是工具性的、眼见为实的，中国文化是整体性的、天人合一的、致良知的；从价值观来看，西方文化是唯利是图的，中国文化是唯义是图的，西方文化更着眼人和物的关系，中国文化更着眼人和人的关系；从行为方式来看，西方文化更注重法律和制度，中国文化更注重道德和品行；从学术方式来看，西方文化是科学分析型，中国文化是孔子开创的诗书礼乐春秋易之"六艺"。近百年来，哪个是主流，哪个是潜流，大家都清楚。

三是我们自己的经济态度。几千年的中华文化传统是，经济搭台，文化唱戏，因为文化对应的是人的灵魂建设，强调的是和谐力、建设力、改造力。可是有一段时间，我们是文化搭台，经济唱戏，既然是文化搭台，经济唱戏，洋节就获得了政策上的合法性、合理性，自然就乘势而入并大行其道。

四是我们自己的教育态度。谁都知道，中国教育是心性教育、道德教育、知识教育、生存教育、审美教育五位一体的全面教育，是私塾家学、书院乡学、贡院国学、寺院道学、剧院戏学五位一体的全程教育，换句话说，是整体教育。但曾几何时，西方知识教育一家独大。

特别是留学风，多少孩子成长在外国，学习在外国，当然也就"节日"在外国，回来之后，西方节日就成为他们的情感寄托、精神寄托。事实上，节日尚是小事，有一部分留学生，甚至选择了西方宗教信仰。而西方节日，一定意义上，就是宗教信仰的载体。

我不反对留学，但"留学"首先要"学留"，把自己的东西先留住，再留学。换句话说，留学应该是在扎下本土文化根之后，在形成自己的认知方式、思维方式、行为方式、学术方式之后，特别是在形成自己的价值观之后。换句话说，先认亲爹，再认干爹，先吃娘奶，再吃洋奶。这样，孩子的生命主系统就会健康，免疫系统、修复系统就会健康。如果孩子本土的感受力、判断力、行动力、持久力、反省力没有形成，两套认知方式、思维方式、行为方式、学术方式，特别是价值观，就会在孩子内心形成混乱，互相干扰，互相打架，甚至精神分裂。

问：是这样。问题是，怎么办？

答：这就要主导教育的人，先弄明白，何为源，何为流，何为本，何为末。既然我们降生到中国，我们的基因就是"中国"。就像庄稼长在土里，鱼生活在水里，一个是土性，一个是水性。这种生命基因体现在文化上，就是五千年历史长河中积淀下来的中华优秀传统文化。

在这里，我要申明的是，我热爱中华文化，但不反对西方文化。问题是，我们要处理好二者的关系。原则是，一定要把根留住，把源头护住。小麦一定要落土，水稻一定要入水，鸟儿一定要升空，鱼儿一定要归流，否则就会有毁灭性灾难，甚至灭种性灾难。我们的祖先引进佛陀教育文化，就是一个成功案例。他们引进佛陀教育文化，但前提是有助于巩固孝悌文化，结果，佛陀教育文化和孝悌教育文化双赢。事实上，佛陀教育文化在当代印度已经灭亡，但在中国却成为传统文化的重要组成部分，再过一段时间，印度人学佛陀教育文化，可能就要留学中国。事实上，当儒家文化发展到心学，儒释道三家已经不可分，但中国文化的道统之根没有变，天人合一的学统之源没有变，孝悌文化的根脉没有变，因为我们有一套超稳定的农历系统。

文化应该是一种吸和收的关系，而非变和换的关系。

如果一种引进，没有让生命提升，反而让生命堕落，那就是错误。如果一种引进，没有让生命和谐，反而让生命混乱，那就是错误。

如果这四个方面的态度不改变，西方节日大行其道的局面将很难改变。《大学》讲："物有本末，事有终始，知所先后，则近矣。"要想从根本上改变洋节以压倒性之势进入的局面，就得从根本上转变我们的态度。

好在国家早就认识到这个问题，已经从根本上着手解决。十几年前，中宣部就启动了"我们的节日"工程。六年前，央视以破冰之势拍了8集《中国年俗》。五年前，开拍540集体量的史诗性纪录片《记住乡愁》，目前已经播出350集。我之所以排除一切困难和干扰，协助央视做这两档节目，就是体会到国家的良苦用心。

同样，我之所以用十二年时间写长篇小说《农历》，就是想让读者看到几千年来，农历在成功协调天文和人文，有效节度政治、经济、文化、生态的诗性力量；就是想让读者看到，民间传统远比经典传统更牢靠、更坚实、更安全。

问：诗性力量，怎么理解？

答：在全国宣传思想工作会议上，习近平总书记指出："中华优秀传统文化是中华民族的文化根脉，其蕴含的思想观念、人文精神、道德规范，不仅是我们中国人思想和精神的内核，对解决人类问题也有重要价值。要把优秀传统文化的精神标识提炼出来、展示出来，把优秀传统文化中具有当代价值、世界意义的文化精髓提炼出来、展示出来。"在我看来，传统节日就是中华文化的精神标识之一，就是具有当代价值、世界意义的文化精髓之一。

节日是日常生活的一部分，但却是优雅化了的一部分，精致化了的一部分，精神化了的一部分，诗化了的一部分。它改变了生活节奏，却丰富了生活，美化了生活，提升了生活。

《农历》2010年10月由上海文艺出版社出版，2016年由长江文艺出版社再版，在第八界"茅盾文学奖"评选中，六十位评委投票，最后一轮得票第七。我觉得《农历》虽然只获得提名，在最后一轮投票中得票第七，但事实上已经进了前五，也许再过若干年，大家觉得它更应该是第一。这不是我自傲，而是因为我选择的题材，是唯一的，也是不可替代的。一定意义上讲，《农历》是在给民族代言。因此，有人说，《农历》是"中国符号"。

事实也证明了这一点，《农历》首版十年来，每年重印一次，说明这个选题是对的。特别是2019年清明，由陈思和先生提议，复旦大学中国当代文学创作与研究中心在上海给我召开研讨会，陈思和、栾梅健、汪政、王光东等先生，在时隔十年后，充分肯定了这部作品，让我更是充满信心。

我常说，《农历》的写作，就是一个作家的爱国主义行动，一个人不爱自己的文化，要说爱国，是需要考量一番的。

从另一方面来讲，说明读者越来越重视传统节日。前年由中央电视台总编室根据《农历》改编的动漫《六月说过年》，在央视重大宣传平台"一号线上"推出后，一时成为新闻热点，年年重播，现在已经被不少幼儿园和中小学作为视频教材，也说明这一点。

而我和国际中文频道联手，也是《农历》的缘分。由此，我们从大型纪录片八集《中国年俗》开始合作，我的身份是文字统筹。因为播出反响强烈，第二年启动大型纪录片《记住乡愁》，我又被制片人王海涛先生邀请担任文字统筹。不想头两季播出空前成功，观众达近170亿人次，被黄坤明部长誉为弘扬社会主义核心价值观最接地气的精品力作，已经摘得近十项全国性大奖，包括中国电视最高奖项"星光奖"。

而《记住乡愁》中，相当内容就是传统节日，不少节目，都是以传统节日作骨架的，特别是少数民族部分，传统节日不但是其精神载体，还是其文化符号，尤其是其识别符号。

推而广之，正好可见中华传统节日在中华文化中的地位和角色。传统节日，正是中华民族的精神载体系统，也是符号系统，更是识别系统。打个比方，如果传统文化是承载智慧的书本，那么传统节日就是承载智慧的课堂。课堂没有了，书本也就束之高阁了。《农历》中，五月和六月虽然没有接受书院专业教育的条件，但是有仪式性传统节日在，书院教育的核心部分就在习习如风的节俗和仪式中得以熏染和传承。

中国文化讲究化文成俗，文化只有约定成俗，成为风尚，成为具有仪式感的国民行为习惯，才能传之久远。而传统节日，正是文化的俗成部分。锦绣中华，一旦锦没有了，绣将无处附着。正如土壤没有了，再好的种子也将无用。关于这一点，我在长篇小说《农历》的创作谈《想写一部吉祥之书》里，通过经典教育和民间教育的关系，展开讲过。

问：你讲的这种诗性，和通常意义上的诗性略有区别，细想也是。力量呢？

答：首先它能给人以安全感、归属感、家园感。十九大报告中指出，要持续提高人民群众的获得感、幸福感、安全感。在我看来，安全感是基础，没有安全感，获得感和幸福感就无从谈起。

传统节日为什么能够给人提供安全感，一则，它已经成为中华民族基因般的集体意识，集体意识和个体意识就像大海之于浪花，浪花离开大海，就会蒸发，个体意识离开集体意识，就会恐惧。

而人一旦恐惧，第一，就要向外在世界抓东西以填充内心的恐惧感，占有欲、控制欲和表现欲就随之而来，一旦"三欲"满足不了，人就会抱怨、生气。抱怨、生气之于个人，会伤害身心健康，之于社会，则会造成动荡和灾难。第二，内心就会焦虑，就会抑郁，现在 13% 的焦虑比率，背后隐藏着十分可怕的心理危机。许多人自杀，都与此有关。

传统节日之所以能给我们安全感，和古人对它的设计有关：

古人按宇宙节律、生命节律设计节日，节日就像竹子的节，正好是时令和生命的关键处，让人们在紧张的劳作中休息一下，休整一下，给生命充电。任何电器，功能再好，如果电没了，一切功能都无用。就是说，传统节日，是古人按照宇宙和生命节律做出的科学设计。

大多传统节日，都和日月星的运行规律有关，初一和十五居多，而初一和十五，正好是阴阳二气交汇之时，让人们以过节的方式休息、休整、充电，让细胞在放松中更新和休整，让因过度劳累而损伤的生命在安静中得以修复。

大多传统节日，都有连根养根的功能。

我们知道，没有根的树会死掉，没有源的水会枯掉。

再说，在传统节日中，一族人往往要在祠堂聚会，集体阅读家谱，集体温习家训，集体教育孩子，"立身行道，扬名于后世，以显父母"。小孩在这种氛围中长大，他就会洁身自好，不敢作奸犯科，否则，就会像"江南第一家"郑家家训中讲的，"子孙出仕，若有脏墨闻者，生则削谱除族籍，死则牌位不许入祠堂"。当一个人想到活着被从家谱上除名，死了从祠堂除名，将要成为"孤魂野鬼"，他就会有警惕感，就不会贪赃枉法。因此，郑家宋元明三代给国家贡献了七百多位大臣，却没有一位因为贪腐被罢官的。一族人十五世不分家，鼎盛时三千多人同餐共饮，连朱元璋都十分震惊，在了解真相后，提笔写下"天下第一家"，郑家人提醒"天下第一家"应该是皇族，朱元璋才将其改为"江南第一家"。

这是祠堂、家谱、家规、家训这些家道建设的硬件和软件带给一个家族的获得感、幸福感、安全感。

现在，人们教育孩子，往往从效率感着眼，却很少有人从安全感着眼；往往从成功着眼，却很少有人从成功不败着眼。

而古人对传统节日的设计，就良苦用心，正是要让后代既有效率感，又有安全感，既成功，又成功不败。

从幸福感的角度讲，传统节日往往注意礼节性的人情往来，叔伯姑姨要走动，这有利于人心相通、感情交流，有利于战胜冷漠。现代科学已经证明，冷漠是健康的杀手。城市人患癌比率高于农村，和人心不通、人情冷漠不无关系。

更为重要的是，通过传统节日，文化得以机制性、保障性传承，就像没有科举，中华文明的经典传统就会断档那样，没有传统节日，中华文明的民间传统就会断档。

这一点，我在长篇小说《农历》的创作谈《想写一部吉祥之书》中，讲得比较多。看过拙著《农历》的读者都会知道，主人公五月、六月，正是通过十五个传统节日，从父母那里一点点接受传统文化的，可谓为"往圣继绝学"。

近些年，我们在生活中实践，一个十分焦虑的人，一旦把根连上，焦虑就会缓解；一些叛逆的孩子，一旦把根连上，叛逆就会缓解；一些想入非非的人，一旦把根连上，幻想就会缓解。这一点，我在《寻找安详》和《醒来》两本书里，实名收录了十几位受益者分享的真实案例，您可以看看。

换句话说，传统节日具有祝福功能，如果人们一旦认识到传统节日的祝福性，我们就不用担心它会衰微。

这一点，《中庸》讲得很到位："郊社之礼，所以事上帝也。宗庙之礼，所以祀乎其先也。明乎郊社之礼、禘尝之义，治国其如示诸掌乎。"郊是祭天，社是祭地。对于古人来说，天地都是人格化的。在《易经》中乾为天，为父，行健；坤为地，为母，势坤。乾坤运化，产生万物，因此要尊祭。古人祭天于冬至日，祭地于夏至日。冬至夏至即复姤二卦。冬至一阳生，复卦行令，从这一天开始，整个上半年，天地阳气回升，是阳气主宰的时段；冬至祭天，表示时令已到了乾阳主宰的时期。夏至祭地，地代表阴，夏至一阴生，复卦行令，阴气一天比一天盛，阳气渐渐收藏，直到冬至日。古人通过祭天和祭地，提醒人们时令上的阴阳变化，以更好地安排生产、生活。

近年，国家举行各种庆典和公祭仪式，就起到了类似的效果。

"明乎郊社之礼、禘尝之义，治国其如示诸掌乎。"郊社之礼祭天地，禘尝之礼祭祖先。禘是春天大祭，尝是秋天大祭，五年一次。天坛地坛就是古代祭天、祭地的，是中华民族精神凝聚力的重要平台。古人认为，如果国家能够理解并应用好郊、社、禘、尝之大仪，通过这些神圣的仪式，让国民内心充满感恩敬畏，以庄敬之态生产生活做人行事，人心就会得到净化，社会就会安宁，"治国其如示诸掌乎"，治理国家就像把手掌打开给别人看那么容易了。

问：现代人注重科学，《中庸》中讲的"上帝"和"先"，如何证明其存在？如果证明不了，现代人就会觉得，那只是古人的迷信。

答：这正是现代性的问题所在。在望远镜发明之前，人们看不到银河系，但是它存在。在显微镜发明之前，人们看不到细菌，但是它存在。人类曾一度感觉自己可以战胜一切，可是今年的疫情告诉我们，核武器在新型冠状病毒面前，一筹莫展。如果我们认真读《道德经》，就会发现，老子所讲的一切，就像是给今天预言。不是吗？"鸡犬之声相闻，老死不相往来"。

我不反对现代性，但是要提醒人们，唯现代性往往会让人傲慢。我们前面聊过谦卦，"唯谦受福"。

问：但这就是现状。

答：没关系，我们可以通过两条线解决问题。一是看历史，五千多年的中华文明史，证明这些常识正确，但凡正确的历史，一定在应用正确的常识。二是看现实，走得通的现实和走不通的现实。因此，中国人在成事三要素"天时、地利、人和"中，首先讲天时。天时会给人们答案，而天时，正是农历。

问：这就是当初推动您去创作长篇《农历》的初衷？

答：对。我之所以用十二年时间创作长篇小说《农历》，是基于以上我对"农历"在个人幸福、社会和谐、人类生存中的不可替代性的价值判断。于此，我在创作谈《想写一本吉祥之书》中谈过：

"农历"是中华民族的底气

我把《农历》的写作视为一次行孝。因为在我看来，"农历"是中华民族的根基、底气、基因、暖床。昔日，列强可以摧毁中华大地上所有的建筑，但无法摧毁农历；时间可以让岩石风化，但无法风化农历。"农历精神"无疑是中华民族的生命力所在、凝聚力所在，也是其魅力所在。

和先祖相比，现代人的"营养"很不平衡，"体质"很寒，动不动就"感冒"，就"生病"，究其原因，就是接不上"天气"

和"地气"了，久而久之，"元气"大伤。而一个人要想恢复元气，就得首先接上天气、地气。"农历"正是向人间运送天气和地气的，是告诉人们如何才能接上天气和地气的。

我不反对外来文化，但现在的问题是，中华文明本有的一些文化精华被淹没，被轻视，主体营养在沉睡。正如我不反对西方节日，但我也不赞成忽视自己的节日。国家近年来倡导"过好我们的节日"，倡导"经典诵读"，真是英明至极。想想看，一个人把自家的地荒着，却去种别人家的地，这个人是不是有问题？

民间传统比经典传统更牢靠

依陋见，中华传统文化主要由两部分组成，一部分是经典传统，一部分是民间传统。经典传统固然重要，但民间传统更重要。因为经典只有化在民间，成为气候，成为地力，才能成为营养，也才能保有生命力，否则就只是一些华美的句段，也不牢靠。民间是大地，是土壤，经典是大地上的植物。只要大地在，就会有根在，只要有根在，就会春来草自青。

经典传统是可以断裂的，但是民间传统不会断裂。民间传统就像水，再锋利的刀，也是无法斩断河流的。如果说"农历"是一个民族的命脉，那么"农历精神"就是一个人的血脉。

一个民族，如果有强大的民间传统，就会永远屹立于世界民族之林；一个人，如果有强大的"农历精神"，就会随处结祥云。

从这个意义上说，"农历"才是真正的中国符号。

"农历精神"比"农历"更重要

诚然，我们可能无法回到"农历时代"，但是我们完全可以找回"农历精神"。只要每一个人心中还有"农历"，还有"农历精神"，那么这个人就拥有了健康之根、快乐之本、幸福之源。国家和民族也同样。因为"农历"本质上是生命力的"统觉"，是"与天地合其德，与日月合其明，与四时合其序，与鬼神合其吉凶"。这个"合"，在我看来它就是"顺"，而"顺"，就是"利"，所谓"顺利"。但现在的情况是，我们已经不知道如何去"顺"，于是天灾人祸成了每天新闻的主角。依我浅见，天灾是因为大地失去了"农历"，人祸是因为人心失去了"农历精神"。

近年来，在走进"农历"的过程中，我渐渐低下了自己一度十分骄傲的头，弯下了自己一度十分自负的腰，"农历"如一面镜子，让我看到了自己的狭隘、自私，包括自恋。在《农历》之《中元》一节中，我把《目连救母》一出戏全部搬了进来，因为它让我看到了古人的心量，也看到了古代文化人的心量。在我看来，它事实上是东方"救文化"的寓言，目连所救的，不单单是自己的母亲，更是大地母亲、自然母亲、斯文母亲、仁爱母亲。而《目连救母》作为一出戏，世世传唱，代代完善，却没有作者署名，这样的"作家"，该是多么让人崇敬。因此，对我来说，《农历》的写作还是一次深深的忏悔。

"祝福"比"批判"更有效

"农历"是另一个大自然，在这个大自然里，有天然的世界、天然的岁月、天然的大地、天然的哲学、天然的美学、天然的文学、天然的教育、天然的传承、天然的祝福。这个"天然"，也许就是"天意"。在我看来，"天意"就是"如意"，"吉祥如意"就从此而来。

而作为一本书的《农历》，它首先是一个祝福，对岁月的，对大地的，对恩人的，对读者的。同时，我还在想，小说要为现实负责，但更应为心灵服务，就像"点灯时分"，把灯点亮才是关键，至于用哪个厂家出产的火柴，并不需要十分考究的。

"农历"的品质是无私，是奉献，是感恩，是敬畏，是养成，是化育。一个真正在"农历"中自然长大的孩子，他的品行已经成就。反过来，做父母的要想让孩子养成孝、敬、惜、感恩、敬畏、爱的品质，就要懂得"农历"，学会"农历"，应用"农历"。"农历"是一个大课堂，它是一种不教之教。就像一个人，当他一旦踏上有轨列车，就再也不需要惦记走错路，列车自会把它送到目的地，因为它是"有轨列车"。"农历"就是这个"轨"，它既是一条人格之轨，也是一条祝福之轨，更是一条幸福之轨。它的左轨是吉祥，右轨是如意。

看完《农历》，读者就会知道，其中的十五个节日，每个都有一个主题，它是古人为我们开发的十五种生命必不可少的营养素，也是古人为后人精心设计的十五种"化育"课，古人早就知道，"化育"比"灌输"更有用，"养成"比"治疗"更关键。

问：情怀之作，您觉得，你的目的达到了吗？

答：基本达到了。我的创作基本沿着两条线进行，一条是安详线，一条是农历线。安详线上，出版有《寻找安详》《醒来》《〈弟子规〉到底说什么》等文化随笔集。《寻找安详》发行量最大，十多万册。农历线上，有长篇小说《农历》、散文集《守岁》《还乡》《永远的乡愁》等，《农历》发行量最大，也过了十万册。近年先后以文字统筹、撰稿、策划的身份协助中央电视台做了大型纪录片《记住乡愁》，细想起来，也是大安详大农历主题。

我的书算不上畅销，但在常销，多是受益者口耳相传流通，有一半是善心人士批量购捐。比如烟台丰金集团，仅中华书局版精装七卷本文集，就批购了一千套，董事长李林才认为，它能给神经紧张的现代人以放松感；比如北京金色世纪公司，一次性进了一万册《寻找安详》，向机场贵宾室赠阅，鼓励人们带上飞机，带回家阅读，董事长李梓正认为它能给读者带来安全感；而宁夏兴泰公司、河北弘贤教育集团等公益平台则向教育系统大面积捐赠；还有一些有心理障碍问题的读者，特别是抑郁症患者，在读了拙著后，痊愈或好转，也大量批发捐赠。

　　正是这种让人振奋的效果反馈，也促使我自己向全国捐书，仅中华书局和长江文艺两社出版的拙著，已经捐过三百万码洋了。我之所以把书从中华书局撤出来，就是因为新政策折扣太高，让我捐不起了。

　　从中，可以折射出我的创作初衷。

　　问："农历精神"？

　　答：对。正是怀着"农历精神"，我对文字的安全性要求很高。这些年，我在全国自不量力地宣讲四个倡导：安详生活观、安全阅读观、底线出版观、祝福性文学观。安详生活观，简单地说，就是人的内在喜悦不以外在环境为条件。有些人很有钱，有些人很有权，有些人很有名，但是他不快乐，原因在哪里呢？把安详丢掉了。我不反对物质、权利、名誉，但主张在安详的大前提下拥有，否则，宁可放弃。当一个人拥有这种理念的时候，他就会在最简单最朴素的当下享受最大的幸福，幸福的成本就低了。一个人如果在当下找不到幸福，就会跟幸福永远错过。古往今来，所有的智者都在引导人们活在安详中。

在 2013 年由国家新闻出版广电总局等单位主办的"2013书香中国"全民阅读电视晚会上，主持人朱迅向读者推荐了《寻找安详》，推荐理由是"如果这个时代寻找不到内心的安详，就无幸福感可言"。之后，在多个平台，王志和朱迅联袂推荐。2016 年 5 月，中国作协主席铁凝到宁夏调研，我陪同，途中她说，一位领导给她推荐《寻找安详》，说是这本书让她走出睡眠障碍。

也有不少人问我，为我提供创作源泉的西海固，是一片被认为没有生存条件的土地，可是我的文字不但没有苦难感，反而很温暖，很诗意，很安详，这是为什么。我说，这正是安详的最好注脚啊，如果一个人衣食无忧才安详，缺吃少穿就不安详，那就不是真安详。

一个人要活得安详，需要安全的阅读作保障。什么样的阅读才是安全的呢？三个字，"思无邪"。不会把读者带到邪路上去的，用当下时髦的话说，就是正能量的。在第 22 届全国图书交易博览会上，我被聘为"阅读大使"。在北京举行的媒体发布会上，我讲过一个观点——"阅读是天下最危险的事情"，因为它直接构建你的潜意识。一个人在最关键的时候想到"执子之手，与子偕老"，对爱情是一种态度；想到"不在乎天长地久，只在乎曾经拥有"，对爱情就是另一种态度。平时的阅读在不自觉地给我们心理暗示。

怎么保证我们的阅读对象是正能量的呢？作者和出版人要有底线。你可以制造悬念，可以追求刺激，但不能突破底线。你可以揭露黑暗，可以批判现实，但最终一定要给读者以希望。

有人跟我辩论说，中国古代没有真正的戏剧，为啥呢？最后都是大团圆。我说当年我也这么认为，但现在恰恰相反，因为我从大量案例中看到了心理暗示的力量，而文化本身是心理暗示，戏剧当然不例外。大团圆不深刻，但它是正面心理暗示，现代性悲剧深刻，却是负面心理暗示，接受负面心理暗示多了，他往往会对生命持悲观态度，在关键时期，往往会生发消极性念头，甚至破坏性动机。

心理学告诉我们，一个人常常看光明，他会对生活充满信心；一个人常常看黑暗，他会对生活失去信心。我们看五千年的中华文化史，因为抑郁和焦虑自杀的人很少，包括艺术家，但现当代就比较多，这跟他们接受的文化暗示有很大关系。

在全国做志愿者的过程中，有几位家长找我，说他们的孩子有抑郁倾向。我问他们是否读过一些有抑郁倾向作者写的书，不想大多读过。读这样的书，读着读着，往往会被抑郁感染。有一位国家媒体的导演给我讲，当年她所在的那个剧组整天看社会的阴暗面，不想越做越觉得活着没意思，后来就抑郁了，常常看心理医生，也没多大效果，再后来居然面瘫，一度想从几十层的大楼上跳下去。后来换了一个剧组，专看社会光明面，不但身心疾病渐渐好了，还越活越阳光越积极。

为此，我给我主编的《黄河文学》提了三个要求：办一份能首先拿回家让自己孩子看的杂志；办一份能给读者带来安详的杂志；办一份能够唤醒读者内心温暖、善良、崇高和引人向上、向内的杂志。

我常给我的编辑说，作家和出版家，一定要带着父母心肠履职。正是出于这样的创作和出版理念，让我拥有了不少知音级读者，好几本书被他们全本朗诵，在荔枝和喜马拉雅连续上传，或者建群分享，其中有位孩子，从五岁半开始朗诵拙著，现在已经朗诵完四本了。

我觉得文化应该有两个重要的方向，引人向内、向上，这是两个基本标准。展开来讲，就是要鼓励人们向内、向上、向善、向美、向真，这是我们的文化传统。

第四个倡导，文学的祝福性。在我看来，文学除了教科书上讲的认识、教育、审美、娱乐等功能外，更重要的，要能给读者带来祝福，能给国家、民族、甚至人类带来祝福。

关于这一点，我有一篇专门的文章曾经发在《文艺报》上，我的博客上也有上传，您有兴趣可以看看。

问：您怎么看社会变革引发的风俗演变？

答：风俗的演变是必然，但变的是形式，这就像现代人用电饭锅蒸米，古人用土灶蒸米一样，工具性内容肯定会随着社会的发展产生变化，但再变，人还是要吃饭，米面、蔬菜、水，这些基本的食物是不会变的。节日也同样，只要是人，就有安全感的需要，就有怀念的需要，就有祝福的需要，就有亲情交流的需要。因此，我是一个传统节日的乐观主义者。

即使不少人没有故土了，回不去了，但也有不少人通过诵读《农历》的形式、观看《中国年俗》的形式，在城里温习春节、温习中秋、温习端午。

这几年在城市兴起的赏月诗会，也是一种新的习俗。

现在，每当节日到来，不少朋友圈就转发我的长篇《农历》和散文集《永远的乡愁》《还乡》中的篇章，编发这些文章的媒介，点击量很高，有一次，《清明不是节日》仅仅点赞就近二十万人次。

还比如，我们银川有个"寻找安详"小课堂，每逢节日，十几家人，或者一个团队，集体连根养根，效果非常好。

既然传统节日的目的是增强人们的安全感、归属感、家园感，那我们就要把节日精神、节日气氛放大，比如通过创造节日气氛，为人们提供"三感"。

我还一直倡议，应该设立中国化的孝节、悌节、忠节、信节、礼节、义节、廉节、耻节，包括民族团结节、环保节，等等。每个节日选择一个代表性人物，以他们的生日设节，借之弘扬和传承中华优秀传统文化的核心要素。

我已经连续十多年建议把春晚提前或者推后一天，把真正的除夕夜还给百姓、还给祝福、还给怀念、还给亲情、还给祭祖。

我已经连续十多年建议把传统节日的假期再延长一些。我当年在一个小城工作，不过元宵基本不上班，到了银川，初七就得上班，一下子感觉不适应，感觉到了另外一个世界，就像有谁一把把我当年的那种绵长的享受感、温馨感、诗意感、生活感、幸福感拦腰折断了，有一种小孩子正玩在兴头上，被大人从衣领上提回家一样的感觉。

曾经一度都动过重新调回小城的想法。幸亏我的工作性质让我不必坐班，还可以自主性地延长这种享受，如果是其他职业，我真就调回去了。我有几位好朋友，我曾经动员他们调到银川，他们不来，说他们喜欢小城的那种节奏，喜欢整整一个正月唱大戏看大戏的诗性生活。

当然，春节长假不可能放到元宵，但至少可以再延长两天，从社会管理的角度讲，也可以缓解交通压力，拉动消费。

123

问：现状是，城市化、商业化正在冲击着乡土文化，包括节俗，怎么办？

答：没错。传统节日是乡土文化结出的果实绽放的花朵，城市化肯定会冲击它，但是中国人骨子里流着乡土的血液，我非常清楚。移民区的乡亲，虽然住进了洋房，但看的是秦腔，唱的是大戏，即使年轻人，他们的手机里转发得最多的还是秦腔。

建议大家看看《记住乡愁》第四季播出的将台堡镇一集。这一集非常巧合地拍到了两位在外面打拼的企业家双双还乡，尝试在不离乡不离土的情况下，带领乡亲过上幸福日子的场景。节目播出后，一时成为"还乡"的热点话题。从中，我们看到一个端倪，也许乡土性生活正在回潮，特别是当城市带给人的压力和焦虑越来越大、成为不可疗治之痛的时候。

传统节日受商业化干扰，这是事实，但只要文化主导方面，倡导好引导好节日的认知意义、价值观意义、行为模式养成意义，特别是恢复中华民族礼乐文化的意义，商业再强大，也大不过人的本质需要。我在文化随笔集《醒来》里，把人生意义归纳为"物我""身我""情我""德我""本我"五个台阶，每高一个台阶，归属感、家园感、安全感、喜悦感就大为提升。商业显然是"物我"层面，是最低一层。当然，从金字塔理论来看，物我的人总是占大多数，但就生命力角度而言，台阶高一层，给人类提供的总体能量要大得多。因此，只要大地上懂节日文化、爱节日文化、行节日文化的人越来越多，自会有效地平衡商业化。

非常有意思的是，我在全国做文艺志愿者的几年里，发现许多企业家成了传统文化最积极的推动者，也成为恢复传统节日文化的先锋。我一直在思考这个问题，后来发现，他们在"物我"走到头后，找不到兴奋点了，一些无人指引的人，往往会过起花天酒地的生活，一些有人引导的企业家，则会向上一个台阶攀登，当他一旦尝到向上感带来的巨大喜悦，就会用物质换喜悦、换崇高感、换安全感。

因此，我有一个基本判断，商业化不会很快降潮，但选择精神性生活的人肯定会越来越多，只要选择精神性生活的越来越多，传统节日就不会受到致命性冲击。

问：人们都在感叹"年味越来越淡了"，您怎么看？

答：年味淡，最主要的原因是一百年来我们把传统文化搞丢了。皮之不存，毛将焉附？当祠堂、家谱、礼乐这些要素的根被拔掉之后，年味的花朵就无处开枝散叶了。

要想让年味浓起来，就得让中华优秀传统文化重回人间。这一点，党和政府正在用力做，十九大报告中，有相当多的篇幅，都讲这一点。习近平总书记在全国宣传思想工作会议上的讲话更进一步，连具体方式都给我们指出来了。

至于政府层面采取什么方式助力，我认为主要有几个方面：一是统一认识，二是深入宣传，三是加大投入，四是延长假期，五是重建祭仪，六是重建家道。

问：您之前的文章提到过传统节日"消遣化"的问题，这是什么原因造成的？

答：我在前面谈过人的认同度的五个层面，即物我、身我、情我、德我、本我。当人活在物我层面时，节日就成为享受物质的借口；当人活在身体层面时，节日就成为人们享受感官的理由；当人活在情感层面时，节日就成为人们享受情感的平台；当人活在德我层面时，节日就成为人格建设的机会；当人活在本我层面时，节日就成为觉悟人生的契机。

古人看重的是生命的超越，换句话说，古人把活着的意义视为超越。用今天的话来讲，就是提高生命能量。因此，他们更加看重生命的弃恶为善、转迷为悟、了凡成圣，层层提升，是在纵坐标上做文章。而今天，文化方向是平面的，思维方式是平台的，成功学是平面的，幸福学是平台的，换句话说，是物化的，节日当然就成了放大物化的催化剂和酵母。

因此，要解决这个问题，就得树立文化自信，大力弘扬中华优秀传统文化。对此，我是一个乐观主义者。就我个人来讲，《寻找安详》十年能够重印十五次，《农历》十年能够重印十一次，从一个方面影射了百姓对中华优秀传统文化的内生性渴望。就我和央视合作的《记住乡愁》来说，一反纪录片首季热再季冷的现象，一季比一季收视率高，也证明了这一点。换句话说，百姓已经尝到了传统文化缺失的苦头，时运到了传统文化重回大地的时候。这就像一个游子在外面转了一圈，累了，发现还是有娘在的地方温暖，还是娘做的手擀面最好吃。故乡之所以为故乡，因为它不但能安妥我们的身，更能安妥我们的心。

因此，只要我们把根救活，叶子就会绿起来，花朵就会红起来，果实就会结起来。

问：有许多传统美食与节日相对应，您怎么理解？

答：节日离不开美食，是因为感官享受是人最基本的享受。但节日美食，除过食用，更重要的意义是，人们以之表达对天地、对大自然、对祖先、对长者，特别是对劳作者的感恩和敬意。在拙著长篇小说《农历》中，十五个传统节日都有美食，但那个美食是精神化的、诗化的、天地化的。虽然《农历》有意淡去了具体年代，但主调是一个贫困的年代，即便如此，每个节日也都有能把人"香炸了"的传统美食，就是因为每样美食都被主人公节日化了、神圣化了、人格化了。其中《端午》一节作为短篇发表，全票获得第四届"鲁迅文学奖"，我代表那届获奖作者在颁奖大会上发言，就是评委们太喜欢那个短篇了。后来被翻译到国外，人们也喜欢，特别是在韩国，一反他们短篇很难重印的历史，一印再印。

而央视根据《农历》中《大年》一章改编的动漫《六月说过年》，就非常层次化地演绎了整个腊月的美食筹备情况。《记住乡愁》里拍到的许多情节，也是如此。

（载于《上海文化》2020 年第 6 期）

阅读就是免疫力

4月23日世界阅读日即将到来，本报刊发宁夏作协主席、作家郭文斌和长安大学人文学院副教授韩春萍的一组对谈，就智能终端盛行、碎片化阅读对经典阅读的冲击、电子阅读会不会取代传统纸质阅读、如何让读书滋养我们的生命和精神、如何更有效率地读书以及如何为孩子和家庭创造"有利润的阅读"环境等话题，作了分享。

郭文斌的短篇《吉祥如意》先后获"人民文学奖""小说选刊奖""鲁迅文学奖"；短篇《冬至》获"北京文学奖"；散文《永远的堡子》获"冰心散文奖"。近年来，郭文斌致力于推行"安详文化"，希望能为解开当代人所面临的精神疑难和心灵困境而尽一份力。其文化随笔集《寻找安详》已在西北地区多年的读书分享活动中，被诸多抑郁症患者和家庭视为辅助治疗读物，取得了良好的效果。

韩春萍：我注意到，在您的书中，发行量最大的不是代表作《农历》，而是文化随笔集《寻找安详》，这是为什么？

郭文斌：对。《寻找安详》已经重印十五次，为什么大家比较认可呢？现在看来，是读者能从中找到放松感、安全感，它主要是抑郁症患者痊愈之后口耳相传在推广。在这一次疫情中好多人就给大家推荐这本书，为啥呢？晚上睡不着的时候读几页就睡着了，它能让人放松。

　　这些年我在干预抑郁症的时候发现一个问题，但凡你去跟踪抑郁症患者，他的爸爸妈妈都有强烈的"三欲"。哪三欲？控制欲、占有欲、表现欲。爸爸妈妈的"三欲"又是怎么来的呢？再去跟踪会发现，是因为他们的内心有恐惧。爸爸妈妈内心的恐惧又是怎么来的呢？再往深里挖你会发现，这些父母没有安全感。为什么没有安全感呢？再往前找，你会发现这些父母在童年的时候缺爱了，正是这种缺失让他们害怕失去，越害怕失去，就越控制，越占有。这几年我们小课堂干预了好多这样的孩子，只要爸爸妈妈把"三欲"降低，孩子会马上好转。因此，我就特别注意一个问题，那就是一定要想方设法帮现代人重建安全感，其重要途径之一就是读有安全感的书。在《寻找安详》的姊妹书《醒来》中，我就特别探索了这一问题。从《醒来》的发行势头看，很快会超过《寻找安详》。

　　一定意义上看，今天的疫情大暴发，就是人类的安全感教育出问题了。

韩春萍：郭老师一直呼吁大阅读决定生命力，人们现在习惯用智能手机，各种信息耗费了很多精力，一年下来可能也读不了几本书。请您谈一下读书的意义。

郭文斌：古人说："至乐无如读书，至要莫如教子。""第一等好事只是读书，几百年人家无非积善"是许多人家的中堂对联，以此提醒家人，人生无非就是两件事，第一读书，第二行善。

中国古代社会有一个保持了几千年的传统，那就是耕读传家。为什么要读书呢？修身、齐家、治国、平天下，都离不开读书。人有两套营养系统，一套是食物，一套是读物。给身体提供营养的是食物，给心灵提供营养的是读物。

韩春萍：您一路走来，读书对您产生了怎样的影响或者是改变呢？

郭文斌：在回答你这个问题之前，我要说，阅读有广义狭义之分，书也有广义狭义之分。从狭义的角度讲，我在应该读书的年龄，恰恰没书读。上小学时，常常半学期了还没有课本，要么借旧课本，要么抄课本。唯一读过的课外书是《渡江侦察记》，还被撕掉了一半。从广义的角度讲，听过不少书，那就是戏，还有父母在被窝里面讲的那些民间故事。比如，我在长篇小说《农历》里面把整个《目连救母》"搬进""中元"那一章，有评论家说，这样破坏了书的文学性，影响获奖。

韩春萍：那您为什么几次修订书稿都没有舍得把这一出戏拿掉呢？

郭文斌：因为太喜欢了，那真是一种生命的营养。讲的是目连母亲因为不知书达理，做了错事，被罚到地狱受苦。目连想尽一切办法，把母亲救出苦海这么一个过程。一次次看这出戏的时候，人的孝心、敬心、畏心被唤醒。

韩春萍：对。《目连救母》是非常重要的一出民间戏曲，源头是民间神话传说。读书也应该包括读民间口传文学和民俗文化。

郭文斌：对。我把它称为大阅读。在宁夏西海固，有着非常丰富的仪式感的民俗，我在长篇小说《农历》里面写到的十五个传统节日，就是童年记忆。那十五个节日，事实上就是十五部书，年年重复，让我们得以浸润其中，读天读地读人间。

大年三十，我们要到庙里抢头香，当我们站在庙台前的时候，那一种震惊用语言无法描述，为什么呢？庙墙上全是各种各样的对联，就像一个书法展。大年初一要一家一户地去串门、拜年。乡亲们平常舍不得挂的字画，这时都挂出来了。有许多字就是那时候认的，有许多对联就是在那个时候背下来的，比如"三阳开泰从地起，五福临门自天来"。问父亲什么是"三阳"，什么是"开泰"，当时不懂，后来才知道这是《周易》里面的泰卦。《周易》里面最吉祥的两卦，一是谦卦，一是泰卦。问啥叫"五福"，父亲就给我讲，长寿、富贵、康宁、好德、善终。那"五福"怎么样才能获得呢？父亲就讲，好好读书，好好行善。教育完成了。

韩春萍：是的。民俗文化和口传文学具有教育和传承的功能，今天的纸质阅读氛围变淡了，虽然网络信息比较繁杂，但网络环境作为虚拟空间，作为现实的投射空间，与传统的民间社会形态非常相似。您认为这时候重提大阅读概念会有怎样的启发呢？

郭文斌：在中华五千年的演进过程中，有一个保持不变的传统，那就是耕读传家。耕读是大前提，传家是一个期许。四大文明唯独中华文明没有断流，我想跟中华民族有这样的一个传统有关系。这种传统的优越性，在这次全球性疫情暴发期间充分显示出来。如果只玩概念，只玩虚拟，只玩数字经济，现在就吃不消了。当下，人们需要实实在在的面粉，实实在在的大米，实实在在的口罩，这就是耕读传统的重要性。中国人传统的早晚课，让我们的心灵保持生机。早上读书提醒你一天怎么度过，晚上读书检查你一天是否有错。天天反省，天天矫正。耕读传统的"耕"，对应在今天，就是实体经济。每年的一号文件，也是这一传统的延续。

韩春萍：我们现在说一下狭义的阅读。您认为阅读对最普通的人来说价值在哪里？

郭文斌：在我看来，主要是提高认知水平、思维水平、生存能力、生活诗性。但是，随着手机终端的发达，纸质书的阅读量下降了，从 80% 降到了 20%。每个人的手上都是一部手机，眼睛一睁开在手上，临睡前还在手上。浅阅读正在代替深阅读，粗糙阅读正在代替精致阅读，人类面临着被碎片化信息流裹挟的危机。

韩春萍：这大概是每个人的困扰，其实阅读的本质没有改变，只是媒介和阅读方式改变了。那么今天如何利用智能手机和互联网促进阅读，我注意到，您在谈阅读的与时偕行，请给大家分享一下。

郭文斌：这些年，我倡导大家建立一种带有激励性的机制性的读书群，也可以称为考核式读书。今年大年初六，我就倡议全国传统文化平台，赶快建线上读书群，没想到效果很好，两个月下来，经我倡议的读书群已经有一百多个。这些读书群用什么方法呢？每天在群里打卡，今天你读了多少页，读了多少章，有量化考核，只要你进群，就不能偷懒。如果两天没读，或者三天没读，那就请你出群了。其中有一家"文明十二家"群，在两个月的视频总结会议上看到，能够坚持长期读书的人有多少呢，八千多人，能够每天写读书笔记的有一千二百人。

　　每天读一小时的书，写一篇一千字左右的读书笔记，我算了一下，总共得三个小时，有些同学居然把读书笔记写到两千字，十天两万字，六十天，就是一本十二万字的书。

　　在今天，我们更需要抱团取暖，抱团学习。七年前，我就意识到这个问题，倡议在银川建立了"寻找安详"小课堂，成立班委，组织大家学习。每进教室，要关手机。五天的封闭班，愿意参加的，要遵守班规，其中有一条，就是上交手机，告知家人，有事打课堂公共电话。为什么要这么做呢？因为我意识到，现在，靠自觉性读书，靠单打独斗读书，已经很难。读几页书，就想看一下手机，一看，就被粘住了，不觉，一两个小时就过去了，不觉，一天就过去了，很懊丧。

　　韩春萍：利用读书群互相鼓励、相互督促来读书是一个好办法，我也在实践，但还有一个很重要的问题，阅读作为个人行为一旦团体化，共读什么样的书就成了重中之重。您是如何促成读书群成员达成共识的呢？

　　郭文斌：你问的这个问题很好。阅读为心灵提供营养，营养有高有低。疫情防控期间，大家有体会，信息纷繁杂乱，让人无所适从，怎么办？还是从经典中找答案。因为经典是经过时间检验了的常识，从能量的角度讲，也要比普通读物高。

　　这两个月来，我们发现，但凡读经典的家庭和团队，恐慌度低，焦虑度低，抑郁度低。文明十二家的同学分享的时候讲到，河南离湖北很近，当初很恐慌，有些人甚至晚上睡不着觉，参加了学习之后，每天有三个小时经典学习，就把恐慌消除掉了。古人讲，正念生正气，正气就是免疫力。

《黄帝内经》可以加深我们对阅读意义的理解。它讲，"正气存内，邪不可干"。量子学已经证明，任何事物都由三要素构成，信息系统、能量系统、物质系统。信息系统正确，能量系统就会有序。每天读书就是让我们的正气存内，而正气能够存内，邪就不可干了。《黄帝内经》里还有一句话："精神内守，病安从来。"人的精神怎么样才能内守呢？大家都有体会，当你读《道德经》的时候，半个小时精神是向内的，因为一走神就读不下去了。《黄帝内经》里还有一句话："恬淡虚无，真气从之。"一个人怎么样才能恬淡虚无呢？很简单，读能够让你恬淡虚无的书。

韩春萍：您倡导大家共读传统文化经典，但很多人对如何读经典如何用经典有困惑，另外经过中国近现代以来的社会发展，今天人们如何保持对优秀传统文化典籍的信心？

郭文斌：实践是检验真理的唯一标准，受益是树立信心的秘要。为什么《道德经》成了世界上第二大阅读频率最高的书？因为它能让人放松，在竞争、焦虑、抑郁折磨人类的今天，一部能够让人有放松感的书，当然会受到人们的欢迎。

这一次疫情中，有相当多的人在读《道德经》。总书记讲，文艺工作者要"为历史存正气，为世人弘美德"，"为时代画像，为时代立传，为时代明德"。创作如此，阅读同样。为什么要阅读？明德。为什么要阅读？《大学》里面讲，第一，明明德；第二，亲民；第三，止于至善。

韩春萍：家庭阅读更有利于培养孩子的阅读习惯，也是全民阅读的一个推动力。您有什么好方法推荐给家庭阅读？

郭文斌：除过建立"寻找安详"小课堂这些社会学习平台，这些年，我还在全国倡导建立家族学习群，比如"郭氏好学风好家风好作风"读书群。刚开始，我动员大侄媳妇带头读，在"喜马拉雅"读，然后发在群里，每天读一遍《弟子规》《大学》，让其他侄子侄孙跟进，包括外甥也是打卡。外甥张慧已经把《道德经》读了四百遍。群主郭敏是一位小学老师，每天统计，月总结，每半年表彰奖励一次。

原来夫妻不和谐的，在读书的过程中和谐了；原来打麻将喝酒的，在读书的过程中戒掉了。抽烟喝酒会上瘾，读书也会上瘾。第一遍痛苦，第二遍痛苦，四五十遍之后，每天不读，就骨头痒。外甥来银川给我拜年，也要早上读一遍《道德经》。小课堂的张皓，有一次我带他到广东讲课，跟我住一个房间，晚上十点多了，我都累得早早躺下了，他怕吵我，躲在卫生间读了一遍《弟子规》。

有报道称，某地疫情后上班第一天，预约结婚和离婚夫妻数各占一半。我特别作了调查，建立了读书群的家庭，很少有离婚的。一定意义上，离婚是迷茫的结果。这些年，小课堂劝和了许多要离婚的夫妻。明天就要上法庭了，今天约他们到小课堂，把道理讲透，就撤诉了。人不学习，很难把事做对，就像不用导航，就往往把车开到岔道上一样。为什么古人要讲耕读传家，就是这个道理。

总书记在 2015 年的春节团拜会上讲，无论时代发生怎样的变化，无论生活格局发生怎样的变化，我们都要重视家庭建设，重视家庭，重视家教，重视家风。我这些年协助中央电视台做大型纪录片《记住乡愁》，但凡兴旺发达的家族都注重家族式学习。曾国藩给自己定日课，每天读十页经、十页史，每天写反省日记，而且用小楷写，写成让师友批阅，监督自己改过。

中国历史上几大立功立言立德都全的人，诸葛亮、王阳明、曾国藩，都强调儿女们要读书。林则徐讲："子若强于我，要钱做什么；子若不如我，留钱做什么。贤而多财，则损其志；愚而多财，益增其过。"那怎么办？给儿女们不留钱财留什么呢？留家风，而家风没有学风是无法保障的。为什么古人说富不过三代呢？因为一个家族如果不明理，人们很难保持勤勉，很难保持廉洁，很难保持生命力。像钱学森这样的家族，像范仲淹这样的家族都是靠学风来保障的。

韩春萍：我注意到您倡导的传统文化经典共读的落脚点在修身和齐家上，也有人会担心如果在家中过于强调经典权威和规则的话，会影响孩子的独立主体精神和创造力培养，那么如何在其中找到平衡点，请您分享一下经验。

郭文斌：在古代，每个大家族都有私学，今天，传统意义上的大家族没有了，即使有，也没有凝聚力了，因为祠堂没有了，那怎么办呢？可以建立有共同价值观的学习团队，比如"寻找安详"小课堂，就是这么诞生的。已经七年了，每周六大家来这里，几十位同学，共读一本书，共看一集节目。近两年，每周六的早上，先齐诵经典，然后看一集我在海口电视台讲的《弟子规》，看一集纪录片《记住乡愁》，然后分享。

分享注重力行。中国人读书一定是用于实践的，不是只让我们做饱学之士。《论语》开篇就讲"学而时习之，不亦说乎"，就是要在实践中体会道理的美妙。而这种快乐感会驱动我们进一步学习。接下来，会"有朋自远方来"。为什么小课堂会有这么多朋友来呢？因为这个地方有快乐，有祥和，能降低离婚率、犯罪率、抑郁率。为此，人们从全国各地来。第三句话："人不知而不愠，不亦君子乎。"一个人，评先进高兴，不评先进也高兴，提拔高兴，不提拔也高兴，为什么呢？内心充满喜悦，很充实，不需要外在的评价，这就是孔颜之乐。孔子和颜回为什么那么乐呢？因为他们在书的滋养中，在经典的滋养中，在圣人的教诲的滋养中。因此，

"一箪食，一瓢饮，在陋巷，人不堪其忧，回也不改其乐"。小课堂带给大家的就是这么一种快乐。有好多同学分享时讲到，原来以为挣了钱就快乐了，后来发现挣了钱并没有快乐。怎么样才能找到快乐呢？把向外找的心收回来，向内找，把向物质世界找幸福的心收回来，向精神世界找，快乐就到来了。

韩春萍：通过共读优秀传统文化经典让人有获得感、幸福感和成就感，这在当前疫情全球化和自然灾难频繁的背景下很有意义，不过也有人会担心如果这样抱团取暖和安于现状，会不会削弱促进社会变革的力量和勇气。如何将家—国—天下的理想进阶落实到实践层面，这是古代读书人的难题，也是今天倡导学习优秀传统文化的知识分子需要继续探索的难题，您有什么经验和大家分享吗？

郭文斌：我常常讲不能保持的财富不是真财富，不能保持的快乐不是真快乐，不能保持的幸福不是真幸福。一个人的幸福快乐怎么样才能保持呢？读，行。就是孔子讲的"学而时习之"，一边明理，一边去实践。在工作生活中试一试《论语》的教导，看能不能快乐，试一试《道德经》的教导，看能不能快乐。在这一次疫情期间，小课堂的许多同学都去做志愿者了，没有人去动员他，大家要么服务于社区，要么给武汉寄口罩，要么给武汉寄书。小课堂、银川和仁堂口腔连锁会同宁夏卫生健康委信息中心，本来要给援鄂医护人员每人赠送一本我的《醒来》《寻找安详》，最后，只凑齐一半。我常讲，"最好的阅读就是做"，比如《弟子规》里面讲"父母呼，应勿缓"，就很难做到。今天的孩子，有多少能做到？做不到会有什么后果呢？后果严重。只有父母呼，应勿缓，将来老师呼，才能不缓；只有老师呼，应勿缓，将来走上工作岗位，领导呼，才能不缓，国家呼，才能不缓。这就是孔子讲的"行有余力，则以学文"的次第，它被千千万万个家庭化为千千万万种家训。

世界读书日要真正深入人心，就要既倡导读，又倡导行，打好知行合一牌。这些年王阳明为什么这么热，大家看中的，正是他的致良知和知行合一。在今天，推动任何一项活动都要用利润思维。如果人们从中没有尝到一种持久的快乐，用强制的方法是坚持不下来的。大家在学习中获益了，在践行中获益了，他就能坚持了。小课堂的班主任每一次开班都有一个致辞，就是他的"四乐"：原来他是医院的常客，坚持学习，三年之后，身体好了，省下医疗费也可以拿出来做公益了，一乐；原来夫妻关系很糟糕，每天活在一种吵吵闹闹之中，通过学习，价值观一致了，夫妻关系和谐了，二乐；原来儿子叛逆，待在国外不回来，通过学习，儿子明理了，不但回来了，还做了课堂的法定代表人，三乐；大家可以想象一下，作为父母，再有钱，如果儿子不认同他们，有幸福感吗？原来跟员工之间是一种对立关系，现在其乐融融，四乐。

在这里，大家可以感受到一种小共产主义社会的气氛，一块吃，一块学习，一块奉献。我参加过他们公司的年会，年会上重要的一个板块就是讲小课堂，让人感觉到业务已经成其次，而对社会的贡献成了主要的。这时候，他在社会上受到千千万万人的尊重，这种尊重感带给他的快乐要比赚钱多得多。

韩春萍：今天，手机已经绑架了人类，许多人悲观地认为传统阅读将要退出历史舞台。您怎么看？

郭文斌：两利相权取其重，两害相权取其轻。当千千万万的家长知道，他带头阅读，他的孩子会身心健康的时候，他就把手机放下了。我就有体会，只要小家伙出现在我面前，就立即把手机藏起来，拿一本书读。让我高兴的是，现在，他每天晚上睡觉前都要妈妈给他读一章我的长篇小说《农历》，因为《农历》写的是小孩的故事，不听他不睡觉。现在一遍已经听完了，在听第二遍。小课堂志工静运的女儿刘一然，在喜马拉雅把整部《农历》录完了，我在微信朋友圈每天转一次，好多人都在听，我们一家平时就打开手机听。她现在还不到六岁，已经能没有任何障碍地把《农历》读下来，让许多家长羡慕不已。她爸爸妈妈说，这个孩子的养成教育已经完成了一大半，因为《农历》写的本身就是两个小孩如何在传统文化浸润下成长的故事。我为什么在朋友圈中不厌其烦地转发刘一然读的《农历》呢？就是想激励家长们向刘一然的父母学习，让孩子养成阅读的习惯。一些单位请我去讲课，我能感觉到不少人有对抗情绪，但当我把刘一然的读书视频放出来，大家一下子就来神了。为啥呢？年轻夫妻最关注的就是孩子的教育，一下子就把他们的心抓过来了，两天的论坛他们听得可认真了，最后分享，都争着上台。

当大家知道，已经有不少学校给刘一然提前"下订单"时，大家就更稀罕了。上一个重点学校多难啊，但是这个孩子已经没问题了。我就顺势启发家长，知道刘一然为什么热爱读书吗？因为他的爸爸妈妈带头读。大家可以想象一下，三百六十五天一天都不间断，每天读一章，那是需要恒心的。我就做不到，一有急事，就放下了，但是她雷打不动。有一天，刘一然咳嗽，她妈妈说，要不今天不读了，她不，仍然读了一章。显然，这个孩子已经读书上瘾，每天不读一节，这个日子就过不去了。因此，在今天，我们推动阅读一定要注重利润思维，让家长看到阅读的利润。

因此，我是一个传统阅读的乐观主义者。

143

韩春萍：听小课堂的同学说，您近年来大量向全国捐书，都捐了三百万码洋了，这是出于什么考虑？

郭文斌：这是趁热打铁。随着受益人群的口耳相传，请我去讲课的单位越来越多，但是想仅靠一堂课解决问题，显然是不可能的，如何让大家把课堂效果保持下来？把书送到大家手上就是一个途径。另外，大家在听完我的课，对我产生信任感后，我把书送给他，他会推荐给家人和孩子看，书的价值就能得以发挥。

韩春萍：您可以让大家买啊。

郭文斌：我已经十多年不搞签名售书了，为的是保证课堂效果，我讲得再好，如果最后签名售书，大家的心一下子就凉了。

韩春萍：可以让大家自己去书店和网店买啊。

郭文斌：肯定有人会去，但毕竟是少数，还有一些像我这样的人，不会网购，但让他们到实体店买，是很难的，因为今天，人们对一堂课的热情，往往不过半天，就会被别的兴奋点代替。因此，还是课后捐书保险，特别是像北师大组织的那种全国性的校长培训，把书捐给他们，更有价值。

韩春萍：您多次讲到，听书时代已经到来，能详细给大家讲讲吗？

郭文斌：是。一方面，生活节奏太快，大家无法坐下来读书；另一方面，现代性为听书提供了方便，二者结合，听书时代就到来了。至少我和我太太就这样，做饭、洗衣、拖地，都在听刘一然的音频。我们家那个小家伙，跟刘一然不一样，没有正儿八经教，但从生下来，我们就让他听国学机里录好的经典，三四岁的时候，我们发现，他一边玩积木，一边开始背了。我现在常给家长讲，当年我们学的教育学是有问题的，等孩子懂了再教，是错误的。正确的做法是妈妈在怀孩子的时候，你就要给他读书了，刘一然的爸爸妈妈就是如此。

总结一下：

一、家庭读书跟家风连接，跟传家连接，大家就有了动力；二、跟幸福和快乐连接；三、跟育儿连接；四、跟知行合一连接；五、听读连接。

韩春萍：您能不能给大家推荐几本随时能读又能指导实践的书呢？

郭文斌：第一，我还是倡导大家首先读经典，比如说四书五经，十三经，喜欢哪几部，就读哪几部。这些年，我给一些实践性团队推荐最多的是《弟子规》跟《了凡四训》。为什么推荐这两本书呢？因为《弟子规》非常方便我们操作，它的精神是《论语》精神，但更好操作。比如孩子出门的时候纽扣没弄整齐，你马上来一句，"冠必正，纽必结"；家长还没吃，他已经动筷子了，你马上来一句"长者先，幼者后"；上了卫生间没洗手，你马上来一句"便溺回，辄净手"；

写完作业本子扔得乱七八糟，你马上来一句"列典籍，有定处。读看毕，还原处"；出门的时候"哐"的一下把门关了，没有打招呼，你马上提醒他"出必告，反必面"；坐在那里抖腿，你马上来一句"勿摇髀"。

《弟子规》原来我也忽略过，但是自有了小家伙之后我觉得太好了，不是一般的好。成人要不要读呢？要。帮了别人一件事，别人没有感谢你，你心里就不舒服了，马上提醒自己"恩欲报，怨欲忘，报怨短，报恩长"，一下子感觉心就平了。给太太提要求，太太没做到，你心里不舒服了，马上来一句"将加入，先问己，己不欲，即速已"，气就消了。

为什么给大家推荐《了凡四训》呢？因为它讲做好人的利润。前面讲过，要让人们接受一件事，就要让大家得到利润，要让人们做好人，就要讲清楚做好人的利润。在今天，如果不解决这个问题，教育很难完成。

146   韩春萍，文学博士，长安大学文学艺术与传播学院副教授，硕士生导师。

（载于文汇APP2020.4.20）

最可怕的是假醒

田　频：郭文斌老师，您好！很荣幸您今天能接受我的访谈。您是一位小说、散文两栖作家，在您创作的作品中，您对中国的传统文化推崇备至，特别是对经典，比如说《论语》《老子》《庄子》等，您甚至认为这些经典就可以带领我们现代人走出精神困境，重新回到人类的精神家园。请问，是出于什么样的信念或者经历让您如此执着地认为，这些与我们现代生活相隔如此久远的文学经典，能够发挥这么重大的作用？

郭文斌：生命是一棵大树，民族也是一棵大树。社会再怎么发展，总归离不开根的滋养。如果一棵千年老树，它的根有生命力，它的枝叶自会有生命力。《论语》也好，《老子》也好，《庄子》也好，这些经典，其实是我们的祖先对于生命根本规律的认识，是关于根本快乐的规律性认识，或者说是常识。

田　频：您把经典认为是我们的民族常识？

郭文斌：对。有人说，它离我们如此久远，事实上，对生命来讲不存在久远不久远的问题，这就像太阳已经存在了多少年，空气已经存在了多少年，大地已经存在了多少年，但是如果说因为它久远，就认为它过时，那我觉得有些偏颇了。

相反，愈是随着时代的发展，愈是随着潮流的更替，这些经典会更有生命力，因为它是根。

人有一个习惯，容易走丢，容易迷失。而越是容易迷失，容易走失，根就越重要。这就像作为孩子来讲，任何时候都离不开母爱的滋养。如果一个人拒绝了母亲，他就是一个断根的孩子。而断根意味着什么呢？意味着我们要与根本快乐、根本幸福断流。我们都知道李阳家暴，表面上看，是李阳的感情问题、人格问题，事实上是他断根了。他的枝叶再怎么耀眼，花朵再怎么耀眼，也是一个可怜人。

田　频：您说得非常好，您把我们中国传统文化看得如此重要，作为集中体现我们传统文化的民俗节日，自然而然就进入了您的创作视野。从您最开始创作的《大年》到您获得了鲁迅文学奖的《吉祥如意》，再到入围茅盾文学奖的《农历》，传统节日在您的笔下，获得了全新的诠释。您用文学的形式对传统节日进行考量，可以说是形成了小说节日史的一个创作体系。那么您是出于什么样的目的描述这些传统节日的？是为了重建国人的信仰，还是为了重新寻找什么？

郭文斌：不敢说重建国人信仰，但我至少有一个愿望：希望我的文字能够唤醒沉睡在人们心底，或者说潜意识层中的那一份生命力。在长篇《农历》的创作谈中我讲过，中国有两大文明传统，经典传统和民间传统，经典传统是会断流的，但是民间传统不会断流，没有哪个皇帝可以取消春节，不让人们过大年。我们都知道，一些大的王朝的更替，包括一些大的运动，让经典传统断裂，历史上的确有很多次，却无法让民间传统断裂。古圣先贤，非常智慧地把经典传统化存于民间传统中。换句话说，中国的民间传统，就是民间化了的经典传统，而且，相比于经典，民间传统更加生活化、趣味化、更加生动、形象、有血有肉，更有生命力，也更加润物无声。在一定意义上，它就是中国人的潜在信仰。

我们知道，习惯成自然，养成近天性，一种自然，一种天性，一旦养成，要比单纯的理念更有力量。比如说，一个人一旦染上烟瘾，就很难戒掉了，尽管他明明知道抽烟有害健康。同样，一个人一旦形成一个好的习惯，也会让他一生受益。中国的民间传统，就是让我们在耳濡目染中形成和幸福美满对应的良好习惯。

《农历》中的十五个节日，在我看来就是中国人精神营养的十五种重要元素，或者为蛋白质，或者为维生素，或者为铁，或者为钙，等等，不可或缺。没有这些节日，我们就会营养不良。事实上，它已经成为我们的血液。比如《大年》，它既是喜庆的演义，也是感恩的演义，还是祈福的演义，更重要的是教育和传承的演义。它让我们在一种带有基因性的精神狂欢中，体会生命的尊贵、温度和狂欢。这种民间狂欢我们在经典传统中很难体会到，因为经典传统毕竟是通过文字来体现的。

从一定意义上讲，节日事实上就是我们中华民族的古典生活。

田　频：对。已经融入我们的日常生活当中。

郭文斌：在民间，伴随着二十四节气也好，伴随着各种纪念也好，每一个月都有节日，就是说每一个月，我们都在享受着精神大餐。

田　频：我们注意到，您在大力倡导重新审视经典的同时，2006年又提出了安详学。您的好多作品都具有安妥灵魂、温暖人心的力量，比如说《寻找安详》《农历》等。著名评论家雷达就曾经评价您的小说感动得他落泪。那么您认为在我们的现实生活中，我们怎么样才能获得安详，怎么样才能实现这个真正的安详呢？

郭文斌：寻找安详是一个渐进的过程。就拿拙著《寻找安详》来说，也是如此。现在已经重印七次，去年再版，今年出了精装本。在修订版里面，我用三分之一的篇幅，增补了走进安详的五个途径：给、守、勤、敬、信。

举个例子，我们每个人都会生气，可是没有几个人想过，人为什么会生气。如果我们把生气看作是一根一根羊毛的话，那么，用拔羊毛的办法是没办法把这些生气的羊毛根除的。那么，如何才能从根本上解决这个问题呢？"皮之不存，毛将焉附？"要让生气的羊毛不存在，就要让生气的羊皮不存在，要让羊皮不存在，就要让羊不存在。那么如何才能让羊不存在呢？就要把自我变成大我或者无我。那么，如何去变？只有通过给予：把你可能的财富给别人，把你可能的体力给别人，把你可能的智慧给别人。明白这个道理之后，我就去实践。

田　频：是的，我们也注意到了。

郭文斌：当初呢，还是有些舍不得，有些心疼，但是当我看到，因为我的捐助、带动，一些人从死亡线上回来，一些面临辍学的孩子能够继续读书，我尝到的快乐，比把那些钱装在兜里要多得多。当这样的喜悦积累到一定程度时，突然有一天，我发现，财富的转移不再带给我很大的痛苦了。换句话说，通过给予，我的焦虑大幅度减少了。生命进入一种从前从未体会过的绵长的有温度的喜悦中。

151

田　频：可不可以理解为无欲？

郭文斌：可以吧。你看《农历》里面，五月和六月喜欢在大年初一的早上打牌，为什么呢？没有焦虑。赢也是自家人赢，输也是自家人输，平常跟别人家打牌就会焦虑，因为五月、六月的心量是家。对于村长来讲，财富在村人之间转移，他没有焦虑，因为他的心量是村。对于国家领导来讲，财富在省和省之间转移，他没有焦虑，他还挺开心，因为他的心量是国。

可见，幸福和心量成正比。事实上，在一定意义上，心量就是能量。天在下雨，它是公平的，你拿出去一只碗它给你一碗，你拿出去一个盆它给你一盆，你拿出去一个大海，它给你一个大海。你有多大的心量，就获得多大的能量。而安详，是需要能量的，助人是需要能量的，如果没有能量，我们就没办法去帮人。

我们常常去求人，那是因为我们没有能量，如果我们能量多了，我们就必然会去帮助人，因为这是自然规律。

这是通过"给"走进安详。还有守、勤、敬、信，都很重要，因为时间的关系我就不说了。

最近，我又摸索到一些方法，编了一个顺口溜：三习二惯意纷纷，三途二径知道中。前者描述人的非安详状态，"三习"是非本质动机，非本质取舍，非本质占有，"二惯"是抱怨、生气，"意纷纷"是人非当家作主的一种状态，就像我们文学上讲的意识流，人就是被这种意识流带着流浪，直至忘了因何出发，从何出发。这里就不多说了。

后者是探讨如何把人们从非安详状态中带出来。"三途二径知道中",哪"三途"呢?就是每天拿出一定的时间诵读经典,用直觉去读,不要去思考,只是把字音读准,文句读顺,尽管读就是。通过实践,发现它的好处非常多。

第一,你在读的过程中,没有焦虑,很享受,还有口水产生,甜津津的,说闲话时你会觉得口里有异味,但是读诵经典的时候没有;如果顺畅地读进去,身心会有一种愉悦感,会有微微出汗的感觉,非常舒服。一天,我突然明白,经典中为什么有那么多虚词、语气助词,你去试,把"学而时习之,不亦说乎;有朋友自远方来,不亦乐乎;人不知而不愠,不亦君子乎"中的三个"乎"去掉,会一下子没了味道。我才明白,那些助词是多么美妙,多么重要,它是让我们通过读诵来享受生命的。古人真是太智慧了。

因此,如果文言文断代,将是中华民族的莫大悲哀。

第二,经典的能量高于普通读本,这个美国心理学家霍金斯已经证明。他认为,流行文化的能量级都在二百级之下,而经典极高。如此,我们读一小时经典相当于充了一小时电。这个我有切身体会。用直觉读一小时经典,人会神清气爽,但是读普通书特别是流行读物则相反。

第三,经典是圣人关于幸福人生的说明书,我们天天读它,就是预习幸福生活。

第四,经典是一面镜子,可以帮助我们改过。

所以，您要给武老师建议，让他利用他的影响力，向全国发出倡议，改革现代语文教学模式，把那些用来分析段落大意中心思想的时间，用来诵读。看看现在的语文课堂，那么好的一篇古文，我们让孩子用在诵读上的时间大概不到五分之一，大多时间在分析段落大意和中心思想，太可惜了。

田　频：时间都用在解释上了。

郭文斌：是。这是一个严重的错误。分析的过程我们用的是意识，诵读的过程，我们用的是潜意识，而潜意识处理信息的速度是意识的好多倍。我们把最宝贵的东西丢掉了。

这是"三途"之一的"读"。

二是写反省日记。有什么好处呢？训练我们的反省力。每晚把一天的生活回顾一遍，看看哪些正确，哪些错误，哪些需要改进。比如在今晚的反省日记中，我就要写，早上因为接一个电话，迟到了，让你们在办公室久等了。再比如，在前段时间的反省日记中，我就考问自己：是否接受这次访谈？如果接受，动机是什么？是为了出名呢，还是利益读者？如果只是为了出名，就不敢做了，为什么呢？《了凡四训》讲，"名者，造物所忌，世之享盛名而实不副者，多有奇祸"。如果是为了帮助读者，那么再大的代价我也要做，再辛苦也要做。

就这样，每天反省自己的动机，反省自己的起心动念，反省自己的行为。天长日久，你会发现你的反省力提高了，而反省力对于一个人的幸福指数的提高太重要了。

再说，你想想，我们从现在开始写，将来几十本反省日记留给儿孙，比留给他们亿万家产更值钱。

田　频：这让我想到了巴金的《忏悔录》。

郭文斌：是，更重要。那么这是"三途"的"读"和"写"，第三是"改"。人的意义就是改过，因为只有改过才能提高我们的灵魂等级。稻盛和夫讲，希望他走的时候比他来的时候，他的灵魂更高尚一点。

事实上，生命的意义就是提高我们的灵魂等级。

比如说，一块冰，它是一个低层次的能量状态。你看它的特征，一块跟一块是分割的，利用率也不高，给它加热，它变成水，就你中有我我中有你，不可分割了。没有谁能够一刀把水切成两半，更重要的是利用率提高了。再给它加热，变成了汽，和水相比，不但有了流通性，还有升腾性。这个过程，就像生命的意义，不断地提高我们的能量状态。只有不断地提高能量状态，才能够享受到对等的状态带给我们的安详和快乐。

古人把鼻子到口中间的这个地方叫人中。有意思的是，其下的七窍里面，都是单开口，其上的全是双开口。你看，嘴、尿道、肛门，都是单的，鼻子、眼睛、耳朵，都是双的，在我看来，它是一个暗示，暗示生命要不断地向高能量超越。

　　而生命要从低能量超越到高能量，"读""写""改"是三个非常好的途径。"读"，训练我们的直觉力；"写"，训练我们的反省力；"改"，训练我们的行动力。如此，生命就从黑暗走向光明，从不幸福走向幸福，从不安详走进安详，最后到达本质状态。

　　我在《农历》中写过一个故事：有一位盲人，在一个漆黑的夜晚，上完课回家，她的老师让她打上灯笼，她说我是盲人打灯笼有什么用？老师说你是盲人但别人看见你可以让开你啊。她就打着灯笼回家，没想到路上还是跟别人撞上了，她就有些埋怨，难道你没看到我手中的灯笼吗？没想到对方说，你那灯笼里的灯早已灭了。这个盲人于是恍然大悟。她悟到了什么呢？一个人如果找不到他的本有光明，靠外在的光明是靠不住的，风大了它会灭，油尽了它会灭，摇晃了它会灭，但我们现代人更多的都在经营这个灯笼中的灯，而没有去寻找他内在的本有的光明。

156
　　"二径"，即两个条件反射：一，看别人的优点；二，看自己的缺点。具体来说，常说"你真棒"和"我错了"。要把说"我错了"训练成条件反射，就是用脸上的肌肉说出来，不要经过大脑。如果每个人都能做到这一点，这个社会马上就会成为和谐社会。

　　我们不但要学会从每个人的身上看到优点，还要学会从每件物上看到优点。比如，让孩子一天玩十个玩具和一天玩一个玩具，两种玩法，会造成两种活法。玩十个的孩子，长大有一个特点，总是喜欢"换"。工作不好，换；房子不好，换；老婆不好，换。而只有一个玩具可玩的孩子，他必须在这个玩具上找到多处兴奋点，不然他再没什么可玩，他要努力从一个玩具上找到多个兴趣点。这样的孩子，成人后自然比较专注，专一。我小时候就这样，一个泥巴，可以玩成一百个形状。

事实上，幸福和安详就是你的目光，天堂和地狱就在你的目光里，只要你把目光一变，地狱就变成天堂。但是现在我们好多人认为幸福在远方，到处去追逐，开着幸福的车找幸福，却跟幸福擦肩而过，让幸福成了一个灯下黑。

所以我常常说，什么是幸福？幸福就是你静静坐下来，有一个蝴蝶就会飞过来落在你的肩膀上。但现代人说，哇！幸福就是蝴蝶，赶快去捕蝶吧，或者发明一种捕蝶的机器，完蛋了，蝴蝶永远飞走了，即使捕住，它美丽的翅膀已经被折断了。

为此，我讲过一个排比句：

我们追求财富，难道不是为了追求财富带给我们的喜悦吗？我们追求权力，难道不是为了追求权力带给我们的喜悦吗？我们追求爱情，难道不是为了追求爱情带给我们的喜悦吗？如果这一刻，我们就在喜悦当中，我们为什么要舍近求远？

古人是在最朴素、最简单的生活现场找到最丰富、最盛大的幸福的，现代人正好相反。

"知道中"，就是我这些年一直在讲的现场感，就是说我们吃饭的时候要"知道"吃饭，睡觉的时候要"知道"睡觉，但是更多的人是不"知道"的。我们常常一碗饭都吃完了，却不知道饭是啥面做的。我也调研过，很少有人躺下听自己的心跳，如此，我们就跟人籁之音错过了。

举个最简单的例子：通常情况下，我们把一个杯子放在桌子上，会"咚"的一声，却不"知道"，正确的放法应该是轻轻地落到桌面上，这两种放法在内心的投射是不一样的。关门的时候，如果是轻轻地，你发现心中有爱发生，如果"咚"的一声，你的心里只有冰冷。

如果我们吃饭的时候错过吃饭，睡觉的时候错过睡觉，走路的时候错过走路，就会在幸福的时候错过幸福。不但如此，如果我们不"知道"，还会酿造悲剧。

任何一门学问，如果不能变成可操作的东西，它的价值就无法实现。我之所以编这个顺口溜，就是为了时时提醒大家回到现场，不时念叨一下，"三途二径知道中"。生气的时候，"三途二径知道中"，抱怨的时候，"三途二径知道中"。用它来提醒自己。

人是需要提醒的，是时时刻刻需要提醒的。有人说，教育就是不断的提醒，我非常认同。

而在"三途二径"当中，最好操作且最有现实意义的就是说"我错了"。当一个人能够把"我错了"说到条件反射，一开口就说"我错了"，这个人一辈子肯定就在和谐之中、幸福之中。因为"我错了"一出口，他的前面就是绿灯，他的周围就是和气。而一个常常看别人缺点的人，一眼看过去全是别人的缺点，自然就会抱怨，就会生气，就会吵架，就会动手，战争就是这么发生的。

　　所以我说，一个人如果不生气、不怨人，即使看上去没行善，也在行善，因为生气的时候，不但伤害了他人，更加伤害了自己。

　　田　频：是吗？

　　郭文斌：是的。我们要实现中国梦，怎么实现？在我看来，当我们每个人都面带微笑的时候，就已经实现了。在我看来，实现中国梦，首先要从两点做起，就是孔老夫子表扬颜回的"不迁怒，不贰过"。不迁怒于他人，同样的错误不犯两次。"不迁怒"说明什么？说明颜回的定力已经高到完全可以当家作主的程度，不然的话，他肯定会迁怒；"不贰过"说明什么？说明颜回的反省力已经到了十分完美的程度，不然的话，他就会犯两次。

　　最近，我还在日记的首页写了几句话："争分夺秒读经典，咬定牙关克欲望"，"浪费时间就是杀生，改正错误就是积福"。

159

为什么要争分夺秒读经典？除了上面讲的原因外，还因为经典既是镜子又是能量。因为我们读经典的时候，用的是大整体的能量，相当于我们把电源插到交流电上了；如果我们离开经典，又相当于用充电电池了，充电电池用完就没电了。所以我现在有一种体会，当我烦恼的时候、劳累的时候，就读经典，读一个小时就精神了。

　　为什么说改正错误就是积福？因为人的生命是需要福气作保障的。中国人讲"五福"：长寿、富贵、康宁、好德、善终，看上去是五福，其实是一福，那就是能量。就像一袋面粉，它是一个总量，你如果全拿它做面包，就没什么可用来做面条了，如果你拿太多的部分去发财，那么长寿就无法保证了，因此，要正确地分配它，而错误就是错误地使用能量。换句话说，错误就像我们面袋上的漏洞，如果我们改正它，就相当于缝上这个漏洞，是不是惜福呢？

　　另外几句话是："弃浮名，得智慧；弃浮财，得实学；弃浮躁，得沉静；弃抱怨，得欢喜。"

　　我现在常常鼓励一些企业家把他们的财富变成能量带走。我说你想一下，这个世界上，哪些东西是将来能带走的？哪些东西是带不走的？凡是带不走的都不重要。房子能带走吗？存款能带走吗？如果能带走，汶川地震后，废墟下埋着多少存折，那些人带走了吗？那什么东西能带走呢？能量。

　　明白这个道理之后，我也在努力实践，比如把几千册书捐出去，看上去一下子几万块钱没了，事实上没了吗？恰恰相反，它存在你的永恒账户上了。为什么？当因为某本书，不孝敬的孩子变孝敬了，破碎的家庭变完美了，它所产生的那个感动，已经自动存在我的能量账户上了，虽然我们并没见面。

人的不安全感来自哪里？得不到的时候想得到，得到的时候怕失去。而我现在都有意识地把我的东西拿给别人，还怕失去吗？就是说，我都主动把频道切换到"失"上，还怕"失"吗？"患得患失"这个生命的负程序就不会对我起作用了。前段时间，我的钱包丢了，我明显觉得不像以前懊丧了，因此，要"弃浮名，得智慧；弃浮财，得实学；弃浮躁，得沉静；弃抱怨，得欢喜"。

田　频：听了您这番话，我觉得安详其实就要从我们身边的点滴小事做起，我们在日常生活中，就能获得安详。

郭文斌：是这样。

田　频：在阅读您的作品之时，总觉得您的作品继承了京派小说的一些传统，比如说沈从文先生的《边城》。沈先生对中国农村特别是湘西的民风民俗了然于心，《边城》中有"狮子龙灯"这样的民俗节日描写，也有评论者称您为"北方的汪曾祺"，但是您自己却说看他们的作品比较少，那么对于这样的文学现象，我理解为文学自身内部的传承，您是否认同？

郭文斌：您的这个判断，我觉得很有质量。为什么呢？因为从根本性来讲，文学肯定有一个根本的相貌、根本的体征、根本的规律。这就像大米白面，再怎么做，它的味道还是大米白面，土豆再怎么做，它的味道还是土豆。

实事求是地讲，因为家里穷，我小时候基本无书可读，即使上了学，小学、中学压根就没有图书馆，考到师范，四年基本都在忙乎功课，我们学的是小教，除了背那些教学法，就是忙乎小三门——音乐、美术、体育。农村出来的孩子，以前没有接触过这些，为之用去大量时间。第二年，得知获得三年"三好学生"就可以被保送上大学后，又努力把每门功课考过八十五分，因为学校规定，只有每门功课都过八十五分，才有资格获评"三好学生"，又平均用力，每学期十几门课，样样都要考八十五分，更没有时间读文学类书籍了。结果拿到三年"三好学生"，还是没能上得了大学。毕业后到母校教书，养家糊口，根本无法像科班大学生那样系统阅读现当代文学作品。所谓的京派、海派，等等，不怕您笑话，当时都没有听说过。后来考上教育学院，两年时间了还在拼命读先锋小说，您提到的这几位作家的作品，恰恰是在评论家讲到我的作品像他们的时候，我才买回来看了看。说实话，一方面觉得自己跟这些大家还是没有可比性；另一方面，又觉得我们骨子里还是不同的。

田　频：在您的作品中，我们不难发现您对文字怀着一种感恩和敬畏的心理，比如说您在作品中多次引用了"掘藏师"和"百丈怀海"的故事，在您的生活中，您也践行"文字养心"的原则，把《黄河杂志》办成了一份可以带回家让孩子看的杂志。在这个物欲横流的社会，您认为要最大范围地实现这种文学理念，应从哪些方面着手？

郭文斌：一定要先做出成效让大家看。中国古人关于教育的次第是，先演后说。"演"就是为人们做个好榜样；"说"就是讲理。但在我看来，"演"更重要。你看那个繁体"聖"字，由三部分构成，左边为"耳"，右边为"口"，下面为"壬"。前二者好理解，后者是一个人弯腰站在大地上，组成一个意象：把你的所学讲给大家听，做给大家看。只听不说不行，只说不听不行，听说都做到了还不行，还得力行，大家才相信你。"壬"的意思是，一个人弯着腰立在大地上，极其谦虚的样子，也就是做出谦虚的样子让大家看。如果你讲得头头是道，但没做到，别人是不会相信的。古代如此，当今社会，更要如此。

为此，我和我的团队，这些年既在倡导，也在实践，《黄河文学》编辑部也好，文联也好，学会也好，都在做。比如说，汶川地震后，编辑部的同志，顶着35℃的高温，忍着蚊子的叮咬，一本一本叫卖《黄河文学》，最后募集到一万多块钱，买了礼品和书，捐给在我们这边借读的青川的孩子，等等。

如是公益行动，确实感动了一些受众，促使他们加入我们的公益行动中来。比如这次访谈的录音，我会发给四川一位名叫小川竹的大学生，她会连夜整理出来，她就是当年在这儿借读的一个孩子。那次捐赠活动后，一直跟读我的博客，之后自愿申请做义工，已经做了好几年了，我的不少录音，都是她整理的。再比如，拙著《守岁》的责任编辑、浙江文艺出版社的项宁女士，自己义购拙著向贫困地区大量捐赠；推荐《寻找安详》到中华书局的中山图书馆的吕梅馆长，已经向西海固地区捐了几十万的图书和文具；石家庄弘贤婴幼园的园长赫欣女士，陆续义捐《寻找安详》，大概已经超过五千册；承德的企业家董奎龙先生在宁夏西吉县新营中学设立了奖学金，等等。这是外地的同志，本土的就不用说了。

所以，每个人都是可以被感染被点燃的，只要你做到了。因此，人们不但看你如何说，更重要的是看你如何做。

田　频：在您过去的小说中，我们似乎可以看到您对"先锋文学"的模仿和借鉴，比如《陪木子李到平凉》，我就觉得和格非的《青黄》有某种相似之处。您能具体给我们谈一下，您是怎样成功摆脱了先锋小说阴暗、畸形的写作模式的影响，选择了诗意化和善意化的写作路径？

郭文斌：很惭愧，当年确实写了不少现在看来有些不太健康的作品，而且赚了许多版税。记得当年有一家发行量在全国第一的地方文学刊物要给我开专栏，一年发二十四篇，现在看来那些文字不少是不堪回首的。尽管当时责任编辑是出于好意，自己也觉得写得很过瘾。

我是如何摆脱那种状态的呢？打个比方，一个孩子在外面闯世界，当时很愤青，觉得离家出走很时尚、很酷，但在外面玩了一圈，流浪了一回，最后发现不好玩了，还是怀念有母亲味道的地方，有热饭吃的地方，有温暖的地方，他就回来了。这个时候他回到家，是他的一个自然需求。或者说，有一个人打着灯笼在黑暗中行走，但突然发现太阳出来了，他就会"噗"的一口把灯笼里的灯吹灭，因为没必要了。跟太阳相比，这个灯笼再怎么好玩，毕竟还是灯笼，就这么一个自然的过程。

田　频：您的创作历程也和绝大多数作家一样，经历了早期的彷徨和探索期，最终您找到了内心的安详，回归平和及诗意化的写作。是不是很多作家都会在成熟后达到这种"天人合一"的境界？

郭文斌：这个我不敢评价，但根据我的观察，不是这样的。不敢说大多数，但可以肯定地说，多数作家一辈子都无缘走进这个"天人合一"。因为现代性写作格局本身就是一个欲望格局，作家们难免被欲望绑架，很少有人挣脱这种绑架。说得严重一些，如果不拼上性命，拿出斩腕断臂的勇气，很少有人能杀出一条血路，获得新生。

在今天，非欲望写作的作家太少了，就像我们西吉县有位农民作家，记者采访他，听说你写了一部给奥运会的献礼作品，请问在哪出版的？他说，还没出版呢。主持人就很惊讶，哇，献礼作品没出版怎么献礼？他说，我把我心中的一份祝福写出来就已经献礼了。

我认为这才是纯粹的写作。但是当一个作家成名之后，不要说别人，就我现在，好多家出版社都在约稿，只要你愿意把稿子拿出去马上就会出版，马上一两万块钱就会到手。对于不少作家来说，这当然是暴发的好时机，但我却不愿意这样干了。

我的编辑今天也在场，他们知道我的许多书稿，比如说《农历》，出版社马上要印了，我又要回来修改，复印好多份，让大家看，不妥的地方，不能读给自家孩子听的地方，我都会认真修改掉。如此，一直修改了五次，在申请第六次的时候，编辑说，郭文斌，得了吧，我当了几十年编辑，出了几百本书，没见过像你这样追求完美的，我实在没有耐心再给你寄第六次，我才实在不好意思再申请修改第六次，不然的话可能还会修改下去。如果再修改下去，就会错过上届的"茅盾文学奖"评选了。

一个作家要对他的作品负责任，一部作品一旦流向社会，就再也无法控制它了，你再想修改都没可能了。现在，我每当碰到当年出版的拙著，比如在旧书摊上，碰到一本回收一本，但是毕竟流到旧书摊的太有限了。

一个作家要想摆脱欲望的绑架，需要壮士断腕的勇气，欲望太强大了，不下狠心就会被它绑架。听说一些出版社，为了约到一些畅销书作家的书稿，会派出美女攻关，看你动心不动心。要想在这些欲望面前不动心，确实需要定力，需要真正明白写作跟我们生命的关系。

所以我现在到媒体去演讲的时候，常常讲一个故事：

当年百丈老人讲完课，后面有一个老人站着不走。他问，你还有什么事吗？这位老人说，五百世前我也是一个讲师，只因为讲错了一个字，被罚做五百世狐狸。现在五百世期满，请你以人的礼节送我一程。百丈老人就答应了。他的学生果然在后院的一块大青石上看到一只死去的狐狸。

看到这个公案，我非常紧张。人家讲错了一个字被罚五百世，这些年，我讲错多少？写错了多少？要罚，不知道是多少世！了无出期！

现在，有多少作家明白这个道理？

文化工作者要做善事，是大善；要做恶事，是大恶。杀人不见血，指的就是作家。

就像你说的掘藏师的故事，这个世界上之所以有掘藏师，正是因为首先有一批不为名利写作的真正意义上的作家，他们能够把自己倾其一生写出来的著作埋在地下，等待缘分成熟，让后人去发现。现在的作家有几位有这样的耐心？写作之前，对不起，先签好合同。而古人的书，不但不强调版权，还"欢迎流通"。所以，我现在常常讲一句话，希望我的书被盗版，只是希望盗版的水平稍微高一点，不要有错别字。我从来没说我要反盗版，我从来没有到出版社查过账，比如版权页上的印数是三万册，实际上他们印了六万册。我从来不干这个活。我说你们印得越多越好，因为我也在捐嘛，你替我捐出去不是更好吗？只不过你在捐的过程中得了一点好处，没关系的。

在这方面，我们真要向古人学习，学习古人的心量。古人写作的目的是什么呢？度人于苦海。看到别人落水了，把他捞起来。而我们现在的一些作家，明明看到那个人要跳楼了，不但不救，还推一把。不说别人，当年的我就没有做好，所以心存愧疚，将功补过吧，通过做公益来补偿吧。

田　频：刚才我们谈到了天人合一的境界。现在有很多人认为我们中国古代文学太多强调了这种"天人合一"，而缺少自我批判、自我分析的精神，很多评论者认为当代文学要走出困境，就要向西方的经典文学学习，要重塑自我批判、自我分析的精神。您是怎么看待这个观点的？

郭文斌：我当然不同意这种观点。事实上，"自我"这个词本身就是一个局限，是一种沉睡状态，一种假醒状态，说得严重一些，就是一个病态。一个身处梦境的人，再怎么批判，还是梦境，再怎么分析，还是梦境。你都在梦中，都没有醒来，又怎么保证那个批斗不是梦呢？让梦游的人给梦游的人带路，只会是双倍的梦游，对不对？

就是说，这个论题从一开始，大前提就是错的。而中国古代文学强调"天人合一"正是中国古人的智慧之处，事实上也是谦虚之处。一朵浪花，要想批判大海，多少有些不自量力吧？一个婴儿，要想批判父母，多少有些不自量力吧？不要说批判，对于一个孩子来讲，如果母亲不告诉他，他都永远无法知道父亲是谁，何况母亲经历的一切？个体生命太短暂了、太渺小了，在根本规律面前，在大自然面前，我们只有"合"的份、"顺"的份，何谈批判？再换句话说，真正的圆满的自我批判，本身就是"天人合一"。

田　频：对。

郭文斌：所以，我个人认为"批判"这个词本身就有问题，因此刚才说了要多看好处。

田　频：看别人优点。

郭文斌：要批判，就批判自己，浪花啊，你太渺小了，赶快变成大海吧，一旦离开大海，你就会干涸的、就会消失的、就会没能量的，再别狂妄自大了。你看《周易》，所有的卦都是吉凶参半的，只有谦卦是吉祥的。浪花，谦虚一点吧。

所以，我个人认为，还是少批判，多赞美，少指责，多感恩，这才是正确的态度。多赞美祖先，多赞美父母，多赞美老师。

多少年来，我们在批判父母，结果呢？没根了；多少年来，我们在批判老师，结果呢？没杆了。无根无杆，花和叶怎么长久？

田　频：难以存活。

郭文斌：和谐号列车，要想快速行进，需要双轨做出保障，左轨孝道，右轨师道。现在，要是师道尊严丧失了，学生都可以在老师上课的时候把矿泉水瓶子扔过去，老师还怎么做？要是儿女们都可以拍着父母的肩膀叫哥们了，父母还怎么做？而没有了孝和敬，意味着一个人堵塞了精气神的通道，而一个人如果没有了精气神，是无法保持他的生命力的，所以还是应该少一些批判，多一些赞美，多一些感恩。

170

田　频：我觉得，少批判、多赞美、多感恩这种文字理念在你的作品里面一直得到体现，因为我发现您的作品故事性和戏剧冲突比较少。您的文学作品似乎都可以用一句话来形容，比如说《吉祥如意》是姐弟俩上山采艾的故事，《大年》是一家人过大年的故事，其实说情境更恰当。有的评论者用

"慢"来概括您的文字风格，您是否同意？

郭文斌：我非常同意。我不但希望我的文字能达到一种慢的境界，我更希望它能达到一种静的境界，我还希望它能达到一种安的境界。就是读者一读就能沉静下来，这是我的期待。

田　频：能获得内心的平和。

郭文斌：对。能走进安详，这是我的期待。实践证明，还不错，比如在《寻找安详》修订版附录中分享的那八位读者，就是首版《寻找安详》的受益者。有人籍之走出了重度焦虑抑郁，有破碎的家庭籍之破镜重圆，有叛逆的孩子籍之走向正道，等等。这正是我期待的。

田　频：我发现您的作品即使是描写上山采艾这样富有诗意化的故事，都隐含着一种淡淡的忧伤，不知道您自己有没有觉得，是不是您的潜意识中间，有着对这种美好事物的幻灭的恐惧？

郭文斌：非常感动您看到了这一点。从总的生命色彩来看，它是忧伤的，因为相对于根本快乐，也就是安详，非安详地带的生命就是一个忧伤，因为它的构成材料是"情"，而情这棵大树不可避免地要结成忧伤这个果实，这是一个自然的过程。一个人要想彻底走出忧伤，只有到达我在《寻找安详》中讲到的那种"没有想法的地带"，而那个地带是反文字的，也就是说，它是一个"零词语"地带、"零意识"地带。而文学，又是意识的产物。虽然应用直觉写作的作家可能离这个地带近一些，但文学毕竟还是以文字为载体的，只要我们还用一丁点意识，就不可能完全走出忧伤，因为意识的另一面就是情感。

通俗地说，只要我们用文字，就会不可避免地走进忧伤，只要是文学，就会不可避免地走进忧伤。为什么呢？因为文学本身是一个情感的产物，而情感的另一面，就是忧伤。

我的写作更多地是用直觉，这可能是跟别的作家不一样的地方。尽管用直觉，我们仍然需要一个载体，那就是文字。只要用文字，我们就会不可避免地进入意识层，而意识的另一面就是情感。只要用文字，它就会有色彩，这种色彩，其实就是你说的忧伤。

再说得彻底一些，只要你是人，就会不可避免地要经历忧伤，因为人的本质特征就是忧伤。为什么呢？因为你只要是人，就有人的属性，人的属性是什么呢？生、老、病、死。这是不可避免的。古人认识到这一点以后，劝我们走出这个怪圈，并为之创造了许多方法论和许多超越性的方式，包括儒释道，但最终都指归于一种不用文字的境界。

人是如此，而文学是人学，它就不可避免地忧伤。我的忧伤跟别人的忧伤不同的是，我希望更多的人能走出忧伤，所以我的忧伤是来自希望人们不再忧伤的忧伤。

田　频：我发现您的作品中，有的作品不仅仅是有忧伤，比如《玉米》和《剪刀》。《剪刀》就是写一对贫困的夫妻没钱治病，妻子自杀的一个故事。《玉米》这个故事读到后面，给前面充满童真的游戏世界投下了巨大的阴影。这类作品在您的整体作品中不是很常见，您一般对这些苦难啊、贫困啊写得很少，您在创作这类作品的时候，动机或者目的是什么？

郭文斌：目的只有一个，那就是以前我更多的是让人们看到钱币的正面，现在想让大家看到反面。以前想通过光明把大家吸引进光明中，现在想通过黑暗把大家推进光明中，让大家看到痛苦的那一面是不好玩的，那么我们赶快离开痛苦，走进根本快乐，走进安详。

田　频：我们都知道，您的家乡曾被定义为人类不能生存之地，饥荒、贫穷在您的作品中也屡次出现，但是您把这些"苦难"视为人生存之"常"，苦而不痛，难而不畏。有评论者认为您这是对饥饿、残缺的生活及理念的歪曲，您怎么看待这一观点？

郭文斌：我觉得他们这种看法恰恰是一种歪曲。为什么这么说呢？所谓"苦难"，只不过是一个词语，这个世界上，不存在绝对的苦难，也不存在绝对的贫穷，就像一个亿万富翁，如果他没有找到根本快乐，他还是贫穷的，因为他得到的财富是一个"片段存在"，不永恒。再说，一个人拥有天下，如果他的心中没有爱，他还是贫穷的；一个人即使富可敌国，如果他的心是穷的，他还是穷的。

事实上，贫穷也好，苦难也好，都是外人"看"到的西海固，一个没有真正在西海固生活过的人，是无法真正"看"到他们心里的世界的。心，只有用心才能"看到"，用眼睛是看不到的。

西海固人到底是不是就很苦难呢？我觉得只有西海固人有发言权。我曾经设想过，如果有一天我回到老家，看到西海固变成了香港，我想那也许是西海固人真正的苦难到来了，对不对？我现在回去，已经找不到当年那种幸福感了。当年，我常常喜欢一个人出去，晚上，明月当头，一个人在山顶，一伸手，明月就像苹果一样落在手上，真是手可摘星辰，那种安静，会让你一下子进入本质。在那一刻，你可能不会像商人一样，大把大把地往腰包里装钱，但你的心灵中却装进了一种无法言说的感动，那是一种大幸福。

我曾带一些博士到我们村上住过，他们向往得不得了。记得有一次，有一位天没亮就起身到山头去了，因为村里有狗，我就出去找她，没想到她说，别说话，让我安静地享受鸟叫的声音。

这时，说话都是一种打扰。你说这样的状态是苦难吗？

当然，西海固人的生活确实比较艰苦，比如水的问题、上学的问题，但是苦难不苦难，我们要全面去打量。如果一个人现在是亿万富翁，但他的心是穷的，那他还是一个穷人；而一个穷人，如果他的心是富的，高贵的，那他就是富翁。

田　频：所以您更看重的是内在？

郭文斌：对。心灵跟环境有关系，但没有必然关系。亚历山大征服印度之后谁都不想见，就想见第欧根尼，第欧根尼是个什么样人呢？用减法生活的人，不要房子，不要老婆，甚至不要衣服，最后手上只有一件家产：讨饭的钵。突然有一天，他看到狗在河里喝水不用碗，就自觉很羞愧，哦，狗喝水不用碗，我为什么要用碗？于是把最后一件家产扔掉了。亚历山大找到他后，他正在沙滩上晒太阳，他说，第欧根尼先生，请问我能为您做些什么？按俗常，他应该说，给我一百万吧，给我个庄园吧，要么给我一个大臣干干吧，但他没提这些要求，他提了一个什么要求呢？请你稍稍让开一点，不要把我的阳光挡住了。

175

我这样说，并无意于代表西海固父老乡亲拒绝人们的帮助，没这意思，我们也很感恩外界对我们的帮助，这一份心很珍贵，但是要说西海固人活在苦难之中，我认为这种说法是不妥当的。

《了凡四训》里有一个故事：当年，有一位小女孩，到了一家寺院，身上只有两文钱，全部都拿出来做了供养。方丈见之，亲自为她主持仪式。后来她发达了，进了王宫，做了王妃，带了数千金来供养，方丈却只让他的徒弟主持仪式。王妃就问，当年我只供养两文钱，你亲自为我主持，今天我拿了这么多金子，你却只让你的徒弟主持，为什么呢？方丈说，当年你虽然只供养两文钱，但是你的心是满的，现在你供养数千金，但是你的心空了一半。

所以，世界上不存在真正的苦难和幸福，只存在苦难的心和幸福的心。

田　频：说得很好。我们觉得，您把价值的肯定评判全部给了您心仪的乡村文明，对中国的传统文化也是推崇备至。但是我们也知道，传统文化有它落后愚昧的一面，是不是您在您的作品中特意回避了传统文化中愚昧或落后的一方面，而只展现正面的一面？

郭文斌：我个人认为，真正的传统文化，它不存在愚昧和落后。如果说传统文化中有落后愚昧的因素，那也是传播传统文化的人身上的落后和愚昧折射出来的，借用一句非常朴素的话，就是歪嘴和尚把经念歪了。经不存在落后，不存在野蛮，因为它是古人发现的生命根本规律。既然是根本规律，就不存在过时不过时的问题。正如不存在唐朝的太阳和宋朝的太阳之不同，不存在唐朝的母爱和宋朝的母爱之不同。

是太阳，就会照耀大地，是母亲，就会爱儿女。这种对大自然和生命根本规律的认识，就是传统。

现在，我们有些人之所以大谈传统落后，那是因为他本身落在传统后面。就像一个马拉松赛跑队伍中的人，他本身落在最后面，却说前面的人有问题。还有一种人，他懒得登山，在山脚下面徘徊，却说山顶上的那些人有精神病，山底下好好的日子不过，跑到山顶干什么？一个人如果不登到山顶，是永远无法理解登到山顶的人发出的生命之叹的。"会当凌绝顶，一览众山小"这样的人生之叹，只有登到山顶的人才能发出来。可是现在，好多人连《论语》都没读过一遍，却对孔子指指点点。这种人不但可悲，而且可怜。

田　频：现在是一个科技迅猛发展的年代，电视、网络等吸引了大多数人的眼球，当代文学在某种程度上存在一种退化的现象。您有什么好的建议能让当代文学走出这种困境？

郭文斌：要想让当代文学走出目前的困境，重获力量感和影响力，就要让其成为人们根本快乐的资源，换句话说，就是要把它变成生命不可或缺的精神营养。科技再迅猛发展，电视、网络再吸引人们的眼球，它们也不能代替水、粮食、空气等这些资源。时代再发展，社会再变化，人们总归要吃饭，总归要喝水，总归要睡觉，总归要寻找安全感。只要文学不丧失作为人的精神营养的功能，只要它还具备大米的品质、水的品质、阳光的品质、空气的品质、母亲的品质、哺育的品质，就没有人能够拒绝得了它，离得了它。而持文学要死了呀要没落了呀等的悲观论者，显然是因为没有看到文学的这种不可替代性。

文学，本来就是人们的精神食粮，却被今天的人们抛弃，什么原因？我觉得不在时代，而在文学本身，是因为文学本身轻贱了自己，或者说，放弃了自身的营养性。就像一个母亲，放弃了她作为母亲的责任，当然就要被儿女们抛弃了。

去年，《黄河文学》印到一万份，据《文学报》报道，全国每年印一万份的文学刊物的也就十家左右。同样是去年，《人民日报》以整版篇幅刊发大型文章《文学期刊：差异性建构文学的共同体》，重点介绍了国内十余家刊物，《黄河文学》就是其中之一。我们编发的稿件，不但频频在全国获奖，且持续被《新华文摘》等刊物转载，还在由中宣部、央视联合摄制的全景展示党的十六大以来文艺战线取得新成就、新突破的大型电视文艺专题片《为时代放歌》中作为文学类的成就被重点介绍。

田　频：对。

郭文斌：从我个人的创作上，我也没有体会到这种悲观。我的第一本书，总印量才两千册，现在，别人一次义捐就是两千册。《寻找安详》，首版不到一个月就售罄，好多人一买就是一二百本，甚至几千本义捐。《农历》和《守岁》，也基本上是这样。现在，拙著只要出，首印没有低过一万的，基本上半年之内都会重印。像《农历》，现在已经重印六次了，《寻找安详》七次。

田　频：你太谦虚了。

郭文斌：大家都给了这样的捧场，那么我坚信，那些大家，他们只要稍稍注意一下作家的社会责任感，读者肯定会更加拥戴。因此，正确的形势应该是传媒越发展，文学就越发展。网络如果你用好了，也是传播正能量的工具啊。这就像坐动车，有了它，我们不是到达目的地更快了吗？所以，网络不值得我们紧张，其他现代传媒也不值得我们紧张，问题是我们得首先生产出可供网络装载运输的精神产品，不然的话，网上没有什么东西可刊登啊，只能刊登一些低级趣味的东西，对不对？

如果有一天网站成为人们不可或缺的主餐厅，成为人们获取正能量的平台，负能量的平台自会关闭。趋光是生命的本能啊。所以，我坚信，文学永远不会死亡，文学永远有市场。网络等现代传媒，我们用好它，它就是我们的朋友，就是我们的伙伴。

田　频：谢谢您，最后还想问一下您最近的创作情况，或者您最近有没有什么创作计划？

郭文斌：实话说，我暂时停下了我的一部长篇小说的写作，也暂时停下了许多约稿，包括许多通常意义上文学作品的创作。现在我比较感兴趣的，是用一段时间好好地写反省日记，等哪一天没有什么可反省了，再写长篇，那可能就是真正的正能量了。现在的我还有很多习气，一个带病毒的人，他生产出来的产品，多多少少是带着病毒的。所以，我现在不着急，只是结合改过，结合做公益，把反省日记认真写下去。将来有一天，交给能够读懂它的人，他看到，哦，有一个叫郭文斌的人，当年是这么改过的，是在这么寻找安详的，是在如此跟欲望作斗争的，是在如此一天一天地超越自己的，是在如此探索让文字更大限度作为种灯去点燃读者、作为大米去营养读者、作为唤归的声音去引导读者的，那我就知足了。

我的理想是，过上五百年，还有人在读我的作品。后人从他的书柜上拿出一本名叫郭文斌的作家写的书，他很喜欢，很尊重，那我就含笑于我该含笑的地方了。所以，《农历》在上届"茅盾文学奖"评选中，在最后一轮投票中排名第七，有许多朋友安慰我说，别气馁啊，下一次就是你啊。意思是，要么你就冲进前五名，要么你就干脆别提名，第七太可惜了。

田　频：已经很了不起了。

郭文斌：说实话，对这个名次，我已经非常知足了，我非常感谢评委们，把《农历》送到那一站。在这里，我要说的是，作为作家，一定要清楚，获奖重要，但还有更重要的。陈建功先生讲过一句话，我特别赞同，他说，好作家只追求来世报。现世报是重要，但现世如果很精彩，可是过了若干年再无人问津你的作品，你还是失败了。

田　频：我们期待您美丽和安详的文学世界在您的笔下不断得到拓伸和延展，带给我们更多的惊喜，带领我们走进安详。

郭文斌：我也非常感谢武汉大学，感谢於可训老师，感谢田博士，感谢你们一行，也希望能够借你的笔把安详传播给更多的人，也传播给武汉大学的学子们，传播给《小说评论》的读者们。谢谢，辛苦了！

（载于《小说评论》2016 年第 3 期）

从"世界末日"说开去
——答《羊城晚报》黄咏梅女士问

问：2012 年，关于"末日"这一说法被放大，你如何看这个问题？

答：在我看来，"末日"更有可能是一个象征，它象征着人类的共体命运。在古老典籍描述的大生命格局中，"末日"是不存在的，或者说，对于那些大超然者，"末日"也是不存在的。流行的"末日说"事实上是一个局部概念，也是一个分段概念。在此局部和分段中，确实存在着一套无法更改也无法逃避的法令。比如"瓜豆原理"，即如果一个人在春天播种了"末日"种子，那么他就必然要在秋天收获"末日"果实，这是一个再朴素不过的常识，但它确实是真理；反之，如果一个人在春天没有播下"末日"种子，那么他就不会在秋天收获"末日"果实。因此，2012 是否是人类的"末日"，只需要我们考量一下这个季节单元之初人们下了什么种就可知道。

在我看来，"末日说"未必是坏事，它提醒我们，把问题解决在播种前,让全人类行动起来,进行一次"末日"大预防。按照传统逻辑, 人类的共识决定着人类的共运, 也就是人类的共因决定着人类的共果。假如从现在起, 所有人都开始修改我们的心念, 把我们的言行调整到生机频道, 补种生机之种,那么杀机就不会到来, 或者会推迟到来。而爱, 是最大的生机。懂得了这个道理, 我们就会从当下做起, 从当下一念做起,时时处处增长我们的爱力, 爱力增长一分, "末日'就会远离一步。因此, 当下就是永远, 心念就是命运, 自救就是他救。

事实上, "末日说"在我很小的时候就听过了, 却没有像今天这样恐慌, 相反倒成为我们好好做人的一种动力。因为老人告诉我们, 即使老天收人, 也会留下一些人种, 所谓"择良留种", 就是选一些好人留下来, 作为人种, 因此, 我们只须把自己变成一个好人, 变成一个有用的人, 至于将来,尽可不必挂碍。这在很大程度上成为我的潜意识, 成为我做人行事的潜在标准, 因此就有可能比心中没有这一概念的人少做了一些伤天害理的事情, 这时, 它恰恰成为一种警觉力。

问:你一贯倡导安详文化, 可以解释一下这个概念吗?它如何才能对当下现代人的精神困境起到作用?

答:接着刚才的话题。我认为安详正好可以缓解人们的"末日"焦虑, 因为安详是一种不需要条件作保障的快乐,这个条件, 也包括时间。这种快乐是以一种绵延不绝的整体性为源泉的。因此，安详提供给人们的是一种根本快乐，它区别于那种由对象物带来的短暂快乐。具体来讲，它是一种稳定的现场感，正是这种现场感，让我们不念已往，不思将来，只是安处于当下，当然也就远离了"末日"焦虑。在古智者看来，时间是一个假象，既然时间是一个假象，那么"末日"就不存在。显然，"末日说"是在时间大背景下做出的一个命题，指受时间支配的生命。这显然是一个比较深奥且难以展开探讨的话题。

且不说我们是否有能力超越时间，但有一点可以肯定，我们通过现场感，可以进入整体。因为整体，我们释然；因为整体，我们安然；因为整体，我们放心；因为整体，我们放松；因为整体，我们自信；因为整体，我们满足。就像一个孩子，当他回到家里，回到父母身边时，就再不需要提心吊胆一样。同样，因为整体，我们能够听；因为整体，我们能够看；因为整体，我们能够呼吸。以呼吸为例，它的无条件关联性、生生不息性告诉我们，所有生命都是整体的一部分，所谓同呼吸，共命运。因为同呼吸，所以共命运；相反，因为共命运，所以同呼吸。

既然整体如此优越，那么我们只需要把自己交给整体即可，因为整体什么都不缺，什么都不坏，它的特性是生生不息，圆满自足。从这个角度来讲，只要我们能够遵从整体原则，把自己全然地融进整体，"末日"事实上也消失了，因为整体是无始无终不生不灭的。那么，如何融进整体？找到安详就成了关键，因为安详既是回到整体的道路，也是整体的状态。这就像一个人要回家，首先要记住家是什么样子的。而要回到安详，我们就要首先找到现场感。现场感这个词很简单，但是要找到不容易，因为它离我们太近，往往成为灯下黑。这就像离眼睛最近的是眼睛，我们却最不容易看到它。

按传统生命理论的说法，如果这个世界上还有一个人在安详之中，"末日"就不会到来，因为个体和整体是对等的。从简单的数论逻辑来讲，整体中既然还有一线生机，那就意味着杀机还没有完全成熟，"末日"就不会到来。因此，寻找安详就成了关键中的关键。

问：当下，作家似乎总写不好"好人好事"，认为这样的题材很虚假且意义不大，你如何看？

答：要想写好"好人好事"，我们首先要搞清楚什么是"好"。这就像自由主义者一直在讲，一切都要按个体心中最好的想象去建构这个世界，但是什么是最好，他们却无法回答。因此，这个世界就变得混乱不堪，而找到一个普遍真理就成了关键中的关键。那么，到底什么样的人是好人？什么样的事是好事？按照通常的说法，利他的人是好人，利他的事是好事。那么如何才是利他？什么事才是利他的事？有人说，他要什么，你给什么，就是好人好事。那么请问，他想吸毒，你给他毒品是不是好事？显然不是。可见，他要什么，你给什么，并不是好事。现在人们已经失去了该给什么不该给什么的标准，再往深里讲，就是现在的人们已经失去了该要什么不该要什么的标准。

可见，为现代人重建选择的标准，就成了最大的善。那么，这个标准是什么？在我看来，就是安详。前段时间，河北一所精神病院的院长给我打来电话，说是他让精神病人读《寻找安详》，疗效居然非常明显，由此我们就会反证：是什么造成了精神疾病？答案很简单，安详的缺失。因此，给现代人最大限度地补给安详，才是真正的"好人好事"。因此，找到安详就成了一个作家写好"好人好事"的大前提。因为一个没见过安详的人，是不可能让别人分享安详的，一个没有安详的人，是不可能给别人安详的。因此，一个作家要想把"好人好事"写好，首先要找到安详。

问：你的作品包括长篇《农历》《〈弟子规〉到底说什么》等，都是对传统文化的致敬，甚至是对农村传统道义的致敬，为什么会做这样的选择？

答：因为传统文化是安详的宝藏，其中有现代人最需要的根本快乐。当下社会，人们最缺的就是安详和快乐。打开每天的媒体，重要位置多被天灾人祸占着，而且更新的速度快得让人甚至记不住标题。在我看来，天灾是因为自然失去了安详，人祸是因为人心失去了安详。别的不说，仅以抑郁症为例，有调查显示，英国 2006 年开出了 3100 多万张抗抑郁药处方，之后连续上升，抗抑郁药的使用量每年都在增加。据统计，美国人每年为治疗抑郁症需耗费 530 亿美元。在美国的自杀者中，抑郁症患者比例高达 35%。有专家预言，抑郁症即将超过癌症，成为仅次于心脏病的世界第二大疾病。据调查，中国每年自杀死亡近 30 万人，其中八成是抑郁症患者，死亡人数远远高于交通事故。30 年前，我国抑郁症的患病率为 0.76%，近年来上升率惊人。最新一项调查显示，我国抑郁症的终生患病率最高达 7%，正在逐步接近世界发达国家水平。生活在北京、上海、广州等大城市的白领们在高压力、高竞争环境下迅速成为此病的高发人群。更让人吃惊的是，当下中国有 3000 万青少年有心理问题，其中多半是抑郁症。

　　一句话，现代人生活得极痛苦，极不快乐，当年的我也不例外。比他人幸运的是我碰到了安详，它把我从"地狱"带到"天堂"。作为一个作家，在自己尝到了"天堂"的大喜悦之后，把"天堂"的道路告诉读者，就成了再自然不过的事情。于是就有了《农历》《〈弟子规〉到底说什么》这些拙著。

　　可以肯定地说，一个心怀安详的人，是不会自杀的。一个人有没有得到安详，有一个重要的标准，那就是他是否消除了焦虑和抑郁。反过来讲，如果一个人不再焦虑和抑郁，他就在安详中。看过《农历》的读者都知道，乔家上庄的日子并不富裕，但他们过得非常富贵。"大先生"的物质只够维持生计，但他的精神却是自足的。安详和喜悦成了那片土地上最茂盛的庄稼。我们常说，缺什么补什么，对于现代或者今后一个相当长的时期，安详肯定是最稀缺的资源，或者说是最大的经济，这也就是我选择传统题材写作的原因。

问：一段时间以来，心灵鸡汤、励志类的书籍文章很受欢迎，可是也有不少读者感到腻味和虚假，你如何看这个问题？

答：如果我们把这些书和经典对照一下，就知道问题出在哪里。这就像一个孩子走丢了，有人会把他带回家，有人会把他拐跑一样；这就像一个孩子跟父母闹别扭，有人劝孝，有人劝逆一样。我的这个比方可能有些太过分，但也确实是我读完许多这类书的感受。在我看来，真正的鸡汤书，应该是让人们不再依赖鸡汤的书。看看《道德经》，开篇就讲"道可道，非常道，名可名，非常名"，就是让我们明白，手指可以指出明月的所在，但手指不是明月，它让你走进文字，但不要陷于文字。这是何等的胸怀，何等的慈悲。但是现在许多的励志书，一上来就想把读者套牢，厚到不能再厚，繁到不能再繁。这且不说，关键是读者越读越焦虑，越自私，越狭隘。真正的励志书，应该是励奉献之志，而非索取之志；应该是励家国之志，而非一己之志；应该是励大爱之志，而非小爱之志。只有通过奉献、大爱、家国情怀，我们才能走进安详。

问：最近你朝易中天"开炮"，不赞成他所提倡的。他说《三字经》《弟子规》是放了三聚氰胺的奶粉，劝家长不要让孩子读这些东西，而你恰在新近出版了一本《〈弟子规〉到底说什么》，可以谈谈这个问题吗？

答：我一直非常敬重易中天先生，但对他最近在全国宣讲的一些观点有些不同意见。他说《三字经》《弟子规》是放了三聚氰胺的奶粉，劝家长不要让孩子读这些东西。我觉得中天先生犯了一个常识性的错误，常识告诉我们，《弟子规》《三字经》之所以能够流传到今天，并不是公权强行推行的结果，而是一代代家长选择的结果。就是说，这些读本，是一代代家长给自己的孩子精挑细选出来的精神乳汁。请问，天下有哪位家长愿意往自己孩子的乳汁里下毒？易先生会吗？其实我并没有向易先生"开炮"，而是非常真诚地提醒他能够认真思考一下这一问题，修正自己的观点，否则，既会伤害天下家长的感情，更会误人子弟，罪过就大了。

我之所以要出《〈弟子规〉到底说什么》这本书，除了《弟子规》里藏有大安详，还有一个原因，就是想校正一下人们对《弟子规》的偏见和推广中的一些失误。无论是迷信《弟子规》，还是轻慢《弟子规》，都是不可取的。在这本书里，我重点结合自己的学用体会，用了一半篇幅讲如何落实《弟子规》，如何让《弟子规》化成我们的生命力，成为我们的快乐源泉，成为我们身心健康的资粮，成为我们寻找安详的方法论，否则，《弟子规》就只是一篇华文，跟我们的生命和生活没有任何关系。中华书局之所以在相关图书铺天盖地上市的时候，将这本书作为重点图书出版，正是看中了这一点，当然，还有一个原因，那就是此前他们出版了我的《寻找安详》，受到读者欢迎，一印再印。

问：对于新一代年轻人，"80后"和"90后"，你认为他们所面临的教育存在什么问题？将来的生存存在什么主要的问题？又该如何面对？

答：最主要的是传统文化的缺失，特别是安详的缺失。具体地讲，有一些"80后"和"90后"，缺乏孝敬能力、快乐能力、生活能力、抗挫折能力、爱的能力，一句话，缺少安详力。十几年的应试教育，让他们成为考场上的高手，生活中的低能儿。但社会毕竟不是一次次纸上答卷，当他们踏上社会，一个巨大的不适应就以排山倒海之势到来。富士康十二连跳之所以会发生，有企业管理上的原因，更重要的是以上原因。孝子是不会轻易自杀的，从小接受过挫折教育的人是不会轻易自杀的，懂得安详的人是会在任何环境中都能安处的。

这些年轻人，要想适应社会，补安详之课成了当务之急。我的儿子就是"80后"，和别的孩子比起来，他还是比较传统的，但是当他走进大学时，焦虑症几乎让他挺不过来。后来他接受了安详理念，同样的环境，却变成了天堂。现在他学习非常用功，生活态度非常积极，而且还很快乐。人们一旦感受到安详，就会发现它不消极，而是非常积极。一个获得安详的人，他会非常好学，非常勤奋，非常敬业，非常有爱心，却不执着。不计较，没有得失心，因为他的心中没有了"我"，只有整体，而整体的品质，本身就是积极、和谐、利他、生机勃勃、天长地久。

问：对文坛，近些年来诟病很多，而传统文学也逐渐边缘化。有人认为，类型文学成为文学大变局的赢家，你作为传统作家，如何面对这样的局面？

答：一种文学是否会成为最终的赢家，需要时间的检验。非常喜欢陈建功先生讲过的一句话，优秀作家只追求来世报，真好。一本书，现在很火爆，但如果在百年之后无人问津，在我看来，不能算真正的赢家。《弟子规》《了凡四训》这些读本在当时很可能发行量并不高，谁会想到今天它如此畅销呢？那么，是什么让它经久不衰？在我看来，是一种母乳般的品质。如果我们能够把目光拉长，在一个大的格局中去审视，传统恰恰是最时尚、最有生命力、最能保质保鲜的，因为地球是圆的，因为人心是圆的。当年上体育课，我们围着跑道奔跑，老师站在起跑线上，等我们跑完一圈回来，发现老师早已在终点，老师之所以早在终点，是因为他压根就没有出发，或者说是站在原地不动。这就像各种新式营养品在想方设法争宠，大米从不吭声却从未失宠过一样。这个世界上，总有一些东西是人们永恒需要的，这些东西，在我看来，就是传统。传统作家要做的事应该是把传统现代化，就像过去蒸米用柴禾，现在用电饭锅一样。作家的使命，不应该是重新创造一种大米，而是制作更好的电饭锅，探索更好的蒸法，把大米做成适合现代人胃口的美餐。

如果我们真能地地道道地为读者提供传统营养，是不怕没人理我们的。去年第八届"茅盾文学奖"评选，拙著《农历》能够在最后一轮投票中排名第七，给了我很大信心，而给我最大信心的是读者。

192   黄咏梅，广西梧州人，现居杭州。在《人民文学》《花城》《钟山》《收获》《十月》等杂志发表小说，多篇被《小说月报》《小说选刊》等转载并收入多种选本。出版小说《一本正经》《给猫留门》《少爷威威》《走甜》等。

（载于《羊城晚报》2012.2.16）

经典对话结构

韩春萍：最近在全球暴发的疫情让我想到您的作品，特别是长篇小说《农历》表现出的对话性，而您在北京、上海、南京、兰州等地召开的作品研讨会上的发言，给我的感觉是之所以要召开这些研讨会，就是要组建一个对话场，借此把您的生命观传达给读者。今天，就请您给我们谈一下对话思维。

郭文斌：2011 年在京召开的《农历》研讨会上，李敬泽老师说《农历》好比《吕氏春秋》《礼记》，先写天，后写地，再写人，是"天地人"的传统。没错，整部《农历》就是写"天地精神"的。读完《农历》你肯定知道为什么我要选择对话性叙事。这个话题你抓得很好，曾有评论家提过，但是像你这样深入研究的还没有。

韩春萍：对话性结构是智慧经典的一个普遍结构。

郭文斌：对。儒释道三家的经典，基本上都是这种结构。

韩春萍：对话式话语给人的感觉不偏激，不专制。

郭文斌：《周易》六十四卦，有两卦最为吉祥，一为谦卦，一为泰卦，都是对话姿态，特别是泰卦。乾坤互换，象征着人跟天对话，跟地对话，跟人对话，身心对话，好处无尽。

一定意义上，对话既是方法论，也是宇宙观、价值观、人生观，其本身就含着民本，而民本，指向谦德。

韩春萍：我感觉您的文学观和传播观反映的是一种对话思维，当然对话还不仅仅显示在思维层面，还有更丰富的内涵。

郭文斌：是啊。上升到思维就是文化了，文化最核心的就是思维方式。一定意义上，思维方式就是人的本质。你怎么思考问题，就可以看出你在哪一个哲学层面。中国古人典型的思维是阴阳思维，一事当前，不但看它的阴面，还要看阳面。

泰卦非常有意思，阴在阳上面，三个阴爻在上面，三个阳爻在下面，为什么要这么做呢？对话。如果阳气在上面，阴气在下面，交流就无法形成了，它就永远是一种剥离的关系。就像我们做饭一样，锅的上面一定是水，下面一定是火，没有谁把火放在上面把锅放在下面烧饭，那样是烧不熟的。

对话关系有利于交流，有利于激活能量，有利于产生势能。阴把位置让给阳，阳把位置让给阴，否极泰来，这也是天地规律。只有低位的水到上面去，高位的雨才能下下来。《周易》是我们的祖先仰观天文俯察地理总结出来的，也是宇宙间能量的一种运行方式。中国人为什么要讲天人合一呢？因为人只不过是宇宙大阴阳结构中的一个小阴阳体。如果不天人合一，对等关系就解除了，对等关系一解除，生命力就终结了。

韩春萍：这种对话思维我深有体会，比如我参加了六七年的公益活动，收获最大的是对话思维。在对话思维中碰到跟自己观点不一样的人，或者自己的主张别人不一定认同的时候，不急于去反驳和说服别人，努力创造对话语境，只要有对话就有展开的可能，就有传播的可能。

郭文斌：对。对话让人有参与感，很民主，要说民主都不准确，应该是民本，中国古人不讲民主，讲民本。自然现象被认定为上天垂象，是大自然发给天子的信号，天子通过反省和天道对话，其背后潜藏的逻辑是"天文"，这种由"天文"投射而来的"人文"，自然包含着敬畏、谦谨、自律。

韩春萍：是不是可以这样理解：对话态就是一种求道态度，对话者永无止境地接近一个本我，或者说一个本体。

郭文斌：是这样。只要对话在，生命就在一种激活的状态。整个禅宗公案看下来，就是一个对话流，只不过它的对话跟儒道两家略有不同，更有主动性、风格性。

韩春萍：对话主体是需要很高的境界的。

郭文斌：对。而且他的认知度、他的价值观、他的行动力，换句话说就是他的能量级要达到那个程度，到了那个程度，他就会看到整个文化就是对话。

韩春萍：这种对话思维我很认同，但是现在社会竞争性很强，竞争性是对立思维。

郭文斌：对。竞争性思维不同于阴阳思维，阴阳思维指向中和。中国古人也讲竞争，却是向内的，那就是战胜自己。当竞争指向外在的时候，结果往往是灾难。因为中国文化的特点是整体性，当你有竞争概念的时候，已经把整体一分为二了。一分为二意味着什么呢？对立。中国人不讲杀毒，讲解毒，银翘解毒丸、牛黄解毒丸不是杀毒丸，中药里面没有杀毒丸。

韩春萍：我读《农历》《寻找安详》等著作，内心感到安和、平静、放松，原来是您的文字中没有杀气，只有和气，您之所以孜孜不倦地写传统节日，莫非也是为了传达这个"解"？

郭文斌：对。"解"是化敌为友，化负为正，把杀机变成生机。"安详哲学"也好，"农历精神"也好，都在演绎生机。大家在《农历》中看到的那些天地人的对话、仪式感、精神的狂欢，都是为了再现这种生机感。《寻找安详》之所以能帮助不少人走出抑郁症困境，大概就是因为它为阅读者提供了可以唤醒生机记忆的对话场。因此，有那么多人愿意诵读它，不少人把整部书都读完了，上传在"喜马拉雅"。

韩春萍：那种感觉让我们终于明白了小时候经历的一些事意味着什么，这种文化在人一生的人格发展中都有重要意义。

郭文斌：对。它是一种大对话。如果古人没有认识到这一点他是设计不出那些仪式的，这是大智慧啊。你怎么能想象伏羲发明八卦？你怎么能想象他用一个阴爻一个阳爻就把宇宙的秘密演尽了？在这个大的天地人的对话层面里，生命就活了，生活就诗化了。

中国人之所以特别注重知行合一，也是为了保持天地人对话的通畅。传统文化的学习也好，传统哲学的学习也好，最后如果落不到行动力上，往往会沦为谈玄说妙，而当一种文化变成谈玄说妙，不能和烟火生活对接，就要被一种新的对话系统代替。

韩春萍：谈玄说妙里面还是有贪欲。

郭文斌：对。老子为什么讲"为学日增，为道日损，损之又损，以至于无为"，就是要把说话的欲望打掉，捡起行动力，用行动去对话，把榜样做出来让人看，这才是最好的对话。

韩春萍：当前这个社会非常需要这种对话思维。

郭文斌：对。对话思维有个好处，能有效解决问题，因为所有的对话都有特殊性和普遍性。普遍性的那一部分大家碰到了，他的问题解决了，他就产生喜悦了，产生了喜悦，他就接着把喜悦分享给别人，传播就完成了。

从解决现实问题的层面来谈，比如这次疫情，争论人祸的成因多，思考天灾的成因少。换句话说，人们都在管理层面展开对话，却很少有人从认知方式、思维方式、生活方式层面展开对话。换句话说，大家都在讨论杂草是如何生长的，却很少有人讨论草是如何长出来的，种子是怎么到土壤里面去的。这就是古人讲的因和缘，不除因，只除缘，问题永远不会解决。

包括降低恐慌，我看到的心理干预方案多是技术性的，形而上层面的不多。技术性的方法是有用，但不能从根本上解决问题。

韩春萍：是这样。接下来我想请教一些小视角问题，比如一般人如何把对话思维应用到家庭和职场？职场上都是竞争式的，哪怕是同仁之间也是有竞争性的，如何把对话思维普及到个人生活层面，给大家带来一些现实帮助，您这块有经验，能不能给我们分享一下？

郭文斌：你提的这个问题非常有普世性，"寻找安详"

公益小课堂"三途二径知道中"的课程设计，就是为了解决你提出的这些现实问题。第一途是读经典，本身就是对话。跟老子对话，跟孔子对话，百人齐诵，又是一次集体对话。齐诵跟单读是不一样的，大家在齐诵的过程中，共振产生了，对话的效果也就产生了。第二途是写反省日记，跟自己对话。古人之所以注重忏悔，就是跟本质对话。儒家为什么讲忠恕之道，就是要通过将心比心对话，"将加人，先问己"。第三途是改过。写反省日记时，意识到我今天伤害别人了，应该给人家说一声"我错了"，不管见不见对方，念头一动，已经跟他的本质产生对话了。如果体现在行动上，又是一次大对话，这是"三途"。"二径"就是看自己的缺点，看别人的长处。

要说最重要的对话是"知道中"，时时刻刻保持现场感，才是大对话。因为现场感事实上是一种个体性跟整体性的对话，走神了就是你的整体性和个体性剥离了。

课堂的设计本身就是对话。有那么多的抑郁症患者在课堂好转，有那么多浪子回头，就连服刑人员，按此课程学习，也会焕然一新，服刑期满，很快被一些单位录用。这就产生了社会性对话。他们到社会上，展示良好形象，也是一次对话。

其实最好的对话是禅宗讲的沉默如金，当你真懂得对话的时候，处处都在和别人对话，为啥呢？即便你沉默，但是你的存在本身在跟宇宙对话，这种状态，真的是太美好了。

这是一种高级对话。

为什么儒释道都强调安静呢？安静度越高，跟宇宙的对话越广阔。动机本身就是对目标的干扰，这时，我们就会理解老子为什么讲"我无为而民自化，我好静而民自正，我无事而民自富，我无欲而民自朴"，也就能够理解他为什么讲"法令滋彰，盗贼多有"。当我们认识到念头本身就是干扰，就要尽可能止念，进入安静，安静到什么程度，就在什么程度上和存在对话。

韩春萍：更广泛的对话其实是更多关系通道的打通。

郭文斌：对。先人们的哲学性对话深不可测，终极的对话完成事实上就是个体归于整体，就像孩子归于妈妈的怀抱。你刚才提的这个话题非常有意义，对话的目的最终是回到道上去，好比面包和面条通过对话，回到面缸里去。到了面缸里，它们的对话就完成了。一旦回到面缸，曾经水火不容的关于面包和面条孰优孰劣的争论会自动中止。我们一直讲真理，但真正抵达真理很不容易。没有回到"面缸"里的经历，一切都是妄谈。真理的对立面就是妄理，换句话说，要想体味真理，这个人就要醒来，而且要醒透。大多人在层层叠叠的梦境中，就像面粉从面缸里出来，异化为面团，然后再异化，变成面包，再异化，变成黄油面包，面粉的本色就被遮蔽了。人也一样。

明白这个道理之后，你就会区分真伪幸福。我们说要满足人的需要，如果这个需要是加强你的异化的，那就很危险了。对于吸毒的人来讲，满足他的需要，是个什么结果？所以，当搞不清楚生命真相的时候，追求幸福的过程，很可能就是异化的过程。而异化过度，就会变成灾难。往深里讲，许多灾难，其实是大自然阻止异化的无奈手段。

韩春萍：是这样。但是在现实生活中，每当人们试图让别人接受自己的观点的时候，不由自主就会有对立思维，试图说服别人，总觉得自己比别人更有道理。但是对话思维就是以话题为中心，而不是以自我为中心，只跟对方展开对话，不急于得到结果，让对话自然发生，且耐心投入在对话过程中。

郭文斌：这是一个极为重要的问题。更为准确地讲，只要你丢失了现场感，肯定是要走向结果的。在现场，你就在道的湖面上滑翔，任何时候都不离开道的层面，如果离开了现场，人肯定会沉沦。

如果一个理指向结果的时候，往往就已经死掉了。为什么呢？中国哲学的核心是"易"，讲得通俗一些，就是在"不变"中"求变"，并且要"简变"，"简变"就是"方便"。马克思讲，毛主席也讲，生命是运动的，但好多人都错解了，至少是解释肤浅了，要跑呀，要活动呀。不是的，哲学里讲的"动"其实就是《周易》讲的那个"变"。《周易》设计卦象的时候，特别是后天八卦，就是让人们从中受到"易"的熏陶，把人引导到"化"境，因易而化，因变而化。所谓转化，其操作性，就是阴阳。阴就是阳，阳就是阴，成功就是失败，失败就是成功。比如人长期把腿放在水里会得关节炎，而鱼呢？会得关节炎吗？你说哪一个是对的？

因此，对话首先要设定前提。你不能把足球场的规则拿到篮球场去，此时对话频率就显得很重要，是三维空间，还是四维空间？到了四维，时间不存在了，你再讲时间，已经失效了。所以，你看老子和庄子，特别是庄子，从来不讲道理，只讲故事，只用比喻。所以，你说的这个问题很重要。

和非典不同，这次疫情，人们普遍的感受是被淹没在信息流中，千万种对话机制铺天盖地而来，真假难辨，让人们无所适从，很多人轻易就被裹挟了。

韩春萍：这也是我的同感，那么应该如何应对才是？

郭文斌：在我看来，还是保持现场感。老子讲："不出户，知天下，不窥牖，见天道，其出弥远，其知弥少。"可见老子了解真相的方式是向内，面向核心，这个核心，只有通过不动心才能见到。王阳明之所以用兵如神，诀窍就在于让心不动如山。老子为什么怀疑法令？就是因为法令操作在人手里，只要法令操作在人手里，就有主观性，只要主观性存在，客观性就成为难题。

那么，面对一个事件，我们应该如何对待？我有三个体会：其一，从阴阳两面去看；其二，等等再看；其三，从形而上去看。

韩春萍：那么，不同层次的人对话时，对错的问题怎么超越呢？

郭文斌：和光同尘，见什么人说什么话，随缘，随着缘分展开。孔子讲："可与言而不与之言，失人；不可言而与之言，失言。知者不失人，亦不失言。"有智慧的人既不失人，也不失言。前者讲和人的缘分，后者讲和言的缘分。

懂得人缘和言缘的人，不会轻视每一个人、每一句话，如果因为轻言，把一个人进入对话的可能性破坏掉，在古人看来，比杀生罪还重，因为我们很有可能让别人因此对道丧失兴趣。因此，孔子讲，要因材施教。

韩春萍：是不是可以理解为，"定"的那个核心的东西始终是不动的，对话也同样？

郭文斌：对。一定要学会看缘分。总的原则其实是《周易》里面讲的"三易"。再怎么对话，都有个"不易"，核心真理不会变，接下来就是"变易"。怎么从面粉里面拿出来一撮面做成面包，拿出来一撮面做成面条？"不易"就是面粉，"变易"就是做出来的食品，其方法，就是"简易"。

韩春萍：21世纪虽然说不会发生大的战争，但21世纪的战争在人的心里，更需要对话。

郭文斌：21世纪的战争其实就是心理战，心理战说到底是文化战，因为在媒体高度发达的时候，战争其实是靠对话完成的。决定对话能力强弱的是什么呢？就是对话者所依据的逻辑系统，说到底就是价值观。再往深里讲的话，就是正义性。得道多助，失道寡助。谁在道上，谁就是赢家。

"一带一路""人类命运共同体"就是很好的对话逻辑。对话需要"通"啊，舆论需要"通"啊。共同体的这个"共"其实就是中国文化核心，大一统和整体性本身就是中国文化的特质。孔子讲的"吾道一以贯之"的"一"就是整体，如果是"二"就变成二元了。孔子讲"一以贯之"，就是强调整体性，老子也讲"道生一，一生二，二生三，三生万物"。

韩春萍：我们接受的教育让我们从小就觉得我要追求平等，哪怕是年长者和级别更高的人我也要跟他平等对话。

郭文斌：如果用辩证法来讲，任何事情都有利弊。孔子当年想选择一个理想的对话体系，他最先想做宰相，想做国师，想让皇帝接纳他的研究成果，跟皇帝对话。后来发现实现不了，没人采纳。再后来，他就选择了一种不设限的对话，教书育人。三维世界最自由的对话方式就是师生之间的对话。

韩春萍：所以我很珍惜我所从事的教师这个职业，真正的教师追求的是永恒对话，传道授业解惑。

郭文斌：这个比什么都可贵，所有的问题，究其根本，都是教育的问题。

韩春萍，文学博士，长安大学文学艺术与传播学院副教授，硕士生导师，文传学院路域文化研究所所长；主要研究中国当代多民族文学与影视。

（载于《文学报》2020.3.26）

用文字点亮读者的心灯

孙永庆：您的多篇散文被用作语文考试阅读题，如《点灯时分》有这样的题目：作者是如何理解先民们留下点荞面灯盏风俗之用意的？这和您撰稿的百集大型纪录片《记住乡愁》主旨一脉相承。您能谈谈这个题目吗？

郭文斌：从前，有个徒弟请教老师，如何才能找到生命的本质性，老师总是不说话。一天晚上，徒弟又问，他就让徒弟去里屋替他倒一杯水。徒弟一走，他就把灯吹灭了。这位徒弟请师父把灯点亮，师父说，找不到火柴，你摸黑倒吧。结果可想而知。就在徒弟埋怨师父的时候，师父把灯点亮了。徒弟当下开悟。《点灯时分》是用点荞麦灯这个意象告诉人们，一个人如何才能回到他的光明地带。按照古人的说法，当一个人回到光明地带的时候，他就不会再做错事、走错路，他就会浑身充满喜悦。

《记住乡愁》的主题跟《点灯时分》的意向确实一脉相承，因为《记住乡愁》的"乡愁"已经不是余光中先生讲的那个乡愁了，它成了中华优秀传统文化的代名词。《记住乡愁》

原定为"百集大型纪录片"，播出之后国际国内的反响特别好，第三季的收视率比第二季提高了70%，现在被扩到540集。我认为，"乡愁精神"和"点灯精神"都能够给世人带来一种安全感、幸福感和获得感。《点灯时分》这篇散文之所以频频进入试题，在于它可以启发学生思考生命最重要的主题，就是要找到一个人形而上的本质性，同时通过这种本质性来关照形而下的生活，让同学们在学习和生活中感到充实和快乐，充满激情和进取精神。

孙永庆：您认为教育要从天性着眼，从本分着手，紧紧盯着超越来进行；教育不仅要让人完成生命的广度，更要完成生命的高度。课程规划的侧重点是幼儿养性、童蒙养正、少年养志、成年养德、老年养慧，关键点则是培养由物我向身我、情我、德我、本我依次超越的能力。回归传统，也要与时俱进，能举例说明吗？

郭文斌：我常说把四个原理搞清楚，教育就简单了。第一个原理是成功学公式。按照成功学之父卡耐基的说法，成功等于才华乘以热情。才华重要，热情同样重要。我们看到许多孩子能考高分，能考状元，却没有什么成就，原因何在？才华出众，但热情不够。有些孩子高考成绩并不理想，但通过后来的努力，依然可以取得较大的成就。就拿我个人来说吧，我的第一学历是师范，中专文凭。之所以还有一点成绩，全靠工作之后的努力。

日本企业家稻盛和夫发现，仅有才华和热情也是不够的。小偷有没有才华？有。他能办到的事情，我们办不到。小偷有没有热情呢？有。晚上我们睡觉，他还加班，他的热情够高了。可是小偷成功了吗？显然没有。小偷的问题出在哪里？价值观错了，人生方向错了。所以，稻盛和夫认为，一个人最重要的成功要素，是正确的人生方向。

第二个原理是成功的坐标轴。横坐标是什么？心量。心量越大，能量越高，而成功取决于一个人的能量。老天按照人的心量配给他能量，就像天下雨，对每一个人都是公平的，你能拿多大的盆，他就给你多少雨水。

钱学森这个家族为什么人才辈出？因为他们注重对孩子的心量教育。"利在一身勿谋也，利在天下必谋之。"如果这件事情只对我和我们家有好处，我不干，如果对天下人有好处，一定要干。这就是横坐标。纵坐标就是我讲的五个自我认同。由"物我"到"身我"到"情我"到"德我"到"本我"。认同度每高一级，能量就会相应增高一级；生命维次提高一级，能量就会提高无数倍。物我，就是以占有物质为人生的价值；身我，就是以保健长寿为人生的价值；情我，就是以情感质量为人生的价值；德我，就是以活得有道德感、有荣誉感、受人尊重为人生价值；本我，就是孔子讲的"朝闻道，夕死可矣"这种人，他追求人生的超越性和本质性。

所以，回归传统确实需要与时俱进，如果不能将传统文化的理论纳入现代生活的框架，那人们是很难理解的。

孙永庆：您认为传统教育首先要进行生命的安全性建设，对于生命来讲，安全性远比效率性更重要。能具体说说这个问题吗？

郭文斌：确实是这样。相比西方的效率性教育，中国人更注重安全性。那么这些年我们看到，有许多人生命效率很高，却走不到底，中途被叫停，中途下课，可见这些人把安全性和效率性的次序搞错了。古人讲："知所先后，则近道矣。"一个人不懂得先后，肯定会把事情做错。就拿赚钱来说，不少人因为不走正道，或赔得一塌糊涂，或锒铛入狱。有些人没钱还好，一有钱，家里就出事，为啥呢？这些钱赚得不正当，或者说他从事的那份工作不是善的。通过非正当渠道赚来的钱，古人叫作"凶财"。"凶财"放在家里面，只会产生灾难。

孙永庆：您给大型纪录片《记住乡愁》做文字统筹，也是为中华优秀传统文化重回当代社会主流价值体系作出贡献啊！

郭文斌：你如此评价我很高兴。这部大型纪录片对中华优秀传统文化进行了创造性转化和创新性发展，它让优秀传统文化以通俗化的方式重回当代社会主流价值体系。它通过镜头语言，通过鲜活的故事，带着炊烟，带着鸡鸣狗吠，带着泥土芳香，带着岁月旋律和四季色彩，来讲述"仁、义、礼、智、信"和"忠、孝、勤、俭、廉"这些传统文化的基本要素。它为失魂落魄的现代人提供了一种心灵家园，是我们实现中国梦的模板，是打造人类命运共同体的模板。在一定意义上，它也是人类最终的蓝图。

孙永庆：乡愁是您前期散文创作的主色调。近年来，您收集了大量文字改变读者命运的案例，写出了一些哲理性散文，如《文学的祝福性》等。这些散文颇适合学生阅读，能培养学生的思辨能力，对学生写作也有很大的启示作用。

郭文斌：谢谢你有这么高的评价。中华书局 2016 年初出版了八卷本精装《郭文斌精选集》，收录的文章就是以是否有祝福性为标准的。中华书局设计了一个漂亮的书盒，还有一个红色手提袋，上面印着"文学的本质是祝福"。我认为，如果一部文学作品不能给读者带来祝福，那它又有什么存在的意义呢？读者读完一本书，如果他的能量没有增加，幸福感没提高，那又有什么价值呢？

所以，我觉得文学一定要带着父母心肠去做，这就像我给我主编的《黄河文学》提出的"三个倡导"：倡导办一份能够让读者向内、向上、向善的杂志，倡导办一份能够给读者带来安详的杂志，倡导办一份能首先带回家让自己孩子看的杂志。一句话，我们的文字一定要有祝福性。

孙永庆：我特别喜欢您写给刘老师的那封信里说的："什么是好老师？点亮孩子的心灯就是好老师。好老师是一盏灯，他会照亮你的一生。"

郭文斌：确实。《好老师是一盏灯》是我写给我的老师刘福荣先生的。这篇文章在每年教师节期间，都会被不少平台大量转载。如果可能，贵刊也可以同步发表。

孙永庆：您从刘老师身上传承的优秀品质，使您终生受用。它体现在您的写作上，也体现在您对孩子的教育上。您的散文能点亮学生们的心灯，也点亮了您孩子的心灯，这是我读《学习微笑》《时间简史》《儿子如书》等文章的感受。

郭文斌：我常常给朋友讲，回首人生能够让你特别感动的人不多。我在电视台讲《弟子规》，提到了许多人，但是讲到两个人的时候，我讲不下去了：一位是我的母亲，一位是刘福荣老师。想起他们我就会感动。这一辈子能不求回报地爱你、守护你、关心你、为你奉献的人，实在是不多。我觉得不是每个人都有福气拥有这样的母亲和老师，他们让你发自内心地去尊崇、爱戴和怀念，他们传递给你的是一种大爱，那么纯粹，那么美丽。

孙永庆：您说最好的阅读是做："如果我们每天阅读的是温暖的、崇高的、引人向上的读本，久而久之我们的心田中种下去的也会是这样的东西。如果我们长期处在一种对抗的、矛盾的、仇恨的、分裂的信息当中，久而久之，我们的心田里也是这些东西。"阅读决定生命力，读什么样的书尤为重要，结合您的阅读说说好吗？

郭文斌：阅读确实很重要。第22届全国图书博览会聘请我做阅读大使，我在北京的媒体新闻发布会上，讲了三个观点。

第一个观点：阅读是天下最危险的事情。为什么呢？因为人的信息系统决定能量系统，能量系统决定物质系统。信息系统的构成来自阅读。就是说，你读的每一句话，你看到的每一个符号、字符、视频，包括听到的每一个旋律、音符，都会构成你的信息系统。你的信息系统决定了你的能量系统，而你的能量系统又决定了你的健康、幸福，等等。孔子为什么讲"诗三百，一言以蔽之，思无邪"？古人认为，文化的纲领应该是去邪扶正。思无邪，无邪应该是文学文化的一个纲领，最高纲领。从这个意义上讲，阅读太重要了，它决定着人的行动力。

第二个观点：与其读一百本低能量的书，不如把一本高能量的书读一百遍。人活着的唯一意义就是提高生命力，提高我们生命的维次，提高能量自由度。你读什么书，就决定了你在什么样的维次上。所以，我们这些年倡导多读经典。

第三个观点：最好的阅读是做。《弟子规》说："但学文，不力行；长浮华，成何人。"如果只读不做，那么读的书越多，你可能越骄傲，越浮华，因为古人认为，"弟子入则孝，出则悌，次谨信，泛爱众，而亲仁；行有余力，则以学文"。这是孔子的话，你只有把孝的课程、悌的课程、泛爱众的课程、亲仁的课程、谨信的课程完成之后，接下来的第一件事才是学习。因此我说，最好的阅读是做。

孙永庆，中学语文高级教师，山东作家协会会员，中国散文学会会员。若干文字发表于《文学自由谈》《散文选刊》《山东文学》《文汇报》《文学报》等报刊，作品多次被《当代散文精品选》《草筐里的秘密（时文精选）》等书刊选载。出版专著《燕语书林》等。

（载于《初中生》2018 年第 9 - 10 期）

行走在纸页上的快乐
——晓章访郭文斌

问：是什么影响了你从事文学？

答：因素比较多，首先是家庭。在家乡，周边地区读书的人比较少，我的父亲算是那一带一个有文化的人了。比如说全村每年的春联书写，红白喜事的"文化"部分的一些工作，包括一些乡村文案，都由父亲去承担。再一个父辈都是戏迷，他们对秦腔有着一种格外的痴迷，我从小受的感染比较多。在戏剧特别是在人生的戏剧性方面，还有民间的那种狂欢方面从小就受到熏染。

记得每年从腊月二十八九开始，村子里的人陆续就到我们家来让父亲写对联。父亲写的对联整整摆放了一院子。有时候一眼望去，整个院子还有房间都是红彤彤的，那种感觉是用文字无法表达的，温暖，还有一点点神秘，恍若天界一样，像是和我们人间判若两别的一种东西。那种东西当时不理解，现在觉得那是一种巨大的神秘，也是一种巨大的审美上的紧张。

"第一等好事只是读书，几百年人家无非积善""三阳开泰从地起，五福临门自天来""向阳门第春常在，积善人家庆有余"，感觉上很古，但非常有味，表达的东西非常丰富，和我们的日常生活有很大的距离。它是一种标高，这种标高，现在想来正是自己对文化产生神秘感、向往感和认同感的源头。

还有表达的动机。我小的时候不像村子里别的孩子，性格上不是那么开朗，有点静。多时喜欢一个人坐下来，望着天空、村子、地里的庄稼，包括女孩等发呆。想的一些问题比较奇怪。比如说，水怎么就能从地下流到地面上来，这是一种什么力量；种子种到土里去，为什么就能长出庄稼；女孩子为什么能够生孩子男孩子就不能等这一类的问题。有些向父母请教他们能够回答，有些不能回答，这种诧异和疑问，促使自己向书本或者书本之外的一些地方去求索，这也许就是探索、读书包括表达的最初诉求。

问：在读书方面，你的家庭和别人有什么不同？

答：在我们那边，小时候对读书的重视程度不够。有许多和我同龄的小孩都辍学了，但父亲非常坚持，在上学这方面。我有时候偶尔跟别的孩子逃学被他发现，肯定是要挨一顿揍的，而且很重。记得有一次，父亲正在抽旱烟，一下子就把吸着的旱烟锅磕到我的头上了，那块头皮好长时间都长不出头发来。每天从学校回来，只要他在家，都要过问今天这一课学懂了没有，记住了没有。还让我写给他看，背给他听。

一有差错，就用那种棒喝的方式，毫不客气地揍我一顿。考到中学，因为学校离村子很远，和我一块上学的孩子都辍学了。父亲当然不允许我辍学。他背着粮食拿着重礼带我到中学所在地的一个远房亲戚家借宿，每周送米送面，坚持供我上完中学。

问：你为什么要把你的短篇集命名为《大年》？能谈谈单篇的诞生过程吗？

答：其实当初责编建议用《开花的牙》作为书名，或者《忧伤的钥匙》。理由是《开花的牙》发出来被《小说选刊》选了以后，关注度比较高，而《忧伤的钥匙》在校园里面比较受欢迎，里面的一些话，一度成为一些学生的口头禅。他们认为用《开花的牙》或者是《忧伤的钥匙》可能受众比较喜欢。但是我还是坚持用《大年》，我认为在我的短篇里面，有两篇是我自己比较满意的，而且写的过程也是一个非常享受的过程，《大年》就是其中一篇。

我觉得像《大年》这样的短篇，那种特定的写作的体验，可能我今生今世也很难再找到了。写作它的过程可以说是一次非常享受的过程，有着难以言说的快感。根据我的一些经验，如果一篇东西你在写的过程中自己感觉到非常享受，或者说非常有愉悦感，往往读者就喜欢。果然，《大年》受到了大家的格外青睐。对中华民族来说，每一个人可能都有过年这种情结，所以才有每一年到头的时候，大家不管身在何方，天涯海角都要回去。为什么？这肯定是一个秘密。"大年"这个词本身就包含着许多东西，就说这个"年"为什么是"大"，这个"大"为什么能够和"年"这样嫁接，它们两个组合在一起，传达出来的一种文字上的信息也是带有很大的神秘性的。这就像岁月，你看不到前也看不到尾，也就像我们这一个人，不知道从何而来，而且也不知道从何而去，所以我觉得大年它承载着无比丰富的心理因子或者说是文化元素。

问：你觉得文学会消失吗？

答：这几年文学圈子里面有一个话题，即寻找文学存在的理由。有许多人认为文学在一定的时空段之内，可能会存在，过了这个时空段也可能会消失。但我个人认为文学永远不会消失，文学也肯定不是傻子才能干的事业。我觉得对文学的理解概念需要拓宽，我们祖上有许多东西，比如说我喜欢读的《庄子》，还有我特别喜欢的《六祖坛经》，我认为就是极佳的文学。

在《大年》序中，我说过，在中国文化传承谱系中，六祖可能是一个最有奇迹色彩的人物。他一字不识，用我们现在的话来说，他是最没有资格从事表达的人，也就是说他是最没有资格去说的人。但有意思的是，恰恰他说过的一些话后来被称为经，也就是著名的《六祖坛经》。在中国禅宗典籍里面，它是唯一一部称作经的。那么到底是什么使六祖具备了如此高级的表达身份和才能？连苏东坡、王安石等大家都从他那儿获取方法论。由此我也在想，文学肯定和文凭没有关系，和职称没有关系。从一定意义上说，它其实是一个秘密。实际上它确实是一个秘密。所以只要这一个秘密在，只要世界的秘密在，只要生命的秘密在，文学就永远不会消亡。

一个人只要生存在这个世界上，他就是在文学地生活着。而我们现在恰恰把文学概念化，认为是一部分专业制作人员的事情。这是一个误会。事实上，离文学最远的可能恰恰是作家。我觉得，只要你活着，那么你就在文学着。我常说，我就是我的作品，而且是唯一的。从这个意义上说，文学当然是不会消亡的。

就我个人创作经历而言，当年我结集出版我的散文《空信封》，当时的动机只是想把它作为一个总结，归拢一下就行了，没想到不到一年的时间就印了两次。所以，从我个人的感受来讲，文学还是有市场的。去年出版的《大年》，据出版社讲，卖得也不错。我们的作品、我们的电影、我们的电视剧，一年成千上万地生产着，真正具有文学性的又有几部呢？所以就文学而言，即便是现在有人说网络，或者说第四媒体、电视在争夺读者，我个人认为恰恰相反，它们从一定意义上讲可以说是延伸了文学，就看你怎么去应用，怎么去理解。

现在我们许多电影电视人，不读小说，也不读散文，也不读诗。长此下去，制作的电视和电影肯定是短命的。我听说张艺谋有一个专门的读书班子，从每年发表的大量的小说和散文中挑选一些佳作，供他拍摄电影。我认为张艺谋是聪明的，还有贾樟柯，据说也是一个读书狂，他们的成功从一定意义上讲正说明了文学的生命力所在。

问：你对读书有什么独到的见解？能结合你的成长谈谈吗？

答：对一个自然人的成长来说，读书肯定是成长过程中不可或缺的一个环节，但我个人理解的读书和别人多有抵牾。有一个故事，说有一个父亲一直在教他的儿子如何去勾引别人家的女孩子。但是当他在有一天给儿子继续上课的时候，他的儿子说，爸爸，今天你别教我如何去勾引别人家女孩子了，你教我如何甩掉人家女孩子吧。

非常喜欢这个幽默。说出来可能有些反动，我的理解是，书读到一定程度它恰恰是一种障碍，也就是我们古人所讲的"所知障"。读书的过程是一个充实的过程，同时也是一个"污染"的过程。作为一个作家，或者说一个有品位的读书人，就要借助于"污染"去超越污染。就像莲花，它是从污泥中成长起来的，它能够借助污泥的营养，同时又能保持自己的高洁。如果把读书一味地认为是充实自己或者给自己赢得什么标签，我认为已经远离了"书"。我认为读书的过程正好应该是一个"反读书"的过程。古人认为，读书的过程是一个"印心"的过程，就是说，先有"心"，才有"印"。如果能够以这种理念去读书，我认为读书是有益的，相反就是一种戕害、一种污染。这就是古人为什么以"以心传心，不立文字"为最理想的传承方式。也就是说对于一切有超越能力的人来说读书是有益的；对于没有超越能力的人来说读书可能恰恰是一种伤害。就这个问题，在《大年》的序中，我谈到过几个细节。

问：听读者说他们读过的你的许多很不错的短篇都没有编进《大年》，为什么？如果多编一些，不是更有成就感吗？

答：我个人认为一个作家的成就，固然和他的写作量有关系，和他的著作多少有关系，但是最终决定一个作家成功与否的恰恰不是这些。事实上，现在觉得《大年》还是厚了，有些篇章还是不应该编进去的。

问：评论家普遍认为你的小说是反污染的、诗化的、唯美的，且带有强烈的终极关怀。你对此有什么体会？

答：实事求是地讲，一个人如果要说自己的心灵达到了完全的纯洁，那肯定是不现实的，如果真的做到了这一点，那肯定就是圣人了。俗人的俗字是怎么写的，它是一个人旁边一个谷，就是说我们俗人吃五谷杂粮，肯定在心灵状态上不可避免地要受物质影响。但是一个人活着，他的目的肯定不是为了认同物质，恰恰最终是要超越物质的。就拿我们老祖先创造的一个成语"心平气和"来说，它讲了一个非常美妙的辩证关系：一个人只有心平的时候，才能气和，相反，一个人也只有气和的时候，才心平。对于从心平气和处流淌出来的文字，肯定是人们心灵所需要的。因为人本身是从心灵而来的，那么最渴求的肯定是心灵上的抚慰和温暖，而不是物质。

《大年》出版后，读者的评价是它比较干净。让我没有想到的是甚至有人说它还有一点点治疗的效果。有位读者来信说，当她忧郁的时候，读上几页《大年》，就能够平静下来，心里就会升起一种清凉和安详，有种难言的大受用。这更让我相信了心心相印这个词。话说回来，越是得到这些反馈，自己就越惭愧。包括来自我的老师、同道和方方面面的支持和鼓励，真是受之有愧。和他们的期待比起来，无论是做人还是做文，我的境界还很低很低。

问：文学对你的人生有什么影响？

答：我觉得文学对我最大的影响或者说受益，就是它帮助我极大地丰富了我的生命。假如说我不从事文学，那么它可能会和我的生命或生活擦肩而过，但是就因为我是一个文学从事者，或者说我是一个写作者，那么生活也好、生命也好，在我的眼中都变得那么富有诗意，甚至说我们每一天就活在文学里，活在小说里。所以到一定的时候，我个人觉得我自己就是我的作品。

这可能是我和别的作家有所不同的地方，我个人所坚守的文学信念就是我的文字一定要给别人带来快乐。假如说一个人在读我的书的时候，感觉不到快乐，那是我的失败。这20多年来我也写了好多短篇和散文，但是在结集出版的时候，我选择的是那些能够给人带来快乐的文字。我觉得一个人的阅读，如果首先不能实现自己阅读上的那种心灵满足、那种愉悦感、那种快乐，那么这个阅读是无益的。这听上去好像和传统的"文以载道"相左，其实不然，这个道就看你怎么理解。我个人理解的道是一种极乐的东西，用儒家的话说就是至善。比如说鸟在树林里面飞翔，鱼在水里面穿梭，鸟的那种鸣叫，鱼的那种跃腾，它事实上都来源于一种生命的极乐。我想写作也一样，它是生命能量的一种非常愉快的组合形式，它是写作者试图把他心中的那种狂欢，那种快乐，大善，动态的、静态的，或准动态、准静态的，试图与读者去分享的诉求，这种诉求其实是每一个写作者最深层的动机和理想，至少对我是这样。

（宁夏电视台都市经济频道《读书时光》第二期）

向往崇高

新华网：我们先从你的家乡说起。西海固是个经济物质很贫瘠的地方，你的作品中有很多都是以你的家乡西海固为背景的。你出生于小山村，如今却是全国知名的作家。你经历了怎样的变化？

郭文斌：很庆幸，我走进传统文化的步伐比别人快一点。2006年我开始学讲孔子精神，到今年已经有八年了，这使我从另一个角度认识到我的故乡和童年记忆的重要性。现在，我还常常梦回故乡，常常梦到社火、秦腔、过大年，等等。在西海固成长的经历，让我更加认识到中国民间传统和经典传统保住了我们的精神命脉。曾经的我，已经"走出来"；现在的我，要"走回去"，把传统文化的命脉传承下去。

新华网：我们刚才提到你个人的变化，今年恰好是新中国成立六十五周年，提到新中国成立六十五周年，你首先会想到什么？

郭文斌：作为一个中国人，我当然跟大家感觉一样，首先想到的是国家强大了。特别是近几年，作为一个作家，我有一些机会走出国门。以前出国你会觉得底气不足，会有人刁难你，看不起你，但是这几年变化很大，可以说是传统文化给国人撑了腰。无论是核心价值观也好，传统文化也好，这些都让外国人认识到中国人已经不可小觑。如今，我们拥有高度的文化自觉和文化自信以及民族自信心，让我们能在国际交流中轻松应对各方挑战。

新华网：你认为新中国成立六十五年发生的巨变有哪些？

郭文斌：新中国成立六十五周年，按传统来讲是一个花甲之年，外加五年。孔子回顾自己的人生时，讲过一段很有名的话："吾十有五而志于学，三十而立，四十而不惑，五十而知天命，六十而耳顺，七十而从心所欲，不逾矩。"按照人生的轨迹来对说，国家也到达"耳顺"，即将到达"从心所欲，不逾矩"的阶段。这也就是说，我们的党和国家成熟了，我们的民族觉醒了。尤其是近几年，我们回到了人类的正常体温。人的境界也好，社会秩序也好，都在不断完善。现在中国经济总量位居世界第二，中国在国际舞台上的地位越来越重要，外国人对我们越来越尊重，我们在国际事务中的重要性越来越凸显，每一个中国人都会为这样的变化感到自豪。

新华网：每个年代都有反映时代特征的关键词，你认为最能代表每个年代的关键词是什么？

郭文斌：我亲身见证，感受较深的有：做 2008 年奥运会火炬手，在宁夏跑第八棒。还有香港回归，印象也很深刻。那一刻，想必中国人的心情都是一样的，那是近代中华民族弱势命运的结束，是一个具有标志性的转折点。还有那首红遍大江南北的《春天的故事》，让人觉得，一个民族的又一个春天到来，现在，我们已经在享受春风的果实。

新华网：在你的记忆里，你认为国家的哪项改革举措让你印象最深刻？

郭文斌：当然，最大的改革举措就是改革开放。如果没有改革开放，人的精神性体现不出来，自主性体现不出来。现在人民越来越富裕和改革开放是离不开的。

新华网：每个年代也有每个年代的民族精神。从革命时期的井冈山精神、长征精神、延安精神，到改革开放时的小岗精神、浦东精神，再到社会主义革命和建设时期的大庆精神、载人航天精神、抗震救灾精神、奥运精神等，你认为，我们这个时代最需要什么样的精神？

郭文斌：大的层面来说，这个时代需要"圆梦精神"，这个梦是中华民族伟大复兴的"中国梦"。具体地、朴素地来讲，我们需要把根连上。这个根，笼统来讲就是传统文化，细讲就是要恢复孝亲尊师传统。孝道这一课缺失之后，产生了很多问题。比如说，腐败问题、敬业问题、信任问题、幸福问题、教育问题等。这一切问题，追根寻源都是孝道缺失和师道缺失的结果。"忠孝不能两全"这句话是错的。我认为，忠孝绝对是两全，忠在一定意义上就是孝。比如说，岳飞被害，父母难免悲痛，但心理上是安慰和幸福的。秦桧苟且偷生，父母是蒙羞的。《弟子规》中讲"身有伤，贻亲忧，德有伤，贻亲羞"，《了凡四训》也讲"远思扬祖宗之德，近思盖父母之愆。上思报国之恩，下思造家之福。外思济人之急，内思闲己之邪"。如果一个人从小接受这种教育，就会守住做人的底线，腐败、敬业、信任等问题自会迎刃而解。

"尊师"和"孝亲"一样重要，人的道德规范是需要老师一代又一代传道授业给学生的。如果老师没有道德感，怎么去教学生？现在国家越来越重视传统文化教育，教育部已经印发《完善中华优秀传统文化教育指导纲要》，这就意味着传统文化必须进课堂了。师道不恢复，国家精神就很难恢复，国家精神的恢复要从一代又一代青年身上去恢复。

新华网：你在长篇小说《农历》里提到了文化传承和精神传承的问题。随着社会的转型，传统文化的价值观可能与人们时下的文化发生冲突与碰撞。你认为文人和文学作品在传承传统文化方面怎样发挥更好的作用？

郭文斌：一个时代的精神滑坡，文人责无旁贷。一个民族的精神堕落，首先是知识分子的堕落。我前几年写过一篇文章叫《文学的祝福性》，我为什么要提出文学的祝福性呢？一提起文学，人们便会想到文学有审美功能、娱乐功能、教育功能，却忽略了文学更为关键的一个功能，那就是祝福性。美国心理学家霍金斯研究发现，人的意识就是能量。我们现在讲"中国梦"也好，讲个人幸福也好，都需要能量。霍金斯有一本书叫《意念力：激发你的潜在力量》，书中他提到大多流行文化是负能量，这很可怕。他研究发现，200级是人的能量正负极的临界点，200级之上是正能量，200级之下是负能量。我们回过头来看看，我们每天看的书籍、影视作品，包括网站，有些能量级别低得可怕，人们看到眼里，落在心里，哪里知道是往生命容器里装负能量。为此，我们就不难理解现代人为什么普遍焦虑、抑郁、抱怨、火气大，不少人有暴力倾向了。

新华网：文人和文学作品对人的能量级负有责任。

郭文斌：对。作家、文人、艺术家、传媒，对这个时代都是有责任的。作家也好，文人也好，媒体也好，对一个时代来讲，就是良知、是灯塔、是道德底线。

新华网：你的《吉祥如意》在获得了"人民文学奖""小

说选刊奖""鲁迅文学奖"后，还被翻译成韩文、英文等文字。提起《吉祥如意》，就不得不得谈谈你的"安详生活"理念。在快节奏的现代，我们如何追求安详？

郭文斌：这两年我一直在讲一个字，中国的"中"。我们要以能够生在中国感到庆幸。你看，印度人只对来世感兴趣，俄罗斯人有英雄情结，就是一个太南，一个太北，中国刚刚好。从文化上，儒家文化的核心是中庸，不左不右，不冷不热，不狂喜也不狂悲，不彻底消灭欲望，也不掉进欲望的泥坑，把一切都把握在一个刚刚好的状态。现在很多人已经不能像古人一样处于常识性的生活状态了，古人是活在现场的。活在现场是个什么状态呢？就是活在每一个"这一刻"。否则，我们就丧失了"品味生活"的能力。这个很可怕，你在吃饭时错过吃饭，睡觉时错过睡觉，走路时错过走路，就一定会在幸福时错过幸福。其实，幸福就是一个"不错过"，痛苦就是一个"错过"而已。我们要去寻找我们的"第一个妈妈"，寻找我们灵魂的故乡，记住乡愁，填补人生的"坑洞"。抓住命脉，找回我们的传统，找到根，追寻那份来自大安详的幸福。

新华网：有人说过，你的畅销书《寻找安详》《〈弟子规〉到底说什么》填充的是现代人因为价值多元而没有方向感或者信仰危机带来的内心空洞，更为准确地说填充了社会转型时期终端价值观的空档。现在，我们国家正步入全面深化改革的决定性阶段，你如何看待传统文化的传承对当下人们的影响？

郭文斌：很多人之所以犯错误、不幸福，就是因为他们没有安全感，我指的是原始层面的安全感。"安详"的"安"，有很多含义，在我看来，它首先是生命的安全性。举个例子，有孩子的人都知道，只要父母在家，孩子就有安全感。即使在睡梦中，孩子也需要父母的陪伴。特别是婴儿，虽然他在睡眠中，但只要陪着他的父母离开，他就会哇的一声哭出来。说明潜意识更加渴望安全，这是我们潜意识层面的一种原始安全感。人一旦找不到母亲的味道，就会丧失安全感，就会恐慌，就易犯错。因此，我说一切危机问题，究其实都是安全危机。包括腐败，看上去是一个道德问题，其实根子里是安全问题，贪念重的人，都是因为心理安全坑洞过深过大。因此，腐败问题，事实上是一个心理学问题。"安"的会意，是女人在家里，女人在家里干什么，陪着孩子，换句话说，就是一个孩子待在妈妈的怀抱里，就是"安"。"安"除了是一种"原始安全感"，还是一个"原始逻辑"。

229

每个人都有一个永恒账户，那就是潜意识，它具有自动记录、永久收藏、自动播放、信息共享四大属性。既然如此，我们现在的一心一念一言一行，都是下一个生命片断的底片，那就说明，我的电影我拍摄，我的命运我做主。如此，谁还会犯错误呢？犯错误是跟自己过不去啊，是在拿自己下一个生命片断的命运开玩笑啊。当人一旦找到根本性，找到主体性，明白了潜意识的四个功能时，他自会敬业起来。中华历史上出现那么多忠臣良将，正是因为受到这种传统的熏陶。传统告诉人们，忠和良本身就是能量。"详"是智慧的意思，但是需要"安"提供能量。打个比方，"详"是灯光，"安"是电能，所以"安"是"详"的大前提。

新华网：从1998年第一部作品《空信封》问世，到成为一个全国知名的作家，一路走来，你实现了哪些愿望？

郭文斌：首先是圆了作家梦，获得了许多意外的荣誉，比如中国文学的最高奖"鲁迅文学奖"和"茅盾文学奖"提名，被评为全国宣传文化系统"四个一批"人才，享受国务院津贴，包括全国民族团结先进个人等。我觉得得到的荣誉太多了，多到让我有些胆战心惊，因为古人讲，名不副实会生祸的。好在这些荣誉现在成了我给人们推荐安详生活理念的公信力和无形资本，也就是古人讲的方便。现在，尤为感到欣慰的是，我的安详生活观，包括服务社会的方法论，得到大家的认可和欢迎，给很多人带来快乐和幸福。

现在我已经明白，生命的价值就是"利他"二字，就是说，人不能为自己活着，从某种意义上讲，也不能为家族而活着。我现在到全国义讲，大多是当地宣传并由教育部门主办的，这就有机会影响有关领导，让他们知道文化不是娱乐，不是产业，而是一种引导力、和谐力、改造力、建设力，是灵魂塑造工程、再造工程，是生命根本教育，也让教育部门明白，教育的本质是维护孩子的本能，而不是技能，是开智慧，而不是学知识，是提高生命能量，而不是增加生命重量。也让传媒人知道，他们是人类集体能量的掌控者，为此，我近年无论是做第22届全国图书交易博览会的形象大使，还是协助央视做《中国年俗》，参与中宣部、央视等单位联拍的大型纪录片《记住乡愁》，包括到中央电视台给四套编导们讲课，就是想通过他们的有力平台，把这种认识和体会传播出去。

新华网：2004年8月到现在，你担任银川市文联主席刚好十年。对于下个十年，你最大的梦想是什么？

郭文斌：回到"现场"，不想过去，不想未来，活在"这一刻"。因为未来和过去都是由无数个"这一刻"构成的，生命也是由每一个"这一刻"构成的。尽心尽力做好每一件当下的事。人生如同电影，想要把整部电影拍好，就要把每一个底片拍好。而最好的电影剧本在本质里，本质状态的生命里只有五样东西，喜悦、圆满、永恒、坚定、心想事成。这是古人讲的生命圆满状态。要实现这种圆满，需要我们把每一个生命细节做到极致、做到圆满。

新华网：有没有创作理想呢？

郭文斌：近几年想借助义讲，到全国多走走，多看看，进一步探究传统文化的根基，然后再用十年时间打磨一个长篇。

新华网：十八届三中全会公布了《关于全面深化改革若干重大问题的决定》，我们国家迎来了全面深化改革元年。改革大幕已经开启，作为一名作家，你对改革有哪些期待？

郭文斌：我希望下大力气去恢复传统文化的优秀部分。现在我们一提到传统，大家就把它惯性理解，其实传统就是常识，就是要恢复常识性的生活状态。比如孝亲尊师、谦退清俭、爱护环境、守护心灵，爱国敬业、诚信友善、感恩敬畏等，这些都是常识。就拿爱国来说，看上去是一个政治问题，其实是一个常识问题。自古以来，凡是爱国的人，家族往往都能昌盛。《了凡四训》中讲："试看忠孝之家，子孙未有不绵远而昌盛者，切须慎之。"为什么？能量来自心量，爱国之时，你的心量已经是国，当然比爱家的家心量大，自然就会子孙昌盛。我们谈爱国，考虑问题的出发点已经到了国家的高度，960万平方公里的思考坐标和单纯思考一个家庭的能量坐标是不能比的。所以，传统其实就是常识。我们需要提高每个人的常识，才能让改革具有自觉性、主动性、全面性、深刻性。

（载于新华网 2014.9.26）

幸福的内涵是安详 文化的尊严是醒着
——答《天津日报》记者周凡恺先生问

近年来，作家郭文斌创作势头强劲，其长篇小说《农历》、随笔集《寻找安详》及《〈弟子规〉到底说什么》等，干净纯粹而富有诗意，弥漫着浓郁自然和谐的气韵与温暖。同时，郭文斌还以一个作家独特的眼光和宽广的视角，解读现实社会中人们所面对的诸多问题，并以高度的责任感和使命感，关注国人的心灵世界和精神成长的历程。

郭文斌生于宁夏回族自治区的西海固地区，那里虽然土地贫瘠，却是一片精神的绿洲。那里的人们淡定乐观，热爱生活，追求理想，为作家的创作和思想的形成提供了源源不断的精神滋养。其长篇小说《农历》在今年举办的"第八届茅盾文学奖"评奖中获得提名，于最后一轮投票中名列第七。他还先后荣获过"人民文学奖""小说选刊奖""鲁迅文学奖""冰心散文奖"等奖项。而他与本报记者的这些一问一答，更碰撞出了许多充满激情的思想火花。

真幸福和真尊严在"醒"中

记　者：在《寻找安详》之后，您又写出了《〈弟子规〉到底说什么》，其实，在您的长篇小说《农历》中，也处处浸染着一种"寻找"的情绪和意味。您想寻找的究竟是什么？

郭文斌：诚然，十余年来，我是一直在寻找，寻找什么呢？简单地说，是在寻找一条"回家"的路吧。我想大家也同样，只不过有些人是自觉的，有些人是不自觉的。如果说生命是旅行，那么"回家"便是必然。对于生命个体来讲，"回家"不但意味着归属，还意味着幸福、喜悦和安全。当然，它还是尊严。

记　者：现在有人提倡"慢阅读和慢生活"，您认为快节奏给我们的精神生活带来了何种影响？还有，经济上的"全球一体化"对各国或者各地域的文化造成了怎样的冲击？

郭文斌：提倡"慢"是对人的一种关怀，就文学来讲，我认为，只有回到心跳的速度，才有可能接近真理，因为那是"感动"的速度，感动只有在心灵同频共振的时候才能发生。为此，"慢"是归途，但也仅仅是归途，还不是"家"。文学的家在"静"里，真正打动读者的是"静"，因为它是生命的来处。对于作家来说，这个"静"和他用的手法没有关系，如果他的心是静的，那他即使写意，读者看到的也是静；如果他的心是闹的，即使他用工笔，读者看到的也是闹。生活也一样，一个心中有"大静"的人，他即使在奔忙中，也会享受静。那么，我们如何才能使心回到"大静"？这又回到刚才我们探讨的主题——寻找。我的体会是，"忘我"是一条道路，那么如何才能"忘我"？答案是全然地奉献。我这样讲，有人就会问，我凭什么要全然地奉献？这就又回到安详逻辑中，安详逻辑告诉我们，只有全然地奉献，人才能从焦虑中摆脱出来，或者说，全然奉献的背面本身就是"零焦虑"。那是什么呢？全然的喜悦。就是说，真正的利他，本身就是最好的利我，因为喜悦就在纯粹的利他中。而生命，就是为喜悦而来，除过喜悦，我们还要什么呢？

关于"全球一体化"，我觉得，它本身不存在善恶分别，关键是要看这个一体化是什么的一体化。如果是古人理解的大同社会，那一体化就是善；如果是道德沦丧、欲望膨胀、享受泛滥的一体化，那可能就是深渊。如果一个个文化自足体在一体化面前决堤，那么留在大地上的是一个个文化的空村、空巢、空壳，最后也许就是一片空白、苍白。所以，在全球化的浪潮下，我们更应该自觉维护我们中华民族传统文化的独特性、完整性，全球化只有与文化的多样性相辅相成，这个世界才是一个丰富、可爱、有趣的世界。在这个意义上，拙著《农历》之所以会得到一些读者的认可，大概正是因为它还是一个还没有被"一体化"的非常自足的喜悦系统，如果说其中有一体化的元素，那也是天地人的一体化，"天人合一"的一体化。

记　者：如今每个城市都喜欢搞"幸福指数"的调查，您认为"幸福"最基本的内涵是什么？是房子、车子等硬件设施，还是心灵的宁静以及发自心底的快乐？抑或其他？

郭文斌：在我看来，幸福的基本内涵是安详。从本质上来讲，它和房子、车子没有关系。第欧根尼没有车子和房子，但他有可能是世界上最幸福的人。正如您讲的，它是一种发自心底的快乐。提醒读者朋友留心一下"心底"这个词，心的"底"，换句话说，就是"心地"。就是说，它是一种自然生发力，就像大地，它本身具有生长力，真正的幸福正是从这个心灵的大地上自然生长出来的，只要"春来"，就会"草自青"。这个"心地"，就是安详。

记　者：您曾经和华一欣谈过何为现代人的痛苦这一话题，您认为怎样才能摆脱这些痛苦？一个人怎样活着才会使生命更具意义？

郭文斌：简单地说，现代人最大的痛苦是焦虑。焦虑从何而来？答案是患得患失。患得患失又从何而来？答案是"自我"，确切些说就是古人讲的"我执"。可见，消灭"我执"就成了问题的关键。那么如何才能消灭"我执"？这就是《寻找安详》和《〈弟子规〉到底说什么》探讨的问题。

在我看来，摆脱痛苦和"有意义地活着"是一回事。而一个人要把生命变得有意义，首先需要"醒来"。一个没有"醒来"的人，他所做的一切事，都有可能是错事。这就像一个迷路的人，他走得越快，可能离目标越远；这就像一个人在梦中拼命完成了一件天大的工程，但是梦醒之后，全是懊丧。如果我们稍稍知道一些醒来的常识，就会发现，醒来的过程就是痛苦消失的过程。从这个角度来讨论，最有意义的事就是先让自己醒来，再把他人唤醒。因此，经典有言，你给别人一块像须弥山那样大的金块，还不如给他一句唤醒他灵魂的话更值钱，因为真幸福和真尊严在"醒"中。

传统文化就像母乳之于婴儿

记　者：现在有些人，一方面对传统文化极端漠视，甚至破坏，而另一方面，又急功近利，通吃祖宗，也即所谓的"文化啃老"。这是一种什么心态？怎样才能更加有效地保护乃至弘扬我们的传统文化？

郭文斌：极端漠视甚至破坏传统是一个人没有福气的表现，也是没有"醒来"的表现。现在，也有不少人对传统有误解，在我看来，传统不是别的，它只不过是古人早我们一步发现的真理。就像母乳之于婴儿，就像大地之于庄稼。请问，一个婴儿拒绝母乳，一粒种子拒绝大地，意味着什么？

相对于破坏传统，"文化啃老"要好一些，因为毕竟他还是要学点文化，学点传统，通过传统文化来达到他的目的。但"啃"这个词本身就包含着"不肖"，这个"不肖"并非出于弘扬传统文化的目的，有可能只是一种利用，从而通过断章取义、篡改传统来达到他赚钱的目的。一个孝子，他应该在继承的基础上发扬光大祖宗基业才是。因此，传承传统，发扬传统，本身就是孝道，是养父母之志，是在养父母之身之心之上的大孝。当然，古人在此之上，还讲至孝，那就是养父母之慧，就是在我们"醒来"的同时，也让父母"醒来"。

记　者：您认为在当今这个纷繁的时代，知识分子应该如何承担自己的社会责任？

郭文斌：按理说，时代越纷繁、越多元，知识分子应该越有用武之地。还是那句老话，在人们需要灯的时候，知识分子首先要把自己手中的火种点燃，然后才能点燃他人，照亮他人。因此，关键还是要知识分子自己首先"醒来"，然后才能按照醒者的清晰逻辑，心怀敬畏和良知，服务于社会。否则，他的任何言论，都可能是一种乱上添乱，就像梦游者给梦游者带路，结果是两倍的梦游。

而知识分子的"醒来"，要比非知识分子难得多，因为他们有太多的傲慢和偏见。对于安详来讲，傲慢和偏见是最大的两只拦路虎。我不敢说自己是知识分子，但我深受过傲慢和偏见的危害。为了消除这两种习气，我用了很长的时间，付出了巨大的代价，现在仍然不敢说已经把它们消除了。检验是否已经消除掉了这两种习气，有一个非常重要的标准，那就是是否能够认同《弟子规》等传统训蒙养正读本，并老老实实地依教奉行。一个人只有消除了傲慢和偏见，他才能回到根本性，才能懂得如何使真理之树枝繁叶茂，以之福荫社会，庇荫苍生。因为根本性是精气神的源头所在，当然也就是生命力所在。这也就是我要在《〈弟子规〉到底说什么》的第一部分探讨"根的教育"的原因。

幸福就是我们"本身"

记　者：我看到，在《〈弟子规〉到底说什么》一书中，您差不多用一半的篇幅讲实践《弟子规》的六个原则，请问这是出于什么考虑？

郭文斌：一个理论，如果我们不去实践，它永远只是一个理论，和我们的生命没有任何关系。《弟子规》是一个非常好的药方，但只有在我们依此用药之后，才会产生作用，否则，它只是一个药方而已。因此，面对那些对《弟子规》

说三道四的人，我会先问他们一句，您实践过吗？如果没有实践过，那就没有发言权。同样，我也建议一些开《弟子规》课的学校，背诵固然重要，但更重要的是落实，否则，你还不如让同学们去背"四书五经"呢。但在现代社会如何实践，人们非常茫然，因为现代社会人们面临许多新的问题，包括我个人，也一时找不到学用《弟子规》的方法论，这六个原则，就是我这些年学用的一些心得体会。

记　者：那么，您说的安详与《弟子规》又有什么内在关系呢？

郭文斌：关系紧密。如果一个人向"外"寻找幸福，生生世世也找不到幸福。中华民族的古传统是向"内"寻找幸福，因为幸福就是我们"本身"，只是我们已经习惯了向"外"看，那束天生的打量幸福的目光已经永久睡眠。正因为这种向"内"寻找幸福的文化，造就了中华民族五千年的辉煌和灿烂，也造就了中华民族五千年基本的社会稳定和安宁。现代人犯的一个最大的错误是，本身开着幸福的车子却满世界寻找幸福，最后把车子都开坏了，却和幸福擦肩而过。当一个人内心存有安详，仅仅从一餐一饮、半丝半缕中，就可以感受到世界上最大的幸福，否则，即使他拥有世界，也可能和幸福无缘。因此，安详既能给富人提供心灵着陆，又能给穷人提供心灵温暖。这，也许就是我们今天推行《弟子规》的意义所在。《弟子规》360 句，113 件事，本质上是给我们提供了 113 个走向安详的入口。

几年的实践证明，"安详"的确对人具有不错的改变作用。在安详的影响下，不少问题学生得以改变，不少问题家庭得以改变，不少心灵疾患得以消除，为此，《寻找安详》等相关书籍被不少单位作为职业素质教育的读本，被一些学校列为重点课外阅读书目。

（载于《天津日报》2011.10.21）

"四观"是我的生命态度
——答中国孔子基金会常强先生问

问：节庆日，尤其传统节日是我们亲近和体验传统文化的绝好契机。尽管国家倡导力度越来越大，但仍然有许多中国人，尤其是年轻人，喜欢过洋节。好些时候，传统节日反倒不如西方节日、人造节日（如"双11"光棍节等）受欢迎。为何会出现这样的现象？中国的传统节日该如何才能更接地气、更受年轻人青睐？

答：中国的传统节日要接地气，首先要恢复"元气"。这个"元气"，就是节日的"初心"。传统节日式微，有多种原因，但有一条是肯定的，那就是节日在流变过程中，把"初心"忘掉了。这个"初心"是什么呢？在我看来，就是它特定的祝福性。当人们一旦知道特定的节日对人具有不可替代的祝福作用，自然就会重视起来。这个世界上，有谁会拒绝天地之祝福呢？拙著长篇小说《农历》之所以还受大家欢迎，就是我写了中华民族的十五个传统节日，写了主人公如何从每个传统节日中获得不同的祝福。现在，一些生活在都市里的人，已经没有故土，每到节日，他们就一家人读《农历》，能够带他们回到童年的文字就成了他们新的故土。

问：有人说，从文化的角度看，中华民族到了最危险的时候；也有人说，中国文化历来便有包容同化外来文化的本领，对中国文化的命运和走向不必过于担忧。对于这两种观点，您怎么理解？

答：这两种说法都对，但也都是一家之言。我在长篇小说《农历》的创作谈《想写一本吉祥之书》里讲过精英传统和民间传统的关系。精英传统对环境的依赖比较大，一些大的社会变革会强行让它中断，而民间传统一旦形成，就具有超强的稳定性。没有谁能够取消人们过大年吧？没有谁能够阻止人们婚葬嫁娶吧？因此，只要民间传统在，文化就不会断流。由中宣部等单位指导、央视组织拍摄的大型纪录片《记住乡愁》就证明了这一点。近一百年，传统文化看似被流行文化淹没，但是看看这些集片子，我们就会发现，它具有多么旺盛的生命力。

对于中华文化的包容性，我也有同感，因为中华文化的根基是中道。而中道讲到究竟处，也就是天地精神，这就从根本上决定了这个文化具有超强的生命力。如果再往深处讲，"外来"也是"内来"，当我们的生命中出现了一个"外"，一定是我们的生命底片中有了一个对等的"内"在吸引它。

因此，要想保持文化自信，首先要相信自己的本质地带什么都不缺，这是中华文化的核心逻辑，也是根本意义上的"不忘初心"。

问：长期以来，"主流文化"都是一个时常为人提及的词汇。有人说，改革开放前，中国的主流文化是马克思主义，之后是马克思主义和儒家思想；也有人说，中国人天生就是儒家；还有人说，中国人的精神世界由儒释道三家共同建构，得意时行儒，失意时崇道，绝望时信佛；更有人说，谈"主流文化"或"主流意识形态"，应当看是政治角度还是民间角度，不可一概而论。您怎么理解"主流文化"或"主流意识形态"？

答：在我看来，中国人的主流文化是常识文化。翻开中华历史，我们会看到，尊重常识的时代都繁荣昌盛，反常识的时代都会很快走向衰落。一个民族是如此，一个人也同样。《周易》八八六十四卦，只有谦卦全吉。可见谦这种生命状态的重要。而谦，在我看来，就是任何时候，都要尊重常识。

问：您如何解读习近平总书记多次强调的"文化自信"？

答：总书记提出"文化自信"，是对中华民族的重大贡献，也是我们党走向成熟的表现。

在古代，"文"有"经天纬地"的意思，"化"是"化成天下"。可见文化是一种根本性力量。

现代科学也证明，任何事物都由三要素构成，信息系统、能量系统、物质系统。这个信息系统，就是文化。中华民族能够保持五千年的生命力，说明她的能量系统是自足的，而能量系统是由信息系统决定的，这就是文化自信再好不过的论据。

现在，常常有人说，近代中国之弱，传统文化难辞其咎，我说，五千年时间检验过的文化也许要比一百年时间检验过的靠得住。一百年实践检验的文化和五千年实践检验的文化，你相信哪一个？

对于文化，我们一定要有一个整体概念，它既包含生产力、竞争力、创造力，更包含和谐力、免疫力、修复力。我们不能拿一个片断低谷来否定整体优势。

关于文化和生命力的关系，我在拙著《醒来》中用相当长的篇幅作了分享，有兴趣的朋友可看看。

问：在物质条件越来越富足的当下，人们开始追求品质生活或雅致生活。这是不是在自觉或不自觉地践行"安详主义"？您所倡导的"安详主义"是个新概念，但大家乐意接受，因为这是时代和社会的方向和共识。在方法论上看，"安详主义"如何保证在"选择很多，所以迷惑"的今天真正落地？

答：首先申明一点，我没有提出过"安详主义"，这个概念太大了，需要强大的理论功底建构它，一个作家是没有这个能力的，但我确实一直在倡导人们过一种简朴、低碳、安详、喜悦的生活。现在，我把它和我的职业联系起来，概括为安详生活观，安全阅读观，底线出版观，祝福性文学观，作为自己的一种生命态度。

正因为这个时代"选择很多，所以迷惑"，安详才有了落地的土壤。实践证明，拙著《寻找安详》对消除焦虑降低抑郁具有不错的效果，正是受益的同志在口耳相传，让它成了畅销书。在它的姊妹书《醒来》中，实名实姓收录了八位受益的同志的分享，从中我们会看到，正是"安详生活方式"给了他们第二次生命。因此，只要我们带着爱心，走到需要的人群中去，安详生活理念自会落地。

近年，除了帮助央视《记住乡愁》剧组做些事情，我的大量时间都在全国大型公益论坛上度过，随之把我的书捐赠到全国各地。在这个非常功利的时代，传统读者在迅速减少，但是主题读者明显增多，比如为了解除焦虑抑郁而找书来读的读者。那我们就要为这些特殊读者提供门径，几百人的讲堂、几千人的论坛，都是很好的渠道。通过两三个小时的宣讲，让听众初步尝到安详带来的轻松和喜悦，然后再把书捐给他，他肯定会读的。打个比方，当一个失眠的人，在读了你的书之后能够很快入眠，这本书也许就成了他一生的伙伴。

问：这是一个向未来学习的时代，人们都忙着充电、学习，尤其是在技术和器物层面。当此之下，老祖宗留下的宝贵财富，尤其是精神财富，就很容易为人所忽略。比如好些年轻人已不再注重孝道、师道，因为他们感觉老人已不再有何作用，而师生关系也掺杂了太多的商业味道和利益关联。我们如何留住那些传统价值观念，尤其是那些历久弥新的好东西？

答：对于孝亲尊师传统的恢复，我是一个乐观主义者。我一再讲，要弘扬传统文化，一定要人们尝到学习传统文化的"利润"。没有人会拒绝生命大利润。当一个人发现孝心关闭，就是把自己最根本的能量渠道关闭了，生命就会出现病相，他自然就会重视起孝道。孝道和师道，是最重要的两条能量管道，是生命保持吉祥如意不可或缺的大前提。这些年，我十分欣喜地看到，随着国家倡导，许多志士仁人的宣讲和带动，孝亲尊师之风大兴。

既然要让人们看到传统文化的大利润，倡导者传播者的榜样作用就非常重要。在威海东亚儒学论坛上，我说过做出来要远比讲出来重要得多，否则，时间长了，人们就会把主讲人的错误误认为是传统文化的错误而殃及传统文化本身。这个罪过就太大了。要做好榜样，就要首先带头改过迁善。

问："文学的本质是祝福。"您的这句话给人暖暖的感觉。我国古代的诸多经典著作，好些都是文学作品，或者具有很强的文学性。您最推崇的传统经典书籍是什么？请谈一谈这部书的祝福性体现在了哪里。

答：但凡经过时间检验的传统典籍，我都推崇，但近十年来，我在力推《了凡四训》。为了证明中华传统文化的生命力，在银川，我鼓励几位志同道合的同学开办了一个小课堂，人数不多，主要是为了做实验，教材就是《了凡四训》，当然还配有一些现代科学书籍。三年下来，结果让我欣喜，主持人还被评为"最美银川人"。

实践证明，只要认真落实《了凡四训》，确实能解决问题。通过这个小课堂，许多问题人生恢复正常，许多问题家庭恢复和谐，在《醒来》这本书中，我作了总结，有兴趣的朋友可以看看。

问：您认为一位优秀的文学家，应当具备怎样的素质和修养？

答：一位作家最应具备的，就是父母心肠和底线意识。写作的时候，首先应想到你的文字可否点亮读者的心灯，提高读者的生命力。一部作品，如果不能先让自己的孩子看，再有利润，也不能发表。著名心理学家霍金斯通过大量科学实验告诉我们，文字是带着能量的，正能量的文字会带给读者正能量，负能量的文字会带给读者负能量。特别糟糕的文学作品，甚至会把读者送进监狱，甚至会让读者萌发自杀的念头。如何判断书籍的正负能量属性，在《醒来》这本书里，我专门写了一章。

在倡导全民阅读的时代，对于阅读的安全性，尤其需要强调。第22届全国图书交易博览会上，我被出版总署聘为"阅读大使"，在北京召开的记者会上，为了引起大家对阅读安全性的注意，我特别提出，阅读是天下最危险的事情。因为阅读形成人的潜意识，而潜意识就是生命力。于此，有很多正面的例子，也有不少惨痛的教训，在几本拙著中，我举过很多案例，在此不赘。

既然阅读是天下最危险的事情，那写作，是不是天下最危险的事情？

我们正好把文学给弄反了
——从《吉祥如意》说开去

记　者：如果有人问《吉祥如意》是一篇什么样的文字，您会怎样介绍？

郭文斌：这个问题有点难。《吉祥如意》它首先是一篇小说，是一篇短篇小说，讲的是我们西海固那一带，也就是我的故乡，过端午节的故事。是两个童蒙未启的小孩，一姐一弟，亲历一个古典节日的蒙太奇片段，传达了一个作家对那一方土地、对岁月的理解和打量。如果用传统小说的常识去读这篇小说，大家可能会觉得不习惯，因为传统小说的一些元素在这篇小说里基本看不到，就是说它的情节非常简单，但因为是两个小孩的目光，所以有我们成人世界所看不到的那一层韵味。

这是我们打开世界的另一种方式。它是一个新的世界，它平行于我们的物理世界，但更深于我们的物理世界。它是由文字组成的或者说由文字传达的，是一个超越物理世界的心理世界或者说是一个小说世界。

记　者：您写这么一篇小说，小说里有没有自己？

郭文斌：这是肯定的。一个作家，他进入小说世界的方式有多种，有些作家可能擅长虚构，比如擅长写情节的一些作家，像写科幻小说和推理小说的这类作家；有些作家可能擅长传达体验，不是经验，是体验，这一部分作家可能和那些靠想象力去打动读者的作家有区别。《吉祥如意》是一个体验型的作家去表达世界的这么一个文本。所以说既然是一个体验世界，就更是一个个性化的世界，因为体验世界它更是一个精神化的世界，不同于逻辑世界。它没有公式，它是一种非必然的灵感似的传达方式，所以作者在写第一句的时候，有可能第二句在脑海中还没有形成，因此它的出现带有偶然性、神秘性，因而它更能"准确""真实"地传达世界，更有美学韵味，也离读者的心灵更近。

记　者：从您刚才讲的"打动"读者，您认为这部作品流向百姓当中它最能够打动人的是什么？

郭文斌：这个我很难说，因为读者反馈来的信息可以说是五花八门。一部作品出现的时候，它是一个客观存在，读者去解读它的时候，或者说是进入它的时候，是带着他的期待、他的认知，或者说带着他的相知进去的，但是无论从哪一个角度来讲，肯定有一个共同的东西。这就像"鲁迅文学奖"授奖词：《吉祥如意》以优美隽永的笔调描述乡村的优美隽永，净化着我们日益浮躁不安的心灵；"人民文学奖"授奖词：《吉祥如意》回望了传统乡村生活之深厚喜乐，在短篇小说的有限尺度内以丰沛的细节书写了温暖的大地；"小说选刊奖"授奖词：郭文斌的小说以富于诗情画意的成功描绘，令我们对那片土地充满敬意，对汉字表意功能的理解和尊重，使小说叙事充满魅力，本奖同时表彰作者对中国传统美学中"意境"的成功运用。

因此，我觉得任何作品，它打动读者的无非是真善美，无非是温暖、崇高和关怀，无非是爱，这些都包含在我近年来倡导的安详中，说形象一些，就是能够撞击到读者心中最温柔地方的文字。

记　者：您的描写是否是您小时候的经历？

郭文斌：肯定。我运用的童年视角比较多，当我带着童年的视角去写作的时候，我就觉得很在状态，这种视角所打捞的事实上就是个人的童年经历，在经过岁月的沉淀之后最难忘的那一块，也是让人最愿意回想的那一块。我说它是我们记忆中的黄金，就是说它永远不褪色，而且随着阅历的增长，随着岁月的流转，我觉得那一部分在心中的分量越来越重。我想这一种东西或者说这一块一块的岁月的黄金也是读者最喜欢的，因为它已经超越了功利，超越了世俗，超越了污染，超越了遮蔽，它是在岁月之河中被反复擦亮反复琢磨的这么一些存在，一些精神的羊脂玉吧。

记　者：能够留下来的肯定是最宝贵的东西，我自己也认为就是当你反复地回忆离你很久远或很美好的事的时候，那么同时也映射出你缺失了这一块？

郭文斌：对。就是说这个世界它既是一个绝对世界也是一个相对世界。说绝对是因为这个世界的本原，如果我们从形而上的角度去考察，在我现在理解，它是由一种本善，或者由一种大爱构成的，这个是绝对的。说相对就是我们所体验到的这个世界或者说我们面对的这个世界它又是一个"依存"世界，它是"二分"的，有一部分相对善，有一部分相对恶，有温暖存在的时候它肯定有冰凉，有火存在的时候肯定有水。那么在这个相对世界里面，我们人类在发展的过程中就有比较约定俗成的或者说与我们心灵相应的一些价值判断，就是说在这个价值的海洋里面肯定每一个人有他所需要的那一瓢水，就看你去选择哪一瓢。

同样，一个作家他在选择的时候，肯定有着他的价值判断。比如说《吉祥如意》，有读者说，如果你真的读懂了它，你就有可能读懂生命。虽然它是一个特定生命段的一个流程，但是我觉得如果按全息的理论来讲的话，一滴水就是一个世界，所以说作者的每一个文字在抵达读者内心的时候，是带着他的价值观的，作者和他的这一部分读者有一个充满偶然

253

但又必然的这么一种因缘。所以古人讲因缘，我觉得非常有道理。因是什么呢？一粒种子进入土壤，那么这个种子就是因，土壤就是缘。只有在因和缘同时具备的情形下，一棵庄稼才会长出来。如果光有种子，我们把它放在玻璃器皿里面，可能百年千年它不会发芽，但它一旦遇到土壤就会发芽。所以，我的理解呢，一颗种子，一颗文字的种子在进入读者心灵的时候，或者说读者心田的时候，它是带着非常奥妙的这种因缘去的，所以什么样的土壤更适合种子发芽它是有着像我们中国人说的同气相求的规律的，这既是文字对读者的选择又是读者对文字的选择。

写作我觉得是很奥妙的一件事情。

记　者：好像您说的就像作家和读者的关系一样，您写一篇小说就是一种情怀、一种理念、一种价值取向，就是您在发出一种信号，召唤和您有缘的人？

郭文斌：对。我们平常一直在讲随缘。事实上我们很多时候是不懂什么叫随缘的。随缘不等于随波逐流。一个人对这个世界了悟于心之后对人的心灵了悟于心之后的一种选择，才能叫随缘，它是一种大觉悟的境界。当一个人到你的面前或一篇文章到你的面前的时候，他知道或者说认得，更准确些说是"识得"其背后的宿命，这才叫随缘。农民是最随缘的，他知道什么季节去种什么粮食，知道在什么地里面去下什么

254

种子，他绝对不会逆岁月或逆时序去做。他知道"清明前后栽瓜种豆"，他不可能秋天或冬天去种，这是一种了不得的了悟世界或觉悟世界的方式。所以，一个作家或者说一个成熟的作家，在带着他的文字去行走的时候，是最尊重他的读者的。因此他的读者也是热爱他的。

记　者：郭老师，返回刚才那个话题，就是缺失，您认为我们现在缺失了什么？针对《吉祥如意》说一说吧。

郭文斌：我近几年在讲一个词："常识"，我觉得我们现在最大的缺失就是不懂得常识。比如说，在伦理中父慈子孝是一个常识，就是所谓的孝道，但是这个常识我们现在缺失了。有个地区介绍它的德育经验的时候，用一种协议的形式来保证孝道的推行，他们把这个作为一个经验来介绍。说实话，听完这个经验后我确实赞赏不起来，心里倒是有一些酸楚。孝，这是一个多么天然的东西，当一个天然的东西要用协议用合同去维持或者说保障的时候，恰恰说明这个地区的孝道已经沦丧到十分可怕的程度。这就是常识。大家之所以喜欢我的一些文字，正是因为这个常识缺失得太厉害了。

这几年我写节日比较多，因为节日是中国古人非常经典的一种天人合一的方式，一种回到岁月和大地的方式。我们在大地上生存，但是我们已经忽略了大地，我们在岁月之河中穿梭，但是我们已经忽略了岁月。给了我们生命以保障的东西，我们却恰恰忽略了它，比如空气，比如阳光，比如时间和空间，还有爱。我们可能满眼都是别墅，都是高楼大厦，但是我们看不到空气，看不到阳光，当然更看不到时间和空间，还有爱。就是说最有恩于我们的东西，我们可能对它熟视无睹。所以，我觉得这一部分的缺失是现代人最要命的一个缺失。而古典的节日，事实上就是以一种强迫的方式让我们面对土地、面对岁月，包括面对春夏秋冬。

记　者：您讲这个非常感染人，就像我当时阅读《吉祥如意》时，一种感受就是觉得是一种爱的缺失。不是一种狭义的爱，不仅限于子女对父母这种人与人之间的爱，应该是人对万物的爱。

郭文斌：对。造化创造了万物，或者说万物都是它创造的，那么万物都是她的孩子。所以古人讲："大地无言，万物生长；日月无语，昼夜放光。"如果我们有足够的细心去打量，大地她真是太伟大了，她生长鲜花生长庄稼生长快乐，同时也承载污秽承载坏苦承载灾难。我们每天把多少脏东西给她，她没有怨言，没有说我要选择哪一部分，要拒绝哪一部分，全然接受。她表达的是一种平等，一种无分别。想想她的这种无言这种大爱，事实上，如果我们读懂了大地，就明白了什么叫爱、什么叫善、什么叫美。日月也一样，也没有根据自己的好恶去选择照耀哪一个人。

借用一个古词，即"无缘大慈"，就是没有缘故的慈悲。在我理解，这是中国文化的根本背景，也是中华民族的根本美德。所谓"天地君亲师"，看看这个排序，你就会赞叹古人的智慧，这是给予我们恩惠的几个第次。

记　者：一读二读和再读感受都不一样，那么从小说本身来讲传达的是哪种爱？

郭文斌：古人把阅读叫作印心，就是说阅读其实是在印证你的心。这个话怎么讲呢？就是说你的心里面有什么你就会看到什么。我在拙著《大年》的序中曾写过苏东坡和佛印和尚的故事，演绎的就是这个道理。我们在不同的年龄阶段去读《论语》，会对其中的每一句话有不同的理解，这就是说不是哪一句话的意义有那么多层，而是你的心灵在成长，你看到了那句话里面不同的层面。所以"吉祥如意"这个词不同的人的理解也有不同的层次。对于做生意的人，是发财；对于做官的人，是加官晋爵；但对于父母讲，是孩子的平安；对于圣人讲，是让大地吉祥，让岁月如意。

古人是怎么理解吉祥的呢？做你该做的，拿你该拿的，就是吉祥。如意呢？只有符合天意的才是如意的，是顺时听天，而非人定胜天，否则，就不吉祥不如意。他们给你一种非常符合哲学的或者说形而上的一种要求，一种法定。

造化的心脏就是爱。人为什么会感到爱？为什么会被爱

257

打动？因为那是我们的当初呀，是我们的原点，是生命出发的地方，也是生命归宿。所以，什么样的文学是好的文学？什么样的文学是能点燃心灵的文学？是唤醒灵魂的文学，不言自明，对吧？

记　者：非常受教育。感觉跟您交流的时候，自己的心都会变得很美好。

郭文斌：但愿。

记　者：与其说您通过一本小说想告诉大家什么，不如说您教会大家用一种方式来感知这个世界，这是最重要的。

郭文斌：应该是这样的。每个人的经历都不相同，要找到一个共同的点就必须先找到一种共同的语言。

记　者：是本源共通的东西？

郭文斌：对。中国古人讲"人之初，性本善"，这个词应该怎么理解呢？就是说他在讲"本善"这个词。"本善"就是本来的那一块，本来的那一块创造生命的材料，就是最初的那一团面粉啊，它叫"本善"。为什么说人，你看到的人是千差万别的，有善的人有恶的人，有半善半恶的人？这就是"性相近，习相远"，就是习气，就是我们常说的污染，把生命变得千差万别。因此，回归生命的过程就是反污染的过程，而文学和文字在一定意义上来讲，就是帮助人们去清洗心灵灰尘的这么一个载体，这是文学在"本来面目"上的一个意义。如果说文学失去了这个意义，或者说相反，那就是反动的文学，因为生命最本质的诉求就是回归，回归光明，回归本善。但是如果你的一篇文字、一本小说、一个文本，恰恰没有去清洗，没有帮读者去清洗心灵，没有帮读者回家，没有帮读者找到本原意义上的光明，而是给这一层明珠又增加了一层污染，古人认为，这样的文字是要承担因果的，就是反动的文字，这样的文字是需要我们警惕的。所以，我给我的诗集起了个名字叫《我被我的眼睛带坏》。我们要像猫一样警惕地去面对这个世界，如果我们不加分别地让所有的文字都进入我们的视线，这是我们对自己不负责任。你没有做好你的这个门卫，你让小偷进来了，这是你对生命的失职，是渎职。

记　者：就是说，你的眼睛和耳朵如果把不好这道关的话，就会使你的心遭受污染和侵犯。所以说"舍得"也应该是另一层意义上的"舍得"，就是你应该时时刻刻警惕自己应该舍去什么，应该得到什么。

郭文斌：古人讲的"舍得"，它是非常重大的一个选择，就是说你要欢迎什么要拒绝什么，你要拿起什么要放下什么，讲这个意义。所以古人讲舍得，有多种理解。中国古人有一个词叫布施，布施用现在的话说就是奉献于对方，这个奉献有物质的、有精神的。作家应该带着布施的心态去写作，这个布施不是说给读者一块金或银，不是，是给他一个火种，或者说给他一杯水，让他的那一颗明珠恢复到本来面目，让读者本有的心灵明珠焕发出光彩，这也就是感动之所以发生的地方。就像一个困在笼子里面的鸟，当别人帮它打开笼门的时候，当它在天空翱翔的时候，你说感动发生了吗？肯定发生了。所以，我说文字是一条回家的路。而且从这个意义上来讲，文字不但是一条回家的路，也是你打开自己的一个方式。它是一串串钥匙。一个被捆绑的人是没办法自己打开自己的，一个人的两只手被绑在后面，自己解套是很难的，必须有一个第三者去把它打开。由此我想，几千年流传下来的古圣先贤的教诲，那些经典，就是一串又一串的钥匙。它让我们回家，那个家就是快乐老家。

记　者：我就想通过我们的节目，能够让您直接地或者说跟您有默契的人群直接去"对接"，给他们一个引领。不管是看过的还是没看过的，只要是有缘人，他都会向您这个方向聚集，我觉得是心灵上的聚集，不是形式上的。

郭文斌：你讲的这一点其实是大智慧。古人讲："与天地合其德，与日月合其明，与四时合其序，与鬼神合其吉凶。"就是说当你懂得了日月你就懂得了什么叫凝聚力和感召力。

我们不是常讲向日葵吗，当太阳出来的时候这些小脑袋都朝着太阳，然后那个小脑袋一直跟着太阳转，直到太阳落山，那个小脑袋就守候在太阳出山的地方。它是一种近乎本能的选择或者说是追溯。所以，这几年我一直在讲不是说文学已经死亡了，或者不是说文化已经衰落了，是我们文化人自己把自己的行情搞坏了。只要是人，他肯定有他心灵中所缺失的那一块，那么只要你能满足他的缺失，或者你能够填充那一块缺失，文学就不会死。只要人存在，文学就存在。那么我们为什么要悲观呢？没必要。我们之所以悲观是因为我们找不到读者心中缺了哪一块东西，所以我们没有自信。当你真正懂得了读者心中缺了哪一块东西，我想随着人口的增加，文学应该是成正比例地去发展。

现在我们看到的事实好像是文学不景气，我觉得作家要从自身去找原因。我们现在所面对的文化环境，是一个非常混乱的文化环境，有许多伪作家、伪文化现象出现，这些可能提供给读者的不是读者内心缺失的那一块，相反，是给读者本来就已经被污染得非常厉害的那一个层面去增加新的污染。读者不自觉，以为这样会增加他学养的厚度，其实他没有想到，这恰恰增加了他心灵的尘垢。所以，我们要警惕伪文化、伪文学。这就像一个小孩当别人给他一团火，他觉得很好玩，但是没想到这个东西弄不好，会让他陷于生命的险境，就这么个道理。

记　者：能感受到您在讲一个词：和谐。

郭文斌：你细细品味那个成语"求之不得"，它是什么意思呢？就是当你以一种欲望的形态去向大自然或者向本体世界去索取的时候，它不给你，因为它知道你的需求，需求是物质的，它不是本源的。所以，在什么时候才能得到呢？这就是《吉祥如意》中母亲借奶奶的话讲的那个"舍得"。怎么舍？舍什么？它并不是要你把世界舍掉，而是把你的自私舍掉，把欲望舍掉。所以，儒家讲"格致诚正，修齐治平"。"格物"是什么呢？就是把欲望放下来，只有把这一部分放下来才能达到"诚意"，才能"齐家治国平天下"。如果这一部分你放不下来，明珠是散发不出光辉来的，明珠散发不出光辉怎么去照耀别人？所以，没办法"齐家"也没办法"治国"，更不要说"平天下"了。所以，"舍得"它讲的是只要我们把物质把欲望把感官诉求打扫干净，不用去求，明珠自会焕发光明，这叫作无求自得，即自然所得。什么叫自然？就是本来就是你的，你本来就是一颗明珠，你只不过就是被污染了而已。你怎么去"得到"呢？你把一部分放下，另一部分它就在那儿了。这就像我们把我们的衣服脱掉，我们的本体就在这了，我们只是用一层衣服遮着，就是这么个道理。

所以古人讲，人人都有智慧，有大智慧，只不过就是被遮蔽了而已。而文化就是要扫除这一层遮蔽，扫除掉世世代代积淀在我们心灵上的那一层灰尘。禅宗讲"身是菩提树，心如明镜台，时时勤拂拭，莫使染尘埃"，可能文化的意义就是不断把我们的心灵擦亮，保持光明。镜子上有灰尘我们是看不清自己的。帮助读者擦掉这一层灰尘，在我理解，就是文化的使命。

记　者：非常好。最起码非常感染我，让我重新理解了"舍得"一词，以前我一直知道"舍"是什么，但是找不到"得"。您今天一说，我就知道"舍"的过程就自然得到了，不是说你"舍"完了以后再去"得"，再去努力再去追求什么，其实舍掉的过程就是得到的过程。

郭文斌：你的理解很好。

记　者：我希望我们双方合作为观众和读者做点什么。

郭文斌：事实上是所有人，如果我们承认我们刚才讲的"人之初，性本善"，承认人的平等性，我们的合作就对所有人有意义。我特别喜欢"众生"这个词，在古人看来，不但所有人是一个共同体，他甚至把所有的动物都纳入这个共同体，统一叫"众生"。在古人看来，不只是人是至高无上的，所有的生物包括一草一木和我们都是平等的。当你带着这样一种心态去面对这个世界的时候，你的心里面就会充满快乐，这时候你就不会在看到一个小羊羔的时候说这是我的盘中餐，否则，你的境界就小了，因为你已经对立，你已经在求，在

263

索取，把它看成你的欲望需要，看成你感官的对象。事实上，现代人的逻辑已经把人作为服务于自己的一个感官对象。当我们制订一个商业计划或者策划的时候，我们是不是把对方看成我们猎取的对象？我们何曾想过我们的这个商业计划、写作计划是为了满足对方，是为了奉爱对方？我们任何的局部的一个策划出来都想着是如何把对方据为己有，如何把对方腰包里面的东西据为己有，如何把对方的心灵据为己有，我们没有想到把我们的光明辐射出去，用我们手中的蜡烛去点燃别人。

现代世界是一个掠夺的逻辑，大家都活在焦虑之中，活在不平之中，人人觉得不安全，没有幸福感，没有快乐感。大前提错了，结果自然是错的。你看母亲对待她的孩子，是出于一种无私的爱。所以，我们说母爱很伟大。当每个人都带着一种母亲的态度去面对别人，面对第三者，你想一想会是一个什么样的世界。所以，天堂在什么地方，天堂就在我们的心里，只不过我们已经丢失了它，我们已经找不到天堂的方向。所以，文化它的另一层意义就在于帮助读者帮助受众指出天堂在哪里。

记　者：学会一种方式。

郭文斌：对。它会给你一种路径，给人们指明一个路径。所以，我这几年一直在讲，文化就是要给人们提供一种方向。

记　者：你没有把人群划分为能接受和不能接受，在你看来人人都可以接受？

郭文斌：太阳每天从东边升起，当然我不是太阳，但我这样要求自己，我没有想着今天要照哪个人不照哪个人，我只要出来就行了，我只要把我的光辉散发出来就行了。至于谁需要我的光辉，那是他的事情，他有他的选择。有些人可能觉得我今天不需要你，我待在房子里也没关系，这不影响我什么，对我来讲我没有目的性。就是说你的文字就是那一束光芒，你把那一束光芒散发出来，使命就完成了。至于读者怎么去选择你，怎么去收藏你，那是读者的事情。你的职责就是把那一份光辉散发出来，通过文字，你的使命就完成了。所以我们不要在写每一篇文字的时候，都假定一个读者群。有好多作者就在假定读者群，或说我是给孩子写的，或说我是为中年妇女写的，或说我是为空巢家庭写的。从商业策略来讲，这是对的，但文学是要带着神圣感去从事的。当你带着一种神圣感面对你的文字的时候，文字也很开心呀，你高看了它，它们也乐意为你服务，它们会想，我遇到了一个好主人，我愿意让他焕发光彩，我愿意为他提供灵感，帮助他走向更远，因为他已经善待了我，这是常识。当你带着神圣感去从事这份工作的时候，神圣感会成全你。当你心里有个很大的愿望，要为世道人心、为苍生、为这个民族、为这个国家去做一些什么的时候，那你的境界就不一样了。

所以，别小看古人常常讲的"国泰民安"这个成语，古代士子，就是有这个愿望，希望国家昌盛平安，希望老百姓过上好日子。他不是作秀，他就觉得这是自己的一份职责，他就要铁肩担道义。请想想，当一个人把道义扛在肩上，那是一个什么样的重量，什么样的感觉。

记　者：这种使命感这种责任感是他的本能？

郭文斌：他天生有一种使命感，他就是为使命来的。古人讲"信解行证"，我们先得有这个"深信"，如果连"这个"都找不着，"那个"肯定发现不了。所以，我说，你尽管去做，有一天肯定会到达的，但如果方向错了，你的速度越快越糟糕，离目的越来越远，慢点或许还好。如果你在高速公路上，你已经开出你要再回头那不是更糟糕吗？我想经济和文化的关系，文化就是要给经济提供一个方向。如果方向错了呢？当地球不存在了，你设想一下，我们再有富可敌国的经济有什么意义？别说是早期，在民国晚年，我们拿着一麻袋的钱还买不到一粒米的时候，钱还有什么用处？财富还有什么用处？这就需要我们重新打量"敬畏"这个词。现在我们面对自然，不少决策者心里可能没有这个概念，他只想着经济指标，没有想到如果把地球比作一个人，我们已经快要抽干他的血，快要吃完他的肉，现在要敲骨吸髓了。如果按照人类目前这个速度，按照凯恩斯的消费刺激生产这个理论发展下去，地球还能不能存在一百年都值得我们思考。我们的子孙后代怎么办？我们搬到月球去住吗？

记　者：就您刚才提到的，只要你是个吉祥的人，就会如意。

郭文斌：对。就是说如果你是个吉祥的人，你就会天天获得如意。这是一个逻辑关系，我是在一个什么样的语境下说的这句话呢？是一次演讲时学生给我递的条子。学生问怎么样才能获得好运气呀，我就借我的短篇《吉祥如意》的名字回答他。我说只要你是一个吉祥的人，就会天天获得如意，这是一个天然的关系，是一个必然的关系。这就像我们在历史中看到的，当年有人给孔子的父亲介绍了一个女孩子，一位姓颜的女孩子，颜父想都没想就把这门亲事答应了下来。颜母很生气，女儿的终身大事，你面试都不面试一下就答应下来了。颜父说，孔门世代积善，他的孩子肯定没错。他的自信来自哪里？古人的逻辑是"积善之家，必有余庆"。就是说，家族也好，人也好，只要你是从善的人，或者说你是个善良的人，肯定是有好的结果的。五代时冯道说："但凡行好事，莫要问前程。"就是说，我们尽管去做好事，前程肯定光明，甚至，我们连生死都不需要考虑。什么叫好运气呢？奉爱的副产品。比如在电视系列片《我们的节日：春节》里面我讲过的"祈福"，财富是从哪来的呢？好多人以为到庙里面去烧一炷高香，我今年就能发财。不是的。"瓜豆原理"告诉我们，种瓜得瓜，种豆得豆。现在不少人种豆想得瓜，想只注入一元钱，就赚得一百万，但财富的总量就那么多，人人都想拿一元变成一百万，不是投机逻辑是什么？所以，美国爆发次贷危机是必然的、迟早的事情，是不奇怪的，它是这个逻辑之树结出来的必然恶果。

记　者：原本财富就这么多，它不会因为你竞争的技术而使你原本的东西扩增，这是不可能的，所以你竞争得越快，消耗得越快，暴露出来的塌陷也越多。

郭文斌：对。当年孟子谒见梁惠王，惠王说，老先生，您不远千里而来，有什么有利于我的国家吗？孟子回答道，大王，您为什么定要言利呢？只有仁义就够了。大王说怎样有利于我的国家，大夫说怎样有利于我的封邑，士人平民说怎样有利于我自身，上上下下互相争夺利益，那国家就危险了。在拥有万辆兵车的国家，杀掉国君的，必定是国内拥有千辆兵车的大夫；在拥有千辆兵车的国家，杀掉国君的，必定是国内拥有百辆兵车的大夫。在拥有万辆兵车的国家里，这些大夫拥有千辆兵车；在拥有千辆兵车的国家里，这些大夫拥有百辆兵车，不算是不多了。如果轻义而重利，他们不夺取（国君的地位和利益）是绝对不会满足的。没有讲仁的人是会遗弃自己父母的，没有行义的人是会不顾自己君主的。大王只要讲仁义就行了，何必谈利呢？

你看孟子已经意识到当上下齐争利的时候，就是国家要灭亡的时候了，因为争利的结果是公义的丧失。现代社会是一个"三争"的社会：竞争、斗争、战争，它是一种递进关系，那么战争的结果是什么呢？毁灭。中国古老的逻辑讲"和"，而共产，其实是从中国古老的逻辑河流中流出的一种文化，只不过我们在追求这个理想的过程中，可能条件不具备或者说还没达到那个程度，文化积累没达到那个程度，就没办法达到，就没办法看到我们当年所描绘的那一幅美景，但是它的方向是没错的。

记　者：能经得起所有时间和各种各样见证的这么一个不变的东西，你说它多美好，这可能就是平衡。

郭文斌：我曾经写过一篇文章探讨过美。美首先是和谐，这是美的通意，应该没错，比如黄金分割。但后来发现和谐强调的还是形式，后来追溯到善那个地方，比如我们读一些文学作品，当读到别人无私帮助你的时候，你的眼泪就下来了，你才发现打动你的是善。这就像你跟一个女孩子相处，刚开始你会觉得这个女孩子很漂亮，是漂亮打动了你，但是如果只是漂亮而不善良，那还是经不起时间的考验。但是后来我发现读到善这儿的时候还是觉得不过瘾，那么到哪儿过瘾呢？我们在看《红楼梦》这些名著的时候，看到什么样的时候最有感触？就是它给你指出归途的时候。这才发现"真"才是最美的。那么"真"是个什么东西呢？就是我们刚才说的本源的东西，就是这个世界的由来，或者说生命的由来。它肯定是最美的，因为它是原点。善的原点是真的原点，也是美的原点。所以，发现美的旅程是这么一个递进的过程。

由此，你就可以区分小作家和大作家。大作家他占领的是原点，他给你的是从心灵原点流淌出的清泉、源头，他启迪的也是读者的原点。而小作家他只能摩擦你心的表皮，甚至连表皮都触不到，他可能会把你挠得痒痒的，但不解决问题，过完还是一样，是一种文学瘙痒。他解决不了问题，浇花没有浇根。所以，伟大的作家和小作家之间的区别就在这。

记　者：这种传世的作品，它本身的生命力是一代一代传下来的，就是我们理解的这些东西不停地注入，把它延续下来。

郭文斌：对。绝对真理只有一个，而且它很简单，就是爱。那一本书每页都写一个大大的爱字不就行了，还为什么要这么多文学作品呢？这是因为爱随着时代的变化需要不同的载体，这就是文学，这就是为什么老子和孔子会诞生在中国，而乔达摩·悉达多要出生在印度，就是说他们是奔着特定的因缘去的，奔着他们特定的土壤去的。如果我们把他们看成是种子，他们是在寻找属于他们的那一块土壤，不管是谁他都是为了演说那一个字：爱。从这个角度上来讲，你说世界上有种族吗？没有种族，只有人。这个世界本不该存在战争的，我们都是兄弟姐妹，都是一个造化母亲生的，怎么能自相残杀？怎么能比赛着制造那些让我们一想就心惊肉跳的武器？文化人应该向世界发出一种什么样的声音？是为强势民族去征服弱势民族提供一种文化支持？一个正直的文化人应该向这个世界发出正直的声音，那就是爱，没有区别的爱。

释家说众生平等，我非常喜欢。这四个字里蕴含着无尽的关怀和真理。现在这个世界有些地方仍是沸沸扬扬，硝烟弥漫，因为每一个发动战争的人，每一个为战争去游说的人，他根本就没有弄懂什么叫人。他把手放在心房称赞上帝，但他不懂上帝，他没搞懂上帝。孔子当年在大地上奔走，他想发动一个战争那太容易了，他的弟子太厉害了，哪一个拉出去都可以组一个队伍，但他不干。他用什么办法呢？教化、教育。从另一个角度来讲，它是不是给你提供了一个构建和谐社会的根本的方法论？只要人从欲望中寻找快乐他肯定就有斗争，这是必然的。因为欲望的目标是有限的，而欲望是无限的，要让有限的目标去满足无限的欲望，最后只能是掠夺、斗争。如果这个世界上的目标比追求者多的时候，肯定斗争不会发生，这就是公理。

记　者：这又回到一个价值取向的问题了。

郭文斌：对。无为。无为并不是过去我们在历史课本中学到的消极不做事。无为是不要为欲望去做事，不要为感官去做事，就是我们刚才谈到的一个词——舍得。舍掉那种短暂的形而下的东西，而去证得永恒，这叫无为。这就像一个杯子，你要让它能有水装在里面你必须让它先空着，这叫无为，就是说，把这一部分空间空出来，让灵魂得以滋养自在。

我们现在提到老子就可怕，甚至有些做父母的都不敢让小孩去看老庄哲学，认为那会让他们消极，那是他没读懂老庄，如果读懂他的人生态度会更积极。打个比方，我们常说全心全意为人民服务，只有如此，你才能成就，如果说你全心全意为自己服务，没门，成就这一条路是走不通的，没有别的路可走。只有一条道，就是为人民服务。它消极吗？当每一个学子带着一种为人民服务的心态去学习的时候，那种动力你想一想，还需要妈妈督促吗？还需要老师督促吗？肯定不需要了，因为他已经把学习变成了一种快乐。他们说我要充实自己我要勉励自己，他会把"苦其心志"作为一种快乐。为什么呢？"天将降大任于斯人也"。

记　者：说到教育，讲一个题外话，就是我认为现在有的教育把最基本的东西丢失了。

郭文斌：还是那句话，就是要回到常识，就是常识缺失了。现在，不少教育平台给孩子提供的是反常识，教育出来的孩子，不懂得如何去表达自己的一份孝敬，不懂得如何去表达自己的一份师道尊严，包括对师道尊严的理解。

记　者：怎么表达？

郭文斌：我一直在倡导回到常识。这两年我在一些学校建议推广《弟子规》。当初在我介绍《弟子规》时，一些老师觉得太简单了。其实我们小看了《弟子规》。现在回过头来看，我们缺的恰恰就是这一环。比如《弟子规》里面讲"执虚器，如执盈；入虚室，如有人"，就是你端着一个空杯的时候要感觉端着一个满杯，你进入一个虚室的时候，要感觉满屋是人，这简单吗？大家也许会说我们连端一个空杯都不懂吗？你小看我了吧？其实不然。为什么呢？恰恰是一个满杯我们懂得如何去端它，却不知道如何端一个空杯子，这里面有太多的学问了。再说虚室，反正我是一个人嘛，我就什么事都可以做，许多放任就在这时发生了。古人讲慎独，现在，不少孩子不要说慎独，不独也做坏事，明目张胆地做坏事。《弟子规》里面还讲"父母呼，应勿缓；父母命，行勿懒；父母责，须顺承"，就是说父母叫你的时候你要赶快去啊，但是现在呢？妈妈叫了半天他理都不理更不要说"亲有疾，药先尝；昼夜侍，不离床"了。这一块我们缺得太严重了。所以，《弟子规》里面有一句话："身有伤，贻亲忧；德有伤，贻亲羞。"当你身体受伤的时候你的父母会很担忧，很心疼，你的道德要是缺失了，父母的心更疼。当一个人真正懂了这句话，他肯定会做个好学生、好员工，一切问题就都解决了。这是根本。我们太小看了孝，也太小看了《弟子规》。

记　者：郭老师，让我们回到《吉祥如意》。您认为文中的五月、六月是您要告诉大家的"基本常识"？

郭文斌：是，也不是。五月和六月在这个小说里面出现，他们是打量这个世界的目光，或者是作者给读者打开这个世界的一个目光，是借这两个小孩子没有被污染的眼睛去看这个世界。没有被污染的眼睛里看到的是什么东西？都是美好的，因为没有被污染所以是明珠散发出来的光芒。为什么要规避掉这种成人的角度，用小孩子的眼睛去看？因为它离原点最近。孩子的目光是天然的，或者说本来就是符合美学的一种目光。当然他看到的这个世界是值得作者去打量的，他的爷爷奶奶包括环境传递给他的本来就是真善美原则，或者说是真善美大前提下的世界，是一个超越性的，甚至我们有时候看完觉得非人间所有的这么一个世界。它是带有超越性的，像世外桃源一样美好。那山，那物，那村子，那是我们已经丢失的家。让我们跟着五月、六月回家吧。

（载于《黄河文学》2009 年第 5 期）

274

让优秀传统文化在青少年心中扎根
——第八次作代会期间答新华网记者俞胜先生问

问：胡锦涛总书记在人民代表大会和作代会开幕式讲话中再次号召我们建设社会主义文化强国，您认为要实现这一宏伟理想，最关键的是什么？

答：在我看来，要想建设文化强国，保持文化自觉和自信尤其重要。中国文化具有天然的和谐力，是当下世界迫切需要的，因此，我们一定要把中国元素放大到极致，要一代接一代地把"国字号"文章做到底。只有把"国字号"做强做大，建设文化强国才有可能，民族振兴才有可能。

问：您认为生产出富有时代气息的文化精品需要把握哪些原则性的问题？

答：最大的原则应该是安全原则。就是说，安全应该是一切产品的底线，精神产品也不例外，只有在安全的基础上，我们才能谈营养。这个安全，首先是价值观的安全。价值观是作品的方向。就像列车，如果方向正确，速度越快越好，反之，越快越糟糕。同样，如果价值观正确，发行量越大越好，反之，越大越可怕。而如何判定价值观的安全，时间是唯一的标准。从这个意义上说，尊重传统就应是我们最应该遵循的原则，因为传统更多的是常识，是经过时间安检过的智慧结晶。

问：在多元文化并存的背景下，您认为中国的年轻人如何才能更好地继承中华民族优秀的传统文化，或者说传统文化怎样才能在青少年心中扎根？

答：让他们尝到传统文化的甜头。任何一项活动，如果不能让人们从中尝到甜头，是无法推广开来的。而要让他们尝到其中的甜头，就需要我们对传统进行有效的激活，让传统元素变成孩子成长的天然营养。如果有一天，孩子们觉得他们从传统中尝到的甜要比"非传统"的味儿绵长、永恒，得到的营养要比"非传统"丰富、有效，传统就在他们心中扎下根了。今年七月中华书局出版的拙著《〈弟子规〉到底说什么》就是探讨这一问题的。在这本书里，我想告诉读者，生命本身就是快乐的矿藏，只不过因为我们太粗心太大意，而舍近求远，舍本求末，一生满世界地找幸福，却不知幸福就是我们本身，就在日常生活中，就在最简单最朴素的生活现场。这个灯下黑，成了天下最大的冤枉！在这本书里，我还想告诉读者，我们要学会"向内"寻幸福，这关乎大地安稳、社会和谐，因为向外寻找幸福的结果是欲望的过度膨胀、资源的过度消耗、环境的过度污染、竞争的过度激烈，最终的结果将是人类的末日，要么被灾难吞没，要么被战争吞没。

传统文化要在青少年心中扎根，首先要在他们的习惯中扎根，也就是我在这本书里讲的落地原则。一粒种子，只有落地，才能开花结果，否则，它永远只是一个种子。我之所以倾向首先让孩子们落实《弟子规》，就是因为它首先教我们如何把传统落地。

问：您如何把一个地市级的文学刊物《黄河文学》打造成一本西部乃至全国都非常有影响力的刊物？

答：不敢说非常有影响，但确实有进步，刊物的发行量毕竟从几百份到了上万份，转载率也稳步上升。要说原因，这和市委市政府、出版部门的关心有关，和有关部门的支持有关，和编辑们同仁的敬业有关，和作者和读者的抬爱有关，除此之外，可能还有一个重要的原因，就是我们提出的"三个倡导"：倡导办一份能够首先拿回家让自己孩子阅读的杂志，办一份能够给读者带来安详的杂志，办一份能够唤醒读者内心温暖、善良、崇高和引人向内向上的杂志。事实证明，这"三个倡导"为刊物赢得了作者，也赢得了读者。

我常给自己的同仁讲，办刊需要一种大胸怀，这种大胸怀，不是说我一定要立志创造多少利润，而要首先想到创造多少价值，为读者提供多少精神营养。对于现代人来讲，最缺的是精神降压汤，是焦虑缓解丸，是灵魂苏醒剂。对此，作为一个敏感的刊人，就要迅速跟进，缺啥补啥。这个"敏感"并不是商人的那种利心，而是爱心。就是说，你的心里一定要有读者，一定要把读者视为自己的亲人。想想看，当一个刊人，把读者视为自己的亲人，他还会动用机心去经营吗？天下没有哪位母亲会动用机心哺育孩子，因此母爱才永恒。我所理解的大胸怀，就是这种像母亲一样的胸怀，没有功利，没有交换，没有算计。

问：我注意到，您和您的《黄河文学》团队一直致力于中国传统文化的普及和传承。您认为推广传统文化最关键的是什么？

答：把倡导变成实践，身体力行。拿刊物来说，文联和编辑部的同志正是靠这一点赢得读者爱戴的。比如，2008 年汶川地震之后，《黄河文学》编辑部的同仁突击编印了抗震专号，加印义卖，想为灾区的孩子做些事情。周六周天，他们每天早上八点出门，在步行街等地摆摊叫卖，顶着 35℃ 的高温，一直叫卖到晚上。我去看他们时，他们的嗓子都哑了，当我听着他们沙哑地喊着"为了灾区的孩子，买一本吧，买一本吧，一本杂志，一份爱心"时，我的眼泪都出来了。他们的胳膊被蚊虫叮咬得红一块紫一块，他们被不理解的人指着鼻子骂骗子，甚至被人吐痰，即便这样也没有动摇他们为孩子义卖的决心。最后，他们把义卖所得买了礼物，配上我个人捐赠的《孔子到底离我们有多远》，于青川在宁夏育才中学借读的学生就要回家的时候送给了他们。按照规定，学校当时不能接受任何单位的送别，但是学校听了他们的故事后，接受了请求。

那天的送别真是让人难忘，当我讲到"你们来时，杨柳依依，去时，仍然杨柳依依，因为我们的心里有春天，因为我们是一家人"时，在座的小朋友们都泪流满面。一位学生代表在发言中说，我们虽然失去了父母，虽然失去了家园，但是我们没有失去温暖，它的名字叫黄河，叫中国。合完影后，编辑们和他们依依惜别，不想就在我们上车时，二百多名学生哗地一下围了上来，把我们包围起来，拿着我送给他们的书让签名，我只好坐在操场上给他们签。这时，已经是吃晚饭的时候，学生们仍然不愿意离去。签了几位，我突然想到应该让每位同学把他们的名字写在纸条上给我，名义上是为了看着名字签名不容易写错字，也快一些，心底里是想，也许此别便是永别，能够留下他们的一张纸条，也是一个念想，为此特别叮嘱编辑，把这些纸条用心收藏好。回去后，我让他们把它们粘在一张大纸上，拍照，然后把每个小家伙的名字印在发有他们习作的刊物上给他们寄去。

现在，这些学生已经走向大江南北，在各个大学读书，我的博客上,不时会有他们留下的问候和祝福,他们当然是《黄河文学》的义务宣传员。

问:您的很多作品都写了传统的节日和在节日里虔诚的人,读起来很亲切,使心灵得以回归。然而随着移民工程的实施(西海固正在移民),您写过的那些比如端午在孩子的手腕上绑花绳等传统搬到其他地方可能就会失传,您觉得在移民时应怎样更好地保护传统?

答:这的确是一个难题,但有生命力的传统是不会因为地理环境的变化而消失的。这就像我们西海固有不少人是甘肃天水移民,恰恰是这种移民发展了天水的文化传统。我的祖籍就是大地湾文化发源地,但是大地湾文化精神却被我的祖先带到西海固大地。因此,手腕上花绳可能会消失,但如果我们愿意努力,灵魂上的那个花绳会代代相传的。

问:宁夏作家董永红说,城市少年的节日几乎都是在游戏中过的,全是打打杀杀的东西,如果《农历》能改编成吸引青少年的游戏,让他们就是盯着网也能走进传统,给亲人拜个年,向朋友问声好,让他们提着贴着窗花的灯笼放炮……您怎么看这个问题?

答:这当然好。我一直在讲,《农历》中所写的那些日子可能回不来了,但是"农历精神"能够唤回。因为只要有人类在，就需要祝福，而"农历精神"，本质上就是祝福精神。曾有读者买了两千册《农历》捐赠给一些学校，我问她这些年我出了那么多书，她为什么偏偏选中《农历》，她说，《农历》可以把走失的人们带回来。

"把走失的人们带回来"这句话让我一震。现在，我们有多少走失的孩子啊！因此，您关于把《农历》改编为青少年游戏的建议非常好，但愿能够被有识之士付诸行动。

（载于新华网 2011.11.29）

与郭文斌谈小说集《大年》

——《文艺报》记者胡殷红访郭文斌

胡殷红：记者注意到，你一向注意语言，你的语言很有特点，评论家对此也有较高评价。曾和《小说选刊》冯敏先生谈起《大年》，他说，《大年》把土字用奇，把常字用新，把汉语的妙处用到了极致。他说，你对汉字的表意空间有独特理解，请谈谈你的体会。

郭文斌：在《大年》的自序中，我谈到了自己对文字的理解。现在，我谈几点其中没有写的。我一直对文字有一种敬畏感。我非常喜欢古人讲的"敬惜字纸"。我从来不用书或者报纸垫屁股坐，因为我觉得文字是有灵性的。我们先人把关于文字的智慧叫"文字般若"。胡平老师说我的小说用词量不多，却达到了丰富表意的结果。事实上我仍然觉得我滥用了大量的词，什么时候我能够把词汇量减少到零，却能够表达我要表达的，那才是我的成功。

作为一个作家，在使用文字时，的确要有使命感。秦万里老师说，郭文斌的小说里没有暴力。崔艾真老师说，读了郭文斌的小说，才知道郭文斌是一个不忍心把世界弄脏的人。这让我惭愧。事实上，我没有能够完全做到这一点。我觉得我们不但应该保护环境，保护动物，保护自然，更应该保护心灵。

电影《英雄》里有个情节，音乐可以杀人，我觉得不是演绎。音乐的确可以杀人，文字也可以杀人。当我们每天看着安详的文字，就心平，而只有心平才能气和。而气，在中国就是原始生命力。恶劣的文字通过眼睛，种在心田，无异于毒药。在我看来，文字就是大米，大米养身，文字养心。古人说："计功多少，量彼来处，忖己功德，全缺应供"。这几年，每当我喝一口水，吃一粒米的时候，都要在心里默诵这句古训。它的意思是：想想我们用的这些东西，其中包含着多少造化的慈悲和人的辛苦；再想想我们的德行，配用这些慈悲和辛苦吗？对于文字，我想也同样。

胡殷红：你为什么总是喜欢用童年视角？一个逐步走向成熟的作家不可能永远站在儿童的立场上去描述成人世界。你今后的创作会改变这个视角吗？

郭文斌：说起来这是个方法论问题，其实是一个对生命的理解问题。在我看来，人的成长是一个不断被污染的过程，只不过有些人能够通过污染超越污染，有些人则不能。而童年是反污染的，是最接近生命本意的，也是最能体现天性的。

中国汉语有一个词叫天性，它是和人性对应的一个词。这些年，人们过于强调人性，却忽略了天性。而我觉得，作家的使命可能就是传达、传承这个"天性"。只要我们回头去看看那些流传下来的文字，那些像火种一样流传下来的文字，能够让人百读不厌的文字，我们就知道什么叫生命力。目前，我还没有碰到哪部文学作品是因为人们出于喜悦，出于生命本质渴求而读上百遍的，但是确有一些文字，是我们愿意每天都诵读的，而且每读一次都有大欢喜，都有新收获。这些文字肯定是传承"天性"的文字，而不是现代人所谓的"人性"的。当然，当天人合一时，人性即天性。但当天人严重的不和谐时，那么人性就不是天性，可能就是别的什么性。

至于今后是否改变，我觉得并不重要。当我需要童年视角时，我还会用，不需要时，就自然不用了。就像迎春花属于春天，腊梅属于冬天。我不准备刻意地去改变什么。就像阳光，你不能说我今天晒了太阳，明天就要换个别的什么去晒晒。

我喜欢一句话：一个不依附形式的人不必改变形式。

胡殷红：《大年》这部小说集是宁夏人民出版社推出的第一本市场运作的纯文学作品集。你对宁夏以至乡村以外的普遍读者接受你的作品有信心吗？

郭文斌：当然。我想读者是不愿意错过《大年》的。哈若蕙老师不是在编后中说，错过有罪嘛。至于"宁夏和乡村以外"这个因素，有趣的是《大年》恰恰不是从宁夏热起来的，恰恰是从都市、从宁夏外面热进宁夏，被宁夏人民出版社的哈若蕙老师她们捕捉到，并经过市场和读者调查后，社里才决定不惜用最好的材质和工艺出版的。发言的各位评论家老师都是"宁夏和乡村"以外的，但他们的认可是出乎我意料的。感觉得出来，各位老师，特别是雷达老师、贺绍俊老师、胡平老师、张水舟老师、白烨老师都像谈自己的孩子似的对《大年》津津乐道，从他们对其中细节的熟悉，我能够感觉到他们真诚的欢喜。而阎晶明、张陵、吴秉杰和牛玉秋老师说他们喜欢排在集子最后面的小说，也出乎我的意料。还有没有来得及发言的李平老师，找到我房间把他对《大年》的详细批注给了我。作为中国文学界的巨腕，他们的鼓励当然给我以莫大的信心。但我还是要借用敬泽老师的话说，《大年》确实是一本非常好的书，但郭文斌应该把《大年》作为一个总结，然后寻找新的力量和勇气。

胡殷红：有评论家认为，你的作品缺乏西部作家惯有的那种力量感，对生活的残酷性表达得不够。你是怎样把握你的创作基调的？

郭文斌：这存在着一个人对力量的理解问题。一个东西，当它看上去非常有力量时，恰恰说明他没有力量。我一直认为，文字是存在着教科书三种功能之外的第四种功能的。牛玉秋老师说，郭文斌的小说和欲望无关。为欲望写作的人肯定不懂得生命的意义是什么，不懂得读者内在的需求是什么，不懂得生命最需要的那眼泉水是什么。欲望肯定不是人的天然渴求。就像一个孩子，在外面玩了一天，很尽兴，但是天黑下来了，一个必然的问题横在眼前，是什么呢？回家啊，这才是最根本的。但是天已经黑得伸手不见五指了，这时，道路是需要的，月光是需要的，包括星光，包括母亲唤归的声音。

胡殷红：苦难对你个人生活和创作的影响是什么？

郭文斌：这还是牵扯到一个人对苦难的理解。在《大年》的后记中，我写到了我对西海固文学的理解，事实上就是我对苦难的理解。

（载于《文艺报》2005.7.30）

有定力的文字

——《文学报》副总编徐春萍访郭文斌

徐：你在小说集《大年》里，展示了一种既熟悉又陌生的审美姿态。先谈谈你的审美追求吧？

郭：我非常喜欢我们老祖先的一个词"种智"。它可以作动词，即种下智慧，也可以作名词，即智慧的种子，或者说是智慧的根本。智慧如此，我想美也同样。曾经以为和谐就是美了，后来发现它不是，它强调的还是形式。有那么一段时间以"善"为美，但渐渐地发现它仍然不究竟。后来找到"真"那里，觉得到家了。有一天仿古人意造了一个词："种美"，觉得很得意。这个"种美"应该就是那个"真"。需要说明的是这个"真"和通常意义上我们讲的"真善美"的"真"不是等量概念。它是一个背后的东西，是时间之洋、原因之洋，也是大美之洋。心向往之，尝试着把它变为实践。写过一些短篇，多数人读过的感受是：清凉、安详、开心，还有人说有一点点治疗的效果。

徐：你的语言很朴素，平常到极点，却有味儿，给人的感觉是干净、透明、安静、贞守，又有分量。有人称你是西部的汪曾祺，这个评价很高啊。

郭：过奖了。事实上我也写过许多"不平常"的文字，当年有许多评论家是把我划到先锋一派的，但是很快我就发现"平常"才是"不平常"。作为一个作家，需要时刻检点自己的文字，收敛我们放纵的习气、卖弄的习气，要使自己手中的笔具有方便之德。现在，我们有些文字太不方便，让别人读起来吃力不说，更重要的是污染、带坏人，那种文字肯定来自不方便的心灵。在做人上方便别人是一种美德，在作文上可能是一种美学。

先哲讲，定能生慧，也只有定才能生慧。我想文字也同样。定是一条道路。据说走钢丝的人假如心中稍稍有一丝杂念闪过，便会跌入深渊，他需要一种持久不动的定。带着文字行走的时候，我也觉得自己是在走钢丝，左和右都是死路，唯一的道路只有一条，即是那个不左不右。因为能够带读者回家的文字，肯定是那个"不左不右"，因为它是活路。功夫界有个词叫"中门"，当你处在"中"点上时，你也就处在了"力"点上。所以，我觉得能够"得定"也是一个写手应该追求的境界。定能生慧，定也能够生静，生美。具有定感的文字肯定是透明的，滋润人心的。"开心"这个词大多时候被人们当形容词用了，我觉得它更应该是一个动词，"使心开之"。

人们之所以烦恼，就是因为心没有开。当一个人的文字能够使别人开心，那是不小的功德。但我的文字还有风，还有摇摆，还有浮躁，还不到家，还需要下大功夫修"定"。

徐：有评论说你的小说主题感不强，我的感觉是，你的一部分小说有点"目的感"不明确，你觉得呢？

郭：想借一个故事回答这个问题。有两个射手去应试，一个百发百中，一个百发百不中，但师父最终收下了那个百发百不中的。人们百思不得其解。师父的答复是，那个百发百中的虽然命中了目标，但他却没有命中。那个百发百不中的虽然没有命中目标，但他却命中了。听上去像在绕口令。且听师父高论：那个百发百不中的，看上去偏离了目标，但他却没有偏离目标，因为箭射出的那一刻他是知道的。而那个百发百中的虽然训练有素，技术过关，但是在箭出弦的那一刻他是"睡着"的。师父的标准是"知道"。多年来，一直对这个公案百思不得其解，心想这个师父真是一个不讲道理的家伙。

五年前，我开始写一个具有交代性的短篇《水随天去》。当我跟着我的人物水上行走到某一天的时候，我无比震惊地发现，我们拼着命命中的目标其实不是目标。那个我们千辛万苦追索的目标恰恰就在目标背后，就在"出发"的地方，就在被我们忽略的地方，如同一个淘气的孩子，藏在门背后咧着嘴笑那个自以为找到目标了的傻瓜。那一刻，我对文字有了一种新的理解。也是在那个过程中，我重新理解了一个词："知道"。只有当你"知"了那个"道"，才是真正的"知道"。我们口口声声说我们知道知道，其实什么都不知道。

徐：评论界对你的小说评价很高，同时有个问题，你考虑读者吗？

郭：一直在想释家为什么那么看重莲花，直到有一天站在一个烂泥塘边，我才明白，莲是花里面的行者，它是一种会修行的花。它生在污泥当中，长在污泥当中，却能够保持自己的高洁。我们可以想象它是如何打扫它心里的污泥浊水的，如何保护它的身口意的。对于莲来说，能够在污泥中完成它的成长、绽放、盛开，已经足够。至于是否有人观赏，那是观众的事。而从出版社得到的消息是，所有印书已经全部订完，由此看来，《大年》还是有知音的。

徐：你认为一个作家首先要解决的问题是什么？

郭：完成人格。一个人只有具足了人格，才能有资格以作家的名义去有情下种，去播下心灵的种子、美的种子。

徐：最近在写什么？

郭：今年我恰恰一篇东西都没有写，这除了自己在写作上一贯的散淡随缘心态外，更重要的是突然有一个问题出现了。我发现我这么多年写下的文字大多是河伯之叹，没有几篇不是"盲人摸象""指鹿为马"。开始琢磨一个词：整体。这也许是我此生要解决的最大也是最难的一个问题了。窃以为只有当一个人找到了整体，他的笔下才会没有分别，才会无漏，他的文字所到之处，才会随处结祥云。因为它是理解的基础、沟通的基础，也是心灵的基础。问渠哪得清如许，为有源头活水来。对于心灵，它既是目的又是源头。只有这样你才能够遵从整体的逻辑，才能从个人逻辑中跳出来。因为"个人"在更多的时候意味着自私，意味着有求。可以肯定，一个人当他以一种有求心去写作，他已经背弃了写作的原意。这就需要设法找到一个可靠的路径，而要通过分别寻找无分别，通过局部寻找整体，本身就是一件盲人摸象的差事，但是我们又别无选择。所以，我在《大年》的后记中说，我写作是因为我尚未知道。那就在写作的行脚中、叩门声中等待启示的降临吧。

（载于《文学报》2006.1.5）

大年是中华民族的集体精神还乡

——答湖南卫视《芒果》杂志记者张馨文问

问：您当初是如何关注到年节文化这个主题上的？

答：因为年节文化给我提供了再强烈不过的安详感受，强烈到"曾经沧海难为水"的程度。因此，无论后来的日子里，自己漂泊到何处，年节体验都像故乡一样温暖着我，成为我生命最重要的行李之一。这种温暖的程度，随着生命旅程的延伸而递增。每当新的年节到来，这种记忆就如潮水般不可阻挡地到来。作为一个作家，借文字复习这种温暖，享受这种温暖，就成了不可抗拒的事情。

问：很多关注年文化的人致力于民俗、风俗本身的保存和传承，您好像一直试图探寻这些年俗背后的精神内涵，比如教化演义的作用等。民俗精神的丧失意味着什么？

答：我们首先得承认，民俗家做的事非常有意义，但"精神家"做的事更有意义。民俗家保护的更多的是形式，"精神家"保护的更多的是内涵；民俗家更注重存活性，"精神家"更注重生命力。打一个不太恰当的比喻，这就像一个百年老店着火了，民俗家会首先去抢救房子，抢救房子里的家具和文物，而"精神家"则会首先把里面的婴儿抱出来。

民俗精神的丧失意味着一个民族的转基因。

问：那么年的精神内涵究竟是什么？

答：我个人认为，"年"是中华民族的集体无意识，是中华民族基因性的精神家园，它带有一定的迷狂性。我写过一篇散文《大年是一出中国文化的全本戏》，在这篇散文中，我讲道，大年是孝道的演义、感恩的演义、祝福的演义、喜庆的演义、祈福的演义、天人合一的演义、教育和传承的演义，等等。在长篇《农历》一书中，我差不多用了五分之一的篇幅写了大年。

问：我们怎么过年才是贴近或回到年的本质上？

答：必须回到年的祝福性。守夜是重头戏，但如果守夜不能引导人们进入时间、进入安详，则意味着我们和真正的大年错过。在长篇《农历》中，我用非常多的笔墨写了五月和六月如何进入时间和安详。因此，我很早就倡议，把春节晚会从除夕夜挪开，把电视从除夕挪开，让人们通过这个被祖先集体祝福的特定时空点，进入时间，进入安详，进入人神共庆的大喜悦。祝福是为了让我们进入时间，进入安详，因此，大年如果丧失了她的祝福性，很有可能会成为一种简单的吃吃喝喝玩玩乐乐请请送送。

同时，我还希望国家把春节的假期延长若干天，增加年味。

问：这种精神内涵是您的理解和体会还是先人本来的意图呢？

答：我想应该是先人本来的意图，其中肯定还包含着更多的奥义。凭我的浅陋，只能发现冰山一角而已。

问：我很好奇这些民俗，比如社火、迎喜神，它们是如何被创造出来的呢？先人创造这些风俗的目的又是什么呢？

答：是。我也很惊喜，先人居然能够创造出这么美妙的祝福形式。通过这些形式，我们可以肯定，祝福是先人的常态，或者说是日常生活。正因为是日常生活，那么他们创造出这些形式，就不足为奇。

先人之所以要创造这些形式，是让人们通过祝福进入时间，进入安详。因此，对于先人的大智慧，我们只有顶礼赞叹的份儿。

问：您提到应取消春晚或调整时间，不赞同城市闹花灯，而提倡守岁和点明心灯。您试图将过年的风俗由闹导向静，这和我们一般过年的体会很不同，其中的道理是什么？为什么这么强调三十晚上的守岁？这种"静""守"才更贴近年的本质吗？我们似乎在吃吃喝喝、请客送礼的喧嚣中错失了新年？

答：因为生命来自静，来自安详。因此，我们进入静，进入安详，事实上就是回家，而大年本身就是一个回家情结的集体无意识，否则，为什么每逢大年，人们都要不顾一切的回家？在我看来，她是中华民族的一次集体精神还乡。而让春晚占领守岁，事实上是让我们在最需要最值得沉浸于祝福现场时却要"兴致勃勃"地完成一次"走神"，一次长达四小时的"走神"，回家的主题就被严重干扰了。守岁，作为一种集体公约的进入时间的方式，一年只有一次，却被春晚闹掉，真是太可惜了。春晚是完全可以提前一天，或者推后一天的。

问：怎么理解爆竹是一种动态的静？

答：事实上，"静"本身就是一种回家的方式。我有一种强烈的体会，那就是在爆竹点燃到爆破的那个时间段里，人是在现场的，虽然这个过程看上去"热闹"，但它本质上是"寂静"的，因为在那一刻我们的内心了无杂念，只有"期待"。事实上，它是一种不需要期待的期待，说静候可能更准确。就像鞭炮，当捻子迅速地走向炮的主体，当那一声脆响发生时，一个人的心里只有现场和现场感。这不正是一种通过动态完成的静吗？在那一刻，你会发现，你的心和时间是平行的。如果说时间是一个湖面,那么你就是静泊在湖面上的一叶扁舟。

问:您一直在强调年对"天人合一"的体现?

答:是。年把"天人合一"体现到极致,这种"天人合一",同样是通过祝福性完成的,比如守岁,比如出行,等等。这我在《寻找安详》一书中做过论述。在古人看来,"天人合一"是我们获得健康、力量和幸福的不二法门,而整个大年,就是在表演这个"合"。

问:您提到我们的传统,包括经典传统和民俗传统,而民俗传统更为难得之处在于它是经典的一种民间化和生活化的体现。那么是否通晓了民俗的意涵就接近了道?

答:可以这么认为。因为古人设计一切年节的动机,肯定在遵从一个原则:"是道则进,非道则退"。如果一种仪轨,不能把人们引向道,古人是不屑一顾的。

问:大年对人体悟生命本身以及对传承中国文化分别有着怎样的意义?

答:大年是一种盛大的气氛式教育,她具有其他任何时空段都无法替代的主动性,潜意识性,甚至狂欢性。因此,她是古人设计的一个大课堂,在这个课堂上,中国文化以狂欢的形式、祝福的形式、喜庆的形式,得以传承。请问,世界上，还有哪一种文化，能够通过喜庆的形式代代相传？如果读者看过长篇《农历》，就会知道，大年几乎是中国文化的一个集大成，一个全息系统。

问：乡土中国，是否对年文化生态保存更完整些？恢复也相对容易些？是否在民俗文化、年文化上应该是乡村带动城市？

答：答案是肯定的。随着一个个"死城"的出现，人类的集体还乡也许会成为一种可能，这也是我相信"农历精神"会回到人间的逻辑依据。但，无论是在城市，还是在乡村，最关键的是人们的心中要有大年，要有故乡，要有"农历精神"。

问：现在城市人会选择在城郊或在山林、海边清净处，买房买院，过隐居或半隐居的生活，寻求一种远离喧嚣的宁静生活（作家和艺术家尤多），这是否也是一种寻找心灵安详的方式呢？有人会觉得这是一种对现实的逃避和在出世与入世之间的徘徊？

答：首先，我们要对这些隐者表达敬意，但在我看来，环境不是主要的，关键在心。如果一个人的心中没有宁静，他即使整天待在深山老林中，还是找不到安详；如果一个人的心是静的，那么他即使处在闹市，也可以找到安详。如果我们稍稍懂得安详，就会发现，公益恰恰是我们走进安详的重要途径。那么，一个人对环境的选择，应该以是否能最大程度地从事公益事业为标准，而不是以环境是否安静和喧闹为标准。在拙著《〈弟子规〉到底说什么》一书中，我较为详细地讲过这一点。

问：对桃花源的联想，一定是和自然联系在一起的，这是否意味着，回归自然是人的本能呢？从这个意义上讲，其实人人心中都有一个桃花源？

答：没错。但在我看来，最大的自然应该是心的"自然"。人们之所以渴望自然，是因为我们的心里没有"自然"。当一个人在他的心底建立了"大自然"，那么，任何地方都会成为他的桃花源。这个"自然"，就是安详。

因此，我更愿意把"桃花源"这个词看成是安详的象征。

问：清静和安详，可以在琐碎的生活和世事的喧嚣中觅得吗？

答：答案是肯定的。如果没有琐碎和喧嚣，我们如何才能体会整体和安详？如果没有磨砺，我们如何才能获得玉器？如果没有云彩，我们恰恰会忽略蓝天。

问：人应该逐渐放弃城市化运动和生活回归到乡村、土地和自然中去，还是应该寻觅一种全新的城市生活心态？桃花源究竟在哪里?

答: 放弃这个词本身就是执着, 正确的做法应该是安处。就是说, 如果我是城里人, 我安处在城里, 如果我是乡村人, 我安处在乡村。问题是, 现在的乡村人想到城里, 城里人想到乡村, 时代处在一个"大非分"之中, 一个再大不过的焦虑就这样产生了。还是那句话, 桃花源不在别处, 就在心里。如果一个人的心里有桃花源, 他就会随时随地安处。想想看, 当世界上的每一个人都能随时随地安处, 这个世界是不是就是和谐社会? 这时, 我们就会理解老子为什么要讲"鸡犬之声相闻", 却"老死不相往来"。因为没有必要, 因为当处就是桃花源, 不需要跑来跑去, 徒劳心神。

问: 很多人看了您的作品, 都进入了一个清静恬然的世界。写作的过程是否也是您在这个桃花源般世界中的一种游弋? 您写作的目的之一也是想给读者营造一个精神的桃花源吗?

答: 是。我之所以用十二年的时间写一部长篇《农历》, 就是想建造一个纸上桃花源, 她的名字叫乔家上庄; 我之所以到各地宣讲, 就是想告诉大家, 每一个人的心中都有一个桃花源, 它的名字叫安详。

从节日中找回中国人的"根本快乐"
——关于长篇小说《农历》的对谈

易　明：在《农历》的书腰上，你写了这样一段话："奢望着能够写这么一本书：它既是天下父母推荐给孩子读的书，也是天下孩子推荐给父母读的书，它既能给大地增益安详，又能给读者带来吉祥，进入眼帘它是花朵，进入心灵它是根。我不敢说《农历》就是这样一本书，但是我按照这个目标努力了。"如何理解？

郭文斌：十多年前吧，有那么一天，我带儿子逛书店，发现自己的心非常虚，内容安全的，文字不好看，文字好看的，内容不安全，那一刻，心里就萌生了为天下孩子写一本既好看又健康的书的想法。同时，随着孩子的成长，教育的任务越来越重，但是在教育孩子的时候，我发现之前所学的那些都派不上用场。因此，又产生了写一本能够供家长在教育孩子时顺手拿来应用的书，比如如何是吉祥地吃，如何是吉祥地睡，如何是吉祥地行，如何是吉祥地穿，如何是吉祥地说，如何是吉祥地看……

找啊找，最终发现这个"吉祥"原来就在"农历"里。

我们知道，"农历"的品质是无私，是奉献，是感恩，是敬畏，是养成，是化育。一个真正在"农历"中自然长大的孩子，他的品行已经成就。反过来，做父母的要想让孩子养成孝、敬、惜、感恩、敬畏、爱的品质，就要懂得"农历"，学会"农历"，应用"农历"。"农历"是一个大课堂，它是一种不教之教。

看完《农历》，读者就会知道，其中的十五个节日，每个都有一个主题，它是古人为我们开发的十五种生命必不可少的营养素，也是古人为后人精心设计的十五种"化育"课。古人早就知道，"化育"比"灌输"更有用，"养成"比"治疗"更关键。

因此，关于《农历》，我说了以上那段话。

易　明：近年来国家大力倡导"过好我们的节日"，您怎么看？有媒体说您写《农历》的初衷是想重塑中国人的节日观，还有媒体讲您写《农历》是为了找回中国人的"根本快乐"，您是出于什么考虑？

郭文斌：国家倡导"过好我们的节日"，非常英明。如果再不倡导，传统节日就要淡出中华大地了，对于中华儿女来说，这将是一桩很不孝敬的事情。人们之所以对传统节日越来越淡漠，有时代的原因，也有节日本身的原因。时代的原因不必多说,大家都明白。本身的原因是传统节日发生了"水土流失",它特有的供给于人心的不可替代性营养成分被稀释了,更为准确些说是沉睡了。

在写作之前,我倒是没有非常明确要通过《农历》重塑中国人的节日观,但是我非常渴望能够通过《农历》告诉读者如何才能获得吉祥如意,如何才能找到"根本快乐",想告诉大家,世界上有那么一片土地,是专门生长幸福和自在的。

传统文化的精髓就是对人心的善待,说穿了就是对人本身的善待。说得绝对一些,这种善待,或者说是善待的方式和功能,是其他任何文化不能代替的,更不是现代文明能够代替的。

在我看来,中国文化主要由两部分组成,一部分是经典传统,一部分是民间传统。经典传统固然重要,但民间传统更重要。因为经典只有像水一样化在民间,才有生命力,才能成为大地的营养,否则就只是一些句段。换句话说,民间是大地,是土壤,经典是大地上的树木。只要大地在,就会有根在,只要有根在,就会春来草自生。

易 明:您怎么看待传统节日商业化? 又如何看待洋节进入中国?

郭文斌:任何一个生命体,当它非常物质化时,意味着它的生命力将要衰竭了。反之,如果我们要保持生命力,那就要保持它的精神性。看完《农历》的读者会知道，五月和六月成长的乔家上庄，物质算不上丰富，却是精神沃土，那片土地，不单单生产庄稼，还生产精神，生产快乐，生产吉祥。

关于洋节进入中国，被年轻一代接受，我觉得没必要紧张，就像是一个有根基的大户人家，家里来几个客人挂单，也许是一件值得庆祝的事。问题是，我们自己首先要是一个大户人家，要有足够深厚的家底，要有能够拿出来让客人观赏和享用的东西。如果我们一贫如洗，那客人的到来不但是一件十分尴尬的事情，也是一件十分危险的事情，弄不好，我们的孩子都会跟了客人私奔。

易　明：您用了十二年时间，创作出这部被称作"小说节日史"的长篇，这是为什么？

郭文斌：现在的瓜果为什么没有当年的好吃？一个重要的原因是因为它的生长期缩短了，说白了，现在的瓜果都不是纯自然成长的结果。同样，一部作品，如果是被催生的，它的营养价值也是难以保证的。对于一部让家长和孩子共读的书，我不能也不敢不遵从自然成长原则，当我们读懂了"农历"，我们就会知道，时间本身就是能量。

依陋见，一部好的长篇，它首先要创造足够的意境存量、营养含量。要按照"营养原则"来取舍材料，要按照"灯的精神"来组织内容。我的理想是，读者在任何时候，任何地点，翻开任何一页，都会看到平时被他忽略了的、错过了的、遗失了的自己，找到被他忽略了的、错过了的、遗失了的安详和喜悦。

易　明：我注意到，从2006年起，您提出了"安详哲学"，并在包括清华北大在内的全国各地积极推广。2010年，中华书局推出了您的《寻找安详》一书，一年内重印三次。有人把《农历》一书称为《寻找安详》的姊妹篇，您能不能简要地告诉读者，什么是"安详哲学"？

郭文斌："安详哲学"是快乐学，它探讨的是如何以最低的成本获得生命最大的快乐，或者以零成本获得100%的"根本快乐"。

易　明：在这部用心良苦的长篇中，能够看出来您在处理民俗元素和"精神营养"关系上的努力，您最想通过《农历》告诉读者什么？

郭文斌：如果我们把《农历》看作一个新娘，民俗只是它的红盖头，作者要给读者新郎的，是红盖头下的那个人，她的名字叫幸福，叫吉祥，叫快乐，或者说叫幸福法，吉祥法，快乐法。

通过《农历》，作者提醒读者思考：一个人拥有亿万家产，却只拥有半钱快乐，而另一个人只有半钱家产，却拥有亿万快乐，谁更成功？

《农历》探明：中华民族有着最为成熟的快乐生产术，有着最为科学的吉祥涵养法，有着世界上最大的幸福金矿。

（载于《中国艺术报》2011.1.24）

九问大年

——答《新消息报》问

问：您在刚刚出版的长篇小说《农历》中提到了很多年俗，比如除尘、腊八浴、写春联、贴窗花、出行、守岁等。但现在某些习俗恐怕在农村中也见不到了，更不要说在城市。腊八粥有饭馆替你煮，对联可以去商场买，除尘也可以请家政来做……另一方面，随着科技的发展，网上春节也格外热闹。在各类网上虚拟社区里，人们可以看到关于春节的典故以及各种电子春联和年画，还能"尝"到"电子饺子"，拿到"电子压岁钱"等，还可以参与网上逛庙会等活动。您是如何看待这些民俗的变与不变？

答：我一直在想，我们近邻的一些国家，虽然现代化程度很高，许多地方比我们还要发达，但是他们的民俗却保留得很好，为什么？当我把长篇小说《农历》写完，就发现问题出在了哪里。当民俗不再成为人们走进安详和喜悦的必由之路的时候，不再成为人们幸福指数贡献者的时候，不再成为人的归属之途的时候，它被冷落的日子就要到来了。因此，要想复兴民俗，就得从唤醒民俗中那些能够照亮心灵的火种做起，让它变成其他文化元素无法替代的心灵蛋白。

因为心灵的需要是最大的需要。前年，在自治区党委宣传部的支持下，我和宁夏卫视合作拍了十集电视节目《我们的节日：春节》，不少观众看完后说，原来我们从前都和大年错过了，把大年给浪费了，有许多家长通过各种渠道向我要光盘给孩子看，可见大年还是可以再开发的，民俗还是可以再复兴的。相信读者朋友读完《农历》这部长篇，这种感觉会更强烈，因为最大的错过是跟"自己"错过，最大的浪费是让"根本快乐"休眠。

问：前两年，有民俗专家发出呼吁：尽快启动春节申报世界文化遗产的工程。因为在城市的快速发展中，许多年俗文化都丢失了。如果从现在开始挽救，还是有东西可保护的。不然再过几年，整个中国都没有年味了。是年俗文化真到了需要保护的地步了，还是它本身已经发生了新的演变形式？

答：申遗就像一个人到医院挂急诊号一样，说明他已经病得很厉害了。可是，急诊室就能彻底解决急症吗？这是一个需要思考的问题。首先，我们要向这些呼吁申遗的热心人士致敬，保护肯定是好事，但依陋见，要保证年俗的水土一点儿也不流失已经不大可能了，因为年的生态已被破坏了。因此，要保护年俗，就得首先从恢复年的生态做起。其次，就年俗本身来讲，我们一定要搞清楚到底要保护什么。在我看来，形式固然要保护，但最关键的是要保护它的精神。一些形式从我们生活中消失并不重要，重要的是春节的精神如果一旦消失，那将是一个民族的"转基因"，那就不是一个文化事件了。就像我们现在也穿西装，但它并没有影响我们是中华民族，但是当有一天，我们的眼睛变成了蓝色，那就有问题了。

问：有人说年味越来越淡了：好吃好喝好玩好穿的，平时都能搞到，不一定非得等到春节。也就在家里睡睡觉，看看电视，打打麻将，早两年连鞭炮声都听不到，更觉不出跟平时的假期有什么差别。是不是年味和物质成反比呢？我感觉现代社会年更成为精神上一种需要。

答：物质肯定会影响年味，但并不一定和年味成反比，年味现在之所以淡，本质上是因为人情淡了。我说的这个"人情"，有些和我们通常讲的"人情"不一样，但我找不到一个更恰当的词。"年味儿"说穿了就是我说的这个"人情味"，春节说穿了就是这个"人情味"发酵的时候、盛开的时候、爆发的时候。这个"人情"包括我们对天地的情、对祖先的情、对万物的情、对恩人的情，等等。要想恢复年味，就要从恢复"人情"做起。而要恢复"人情"，就要从恢复孝道和师道做起，从恢复感恩心、敬畏心做起。而要恢复感恩和敬畏，就要从恢复祝福精神做起。祝福是节日的灵魂，但是现代人已经很少知道真正的祝福是什么了，更不知道从哪里做起了。

问：这是不是你写作《农历》的动机？

答：可以这么说。

问："年味越来越淡"的潜在意思是说，过去的年味很浓。很多人都会追想过去，回忆童年的那份纯真，那种对"年"的期待和盼望，那种一大家人热热闹闹贴春联，放鞭炮，看春晚的温馨，那种从大人手里接过压岁钱的满足和欢快……似乎，真正的年味在童年。是年味淡了，还是我们对过去太留恋？

答：年味是跟年龄有关的，孩子肯定更盼望过年，但也不全是这样。问题的关键是不少现代人的心中已经没有年的触媒了，这个触媒是什么？就是一颗天然的祝福之心。打个比方，年就像天上的那轮明月，明月从来都没有变，变的是我们眼睛。事实上眼睛也从来都没有变，变的是我们的心，是因为我们的心里没有那个明月了。我们的心里为什么没有明月了？这才是需要我们好好思考的问题。

问：现实中，一边是"年味淡"的慨叹不断，一边却是全国上下都在忙过年，春运一票难求，那么多人在赶着回家过年。这情景让人感觉很矛盾。年味到底是淡了还是浓了？这种矛盾的背后透露出怎样的年文化呢？

答：你的这个问题本身就是答案。我在《寻找安详》一书中讲过，大年是一种带有迷狂性的归属情结，是中华民族基因性的归属潜意识。这种集体潜意识，是永远不会消失的，它是和中华民族共生的，之前没有，将来也不可能会有谁会把它取消掉，就像是一个人无法把自己的娘取消掉一样。真要想让年味浓起来，还是有办法的，比如国家可以把假期再延长一些，可以把春晚调整到除夕前一天或者后一天，把除夕之夜留出来，让人们专门享受守夜。像我在拙著《农历》中写的那样，在一种阴阳交合、天地共庆、人神共祝的氛围中，一寸一寸地享受时间，年味就会一下子浓起来。

问：年文化的内涵到底是什么？

答：陶醉，陶而醉之。前年，我在《光明日报》上发过的一篇散文《大年是一出中国文化的全本戏》被全国上百家媒体转载，还被自治区主要领导批示做成新春贺卡发给全区领导干部，这让我非常感动。在这篇散文中，我说：大年是孝的演义、喜庆的演义、祈福的演义、感恩的演义、天人合一的演义、教育和传承的演义，等等。如果大家感兴趣，可以到我的博客上去看。

问：这些内容，是不是也是长篇小说《农历》要演义的？

答：可以这么认为。一位朋友给我说，今后每逢过节，什么都不用做，就把你的《农历》拿出来，找到相关一节，全家朗读一遍，也就等于过节了。这当然是鼓励我的话，但也不无道理。事实上你想想，我们肯定无法回到三国时代了，但只要有《三国志》在，就有三国在。而《农历》离我们更近，和我们更加血脉相连。

问：你的意思是，重新创造一个纸上节日世界？

答：有这个意思。事实上，按照现代物理的解释，我们这个宇宙本来就是本质宇宙的一个倒影，从这个意义上来讲，纸上世界和现实世界的意义是对等的。关键是，无论是纸上世界，还是现实世界，只要我们心里有这样的一个对应，那么，节日就永恒了，喜悦也就永恒了。我在《农历》之《寒衣》一节中，借五月和六月之口详细讨论过这个问题。

（载于《新消息报》2011.1.31）

重拾祝福精神：传统节日是对人的关怀
——作家郭文斌著书建传统节日纸上博物馆

　　昨天是中国传统节日端午节。在这个洋节泛滥，传统节日却失去了味道的时代，不乏有识之士开始关注传统节日的精神内涵和对当代人心灵的滋养，因此复兴传统节日的呼声越来越高。宁夏作家郭文斌的长篇小说《农历》，为人们建立起一个传统节日的纸上博物馆，带领读者体验十五个充满乡土风情的节日，唤醒人们对传统节日的思念和温情。端午节，郭文斌接受本报记者的独家专访，为津城读者送来节日的营养和祝福。

别丢了"祝福的精神"

　　记　者：又是一年端午节到了。《农历》里描写的端午节特别令人向往：童男童女趁太阳刚出，露水未干，割采艾草，人人都在手腕上绑花绳，男人舂香料，女人绣香包，全家人分享供过的花馍馍。你的家乡西海固如今也是这样过端午的？

郭文斌：没错。《农历》中描写的吉祥如意的风俗，基本上还都保留着。

记　者：相比之下，如今城市里的许多人，端午节过得与平时没什么区别。一边是越来越多的洋节进入大家的生活中，一边是传统节日的失落。为什么会这样？

郭文斌：可能是这么多年来，中国人把"祝福的精神"丢掉了。祝福精神是节日最重要的推动力，如果没有这一层推动力，传统节日跟平时还有什么区别？没有祝福的精神，人们的感恩心和敬畏心也调动不起来，节日就只剩下了个外壳，没有了灵魂，丧失了生命力。现在就连在节日中我们都找不到中华民族的那些"基因性"的东西，或者说是传统，更何况我们的日常生活。当这些都消失的时候，我个人觉得就是中华民族面临着"转基因"的危机，这是很可怕的。

传统节日是心灵的课堂

记　者：你曾在一篇文章里提到，中华传统文化是由经典传统和民间传统两部分组成的，而我发现，你在各种著作中描摹的大多是"农历"这样的民间传统。为何如此选择？

郭文斌：在我看来，民间传统比经典传统更重要。经典文化通过强制性的手段可以摧毁，比如焚书坑儒。但民间传统没有办法摧毁，民间传统一旦形成，就会成为民族的气血、经脉，虽然不像骨头、肌肉那样可见，但有维持民族机体健康、活力的重要作用。所以传统文化中民间传统这一部分，可能是我们中华民族文化精华最好的载体和传承体。小孩子可能不会听父母的话去背四书五经，但他不可逃避地要过节，要生活呀，在节日和生活中他会受到潜移默化的熏染。但在近代，这一块传统可能受到了影响，孩子没有经过这一过程的熏陶，他的人格养成就会出现问题。

记　者：这个熏陶的过程是怎样的？

郭文斌：我曾经写过一篇文章，《大年是一出中国文化的全本戏》，大年是孝的演义、感恩的演义、敬的演义、祈福的演义、喜乐的演义，更重要的，它是教育和传承的演义。孩子在大年这个节庆的大课堂里能学到的东西太多太多了，天地人的关系，人对时间和空间的感受、对孝敬的那种刻骨铭心的体验、对神秘文化初步的感触等，都在那一刻发生。如果一个孩子从小就能在人格中培养出感恩和敬畏，将来他会获得人生的真正快乐。反之，如果一个孩子从小接受的是物质的教育、欲望的教育，他的一生可能就会在奔波角逐之中，开着寻找幸福的车，却永远也找不到幸福。

停下来汲取节日的营养

记　者：传统节日是如何引导人们找到幸福的？

郭文斌：传统节日能把你从速度中解放出来，让你停下来打量一下生活，品味一下生活，感受时间的淙淙细流，感受时间的芬芳；让你知道，人活着不是一定要去奔忙，把自己搞得就像个机器一样。所以古人是非常聪明的，你看差不多每个月都有一个节日，可能就是古人觉得，你马上就要被欲望迷住了，于是通过节日敲打你一下，让你从"超速"的生活中停下来，聆听自己的心跳，感受血液的流动，让你与人本身最和谐的节奏同步。从这个意义上来讲，传统节日对人是一个巨大的关怀。

记　者：具体来说，传统节日的复兴对当代人有着怎样的意义？

郭文斌：在传统节日中，我们能够找到当代人最亟须的营养。比如我在《农历》里写了十五个节日，其实对应了十五种营养素。人的身体需要维生素、脂肪、蛋白质各种各样的营养，人的精神也需要营养。比如在端午中，我们感受到"感"，在中元中，我们感受到"救"，在七巧中，我们感受到"慈"，在重阳中，他们感受到"孝"，在大年中，我们感受到时间和空间……我觉得这是古人精心设计的一堂课，只是我们平常都忽略了。所以，无论是从精神营养的角度，从把人们由速度中解放出来的角度，还是从保持中华民族个性、建设我们共有的精神家园的角度，传统节日的复兴都意义非凡。

写《农历》是重建精神家园

记　者：在今年春季的《农历》研讨会上，有学者总结你是在通过这本书呼唤"农历精神"。但时代发展到现在，农历已经离我们的生活越来越远了，你是为什么写《农历》这本书的？

郭文斌：纯粹回到农历时代是不可能了，但是我们完全可以保存农历精神。今天是端午节，我打开手机，收到朋友的一条短信，"我们虽然回不去家，但我打开《农历》，读到'端午'，感觉就进入了端午"，这说的实际就是一种端午精神。
写《农历》从我内心来讲，至少可以建立一个纸上的中国传统节日博物馆，至少可以给人们提供一个精神上的家园。如果有一本书，记载了我们过去曾经那样度过节日，那么这些节日就会得到永生，我们就能把根留住。今年，我们宁夏西海固的农村就有人拿着《农历》去复原已经丢失的节日仪程，有些村里的小伙子们还按照《农历》所写的去耍社戏。

316

记　者：《农历》里的十五个节日，有我们熟悉的端午、重阳，也有一些我们不熟悉的节日，比如"干节"。这是个什么节日？

郭文斌：干节是我们这边很隆重的节日。我们这里的大年通常从腊八开始，腊八人们喝"糊涂粥"，进入一种忘记世事和辛劳的心情，进入大年，一直到正月二十三的干节"燎干"（记者注：堆积燃烧树木掉落的干梢）才结束大年。一到干节你去西海固，能看到村村都是火光冲天。

记　者：城里人看来是无缘一睹"干节"的胜景了。

郭文斌：农历的传统节日，可能本身就是乡土的，是乡土大地上开出来的一朵朵花。所以我说过年不回老家就相当于结婚不进洞房，因为在城里确实是体会不到那种气氛。乡土能给人提供天、地、人共存的感觉，天空离你那么近，脚下就是大地、庄稼，再给你一个气氛的启示，你会发现节日就是一个特定的精神存在。

（载于《渤海早报》2011.6.7）

根是花朵的如意
——答《文学报》张滢莹女士问

问：《农历》以农历节气为序，选择西北农村一户人家的日常生活为主要铺陈对象，集中书写了农历中的15个节日。请问您为何选择这样的主题创作？对于"年"的重温，在当下生活中究竟有怎样的意义？

答：意义重大。如果我们真正走进"农历"，就会发现它是一个天然的世界：天然的岁月、天然的大地、天然的哲学、天然的美学、天然的文学、天然的教育、天然的传承、天然的祝福……这个"天然"，也许就是"天意"。而"天意"，在我看来，就是"如意"，"吉祥如意"就是从此而来。

我们再看看当下的世界，几乎每天都有天灾人祸。而这些天灾人祸又以惊人的速度更新着，人们甚至都来不及记住标题。连天灾人祸都是如此匆忙，如此席不暇暖，为什么？在我看来，天灾是因为自然失去了"农历"，人祸是因为人心失去了"农历精神"。

因此，我在一篇随笔中写道，根是花朵的如意，皮是毛的文明。

问：在有关传统文化的书写中，不少作品选择夸张和极具表现力的方式，而您却以唯美的细节见长，相对淡化故事情节，并在写作中穿插了大量训蒙片断、西北民谣、春官词和花儿，包括一些几乎失传的剧本。《农历》为何采取这种外界看来"不讨巧"的叙事手法？

答：一直奢望着能够写这么一本书：它既是天下父母推荐给孩子读的书，也是天下孩子推荐给父母读的书；它既能给大地增益安详，又能给读者带来吉祥；进入眼帘它是花朵，进入心灵它是根。我不敢说《农历》就是这样一本书，但是我按照这个目标努力了。

既然心存这一目标，就注定了作者不能讨巧，因为化育是反讨巧的。就像一棵树，它必须经历"农历"秩序，才能成为参天大树，才能成为合抱之木。

事实上，在人们纷纷讨巧的时候，有人反其道而行之，恰恰讨了真巧。拙著《寻找安详》半年内重印三次，不少读者一买就是一二百本送亲朋好友，让我更加坚信这一点。如果一个作家真心为读者着想，读者是会感觉到的，因为同气相应。

问：《农历》以谈"年"为主，可以说延续了您一贯的暖意和平静，并与外界的喧嚣始终保持着一定距离。这样的写作，是否刻意而为？

答：一个作家，应该带着同情心看待这份喧嚣。世界之所以喧嚣，是因为人们找不到安心之处，找不到安心方要。我之所以用十二年时间，磨磨蹭蹭地写这部仅仅三十万字的长篇，就是想先让自己的心安下来。一个连自己的心都安不下来的作家，是无法写出能让读者安心的文字的。就像一个人手里没有种烛，他是无法点亮别人的心灯的。这十二年，是写作的十二年，也是自己寻找安详的十二年，也是自己下决心改过的十二年。

您提问时绕开"农历"这个词，用"年"，更有味道，《说文》释"年"为五谷成熟，《农历》的理想正是"年"，只不过是一种心灵之"年"。

还有一个想法是，世界已经非常喧嚣了，不需要作家再增加一份喧嚣。在这个时候，为人们提供一份心灵的暖意和平静，不但是创作，而且是善。

（载于《文学报》2011.1.6）

郭文斌谈过大年：春节的利润

春节临近，很多人感慨如今的年味越来越淡，过年仿佛只剩下吃吃喝喝，看春晚玩手机。那么怎样才能让年味浓起来，让每一个华夏儿女都能有滋有味地过个年呢？宁夏著名作家郭文斌携长篇小说《农历》走进宁夏新闻网，跟您一起探讨如何过一个有滋有味的春节，如何让春节的仪式感与时俱进，如何给人们带来利润。

春节的起源和演变

春节作为中华民族最大的民俗，起源于什么时候呢？

郭文斌说，春节的起源，现在有各种考证，但有一种通用的说法，起源于尧舜时代的"腊祭"。中国是一个古老的农业国家，百姓依天靠地生活，年头岁尾，用天地所赐五谷报祭天地，报祭祖先，感恩苍天，感恩大地，感恩岁月，后来渐渐形成岁末年初祭天、祭地、祭祖的习俗，直到演变成春节风俗。

郭文斌说，今天的春节恰恰是古代的元旦。

据相关文献记载，先秦前，过春节的时间，或为十二月初一，或为十一月初一，或为十月初一，直到汉武帝《太初历》实行之后，才定为正月初一，名称有献岁、元日，等等。唐时正式名为元旦。唐太宗时期，皇帝会把"普天同庆"写在金箔卡上赐予大臣，后来演化为贺卡。到了宋朝，春节已经成为一个盛大的节日，人们用纸包火药制作鞭炮，为春节增添了许多音响喜庆。也是在宋朝，吃饺子成为春节的重要内容。明时，春节的形式跟今天很相似了。清时，春节内容的密度更大，长度也拉长了，整个春节，从腊八开始，到元宵结束。

中华民国时期，为了跟西方历法接轨，试图把元旦定为春节，不想推行遇阻，百姓仍以阴历正月初一为"过年"。1914 年，时任内务部总长朱启钤为顺从民意，提请定阴历元旦为春节，端午为夏节，中秋为秋节，冬至为冬节，经袁世凯批准，向全国推行，就此奠定了阳历年首为元旦，阴历正月初一为"春节"的并存格局。1949 年，在中国人民政治协商会议第一届全体会议上，正式以立法的形式把元旦作为阳历年，把春节作为阴历年。

春节是天然的励志教育

郭文斌说，中国人过大年不仅仅是吃吃喝喝的事，在散文集《还乡》中，郭文斌写道："大年是天人合一的演义、孝敬的演绎、祈福的演绎、狂欢的演绎，更是教育的演义。"一年结束了，一族的人在祠堂里开展光前裕后教育，诵家训，颂祖德，励后人。族长给后代讲祖上的光荣历史，先人给国家和民族做了什么贡献，后人应该如何继承。在一种特殊的气氛中，完成对后代的励志教育。

郭文斌举例，《记住乡愁》第四季采拍的闽北和平古镇，其中讲述了晚唐工部侍郎黄峭的故事，祭祖时，当后人知道其鼻祖就是轩辕黄帝，光荣感油然而生。《三字经》里讲的"香九龄，能温席"的黄香，已经是他们第三十一代祖了。祭祖时，宗亲们齐颂《认祖诗》：

信马登程往异方，任寻胜地振纲常。

年深外境犹吾境，日久他乡即故乡。

朝夕莫忘亲命语，晨昏须荐祖宗香。

漫云富贵由天定，三七男儿当自强。

三七男儿，典指黄公有二十一个儿子，当年，他写下著名的《遣子诗》，把他们遣往全国各地。现在黄家祭祖时用的这首认祖诗，就是在当年《遣子诗》上略加修改形成的。

可以想象，每年过大年，子孙们齐诵这样的诗句，该是一种怎样的志向激励。据统计,仅黄公后人,海内外有千万之众。

再比如,朱元璋命名的"江南第一家"——郑家,在宋元明给国家贡献了七百多位县长以上的大臣,没有一位因贪赃枉法被罢官。其家训中就有"子孙出仕,有以脏墨闻者,生则削谱除族籍,死则牌位不许入祠堂"的训喻,如果犯法,活着的从家谱除名,相当于现在把身份证注销,死了不准入祠堂,意味着要做孤魂野鬼。这让接受祠堂教育的后代自然心存敬畏,做官只能全心全意为人民服务。这样的内容,在《记住乡愁》里比比皆是。

所以说,春节是一场天然的敬畏教育,也是励志教育。

春节是中华儿女的充电宝

郭文斌说,过去,我们盼过年,是盼望着核桃、枣子、新衣服,而现在的孩子平常就可以吃到好的,穿上新衣服。要想让年味浓起来,就要恢复春节的祝福性,让春节变成祝福。换句话说,就是让过春节的人获得利润,这恰恰符合了现代人的利润思维。就像做人,如果大家明白做好人的利润大于做坏人的利润,自会做好人。如果知道过春节有利润,自然就会好好过春节。

那么,春节的利润何在? 郭文斌解释,春节是充电,是给人们提供安全感的重要平台。回到父母身边坐一坐，看上去是个小事，但让人获得了一份安全感，为什么呢？我们都是从妈妈肚子里生出来的，第一安全感来源于母亲。"安"的意思是"妈妈怀里就是安"。

郭文斌说，我们每一个人都有几位母亲。第一位是生理意义上的，第二位是精神意义上的。就像故乡，有地理意义上的，也有心灵意义的。谁都知道，离开母亲和故乡，人不但有漂泊感，还有无力感。离开生我们的地方久了地气就接不上了，离开生我们的村子久了天气就接不上了，离开生我们的母亲久了人气就接不上了。所以，每年回家过年不单是吃饱喝足，更重要的价值在心理学意义上，用今天的话来讲是生命能量的一次补充。一个人如果没有安全感就会恐惧，恐惧之后占有欲控制欲就会到来，占有欲控制欲强了，焦虑和抑郁就会到来。所以，现代人如果好好过年，好好过各个节日，焦虑抑郁就会大大减轻。

不少人反映，读完拙著《农历》，感觉会放松许多，就是这个原因，因为阅读本身是心理暗示。

通过节日休养生息

中国四季都有节日，到了腊月和正月更为密集。对于过节的文化内涵，郭文斌有自己的理解：中国文化是乾坤文化，乾文化的气质就是创造、奋斗、自强不息，坤文化是涵养，是承载；刚柔相济是中国文化的特点，节日文化就是阴柔文化。富贵雅共享是中国文化的另一个特点，雅的重要体现就是节日。这跟中国文化的阴阳互补出入互生相关。此外，中国人特别注重感恩教育，腊祭就是感恩。中国人讲究奋进，更讲究休息，讲究创造生活，更讲究品味生活。四季就像竹子的节，没有节日就像竹子没有节，岁月没有诗味。郭文斌说，庄稼长个是在晚上，孩子长个儿也是在晚上，生命只有在睡眠状态下，才开始补充能量。节日是中国人有意识地让生命休养生息的一个仪式化设计。

　　不少人感慨，近年来，由于很多大中城市禁放烟花爆竹，年味越来越淡。对此，郭文斌说，禁放鞭炮跟年味淡有一定关系，但不是主因。年味淡了的主因是我们把年文化里仪式感的意义忽略了。古人认为，仪式是能量的传递环节，祭祖不仅仅是一个仪式，更是我们连根养根的重要环节，就像插花，在瓶子里，过几天就蔫了，如果根在土里，千百年都会枝繁叶茂。古人过节，就是连根养根。古代社会孩子为什么要读百家姓，其实是一百个能量的渠道，如果我们没有意识到这一点，年节和平常的吃喝就没有区别。

为什么一定要"回家过年"?

　　每年春运，都是地球上规模最大的一次人口迁徙。是什么力量推动了每一个中国人回家过年的旅程?

　　郭文斌阐释了其中的文化渊源:中国文化是圆文化，特别强调整体性。我们的文化符号太极，就是从开始走向终点。中国文化可用一句诗性语言来表达:正确的结束来源于正确的开始，正确的开始来源于正确的结束，所以开始就是结束，结束就是开始，它是一个完美性的心理暗示。中国人特别讲究阖家团圆，除夕夜的饺子不仅仅是一顿餐，它象征着团圆。饺子的设计就非常有意思，很多馅儿被皮儿包起来，代表着一种整体性。

　　郭文斌在散文集《还乡》中写道，还乡情节是每一个中国儿女基因性的情节。中国人过春节不仅仅是一个节日，还是重要的文化暗示。祭祖，是因为我们对生命力的理解，不仅仅来自生养我们的父母、爷爷奶奶，还有一个长长的祖先链条。过春节有一个环节——迎请祖先。现代心理学已经证明，每个人的潜意识都是永恒的，那么祖先的潜意识也是永恒的。如此想来，过年就有味道了，祖先也渴望和子孙们团聚，这是一个心灵深处的诉求，是一种血液性的、基因性的集体约会。一年到头在外面拼搏奋斗，春节如果没有回到父母身边，那么这一年是不圆满的。

重建心灵故乡，让春节仪式感与时俱进

郭文斌说，春节是从尧舜时代传下来的中华民族集体记忆。这个集体记忆是任何非集体记忆不能代替的，这一段时间是中国人集体狂欢的宇宙专场。小时候，除夕守岁是最享受的时空段，跟天地交流，品味阴阳交替，可如今看完春晚，守岁的感觉一点都没了。如果过年仅仅是走走亲戚，送送礼，串串门，吃吃饭，年味肯定会淡，我们要重拾春节的祝福性，把年节文化的营养性找回来。

郭文斌说，让中华文化创造性转化创新性发展，我们需要在城市重建仪式感，春节的精神要素不变，但形式感一定要与时俱进。现在，一进腊月，好多读者在读他的长篇小说《农历》中的"腊八""大年""元宵""上九""干节"，在读他的散文集《永远的乡愁》，让年味提前到来。

前年，由中央电视台"1号线上"重大主题宣传新媒体平台根据他的《农历》改编的七集动画《六月说过年》把人们带进别有味道的"诗年"。去年，郭文斌在老家过元宵节的视频由宁夏回族自治区广播电视局上传到网上，一天点击量过两千万。纪录片《六盘山》第三集《心灯》引发热议，足以见得当代人对"节营养"的渴望。这些年，郭文斌在小范围做实验，创办了"春节小课堂"，很受孩子和家长的欢迎。孩子们集体在感恩树下过春节，读春诗，唱春歌，吃春饭，

不但年味浓，还在特别的气氛中接受了感恩、敬畏、孝道、激励教育。郭文斌说，望梅止渴是有现实意义的，我们很多人已经没有乡村意义上的故乡了，但可以重建心灵意义上的故乡。

据悉，由郭文斌长篇改编的同名电影《农历》将由北京谷天传媒有限责任公司牵头摄制，相信小说的荧屏化，会让人类通过中华传统节日的特有视角和不可替代性价值思考重建心灵故乡的意义。

对于节日民俗还有没有可能回温，郭文斌持乐观态度，就像当年他对《记住乡愁》的收视率持乐观态度一样。果然，播出的240集，观众达100亿人次，被中宣部领导肯定为弘扬社会主义核心价值观最接地气的精品力作。从剧组收集的大量反馈看，收看《记住乡愁》让许多人获得了巨大利润。

郭文斌说，同样，当人们渐渐尝到了节日利润，自会重视过春节。郭文斌建议，把春晚提前或者推迟一个晚上，把守岁留给中华民族。把春节的假日增加几天，年味会更浓，利润会更大。

宁夏的"年味"很特别

在郭文斌长篇小说《农历》中，写了中国的十五个传统节日，这十五个传统节日包括春节、元宵、端午、中秋、重阳等，而这些节日在宁夏基本都有，但宁夏的节日习俗也有一些自己的个性以及不可替代性。郭文斌说，在参与制作中央电视台纪录片《记住乡愁》的时候，自己对民俗有了新的认识。对比之下，宁夏的年俗很特别。比如在宁夏西海固地区，元宵节点荞麦灯的年俗，在全国就不多见。隆德县的马社火也有五百多年的悠久历史，堪称民间艺术的活化石。将来同名电影《农历》的上映，会让人们看到宁夏节日风俗的特别之处，尤其看到宁夏年味的特别之处。

要长要久，就要让文成化

民间传统为什么可以保留至今？

郭文斌说，文化传播有两个渠道，一个是经典传统，一个是民间传统。经典传统不牢靠，王朝更迭以及战火纷飞往往会将其中断。但民间传统则不然，当文化演变成民俗之后，就有了永久生命力，就可以继承和保存下来。中华文化有一个很重要的传统——化文成俗，就是把文化变成民俗传下去。历史上没有哪一朝哪一代可以取消中华民族过春节。

至今，我们还能从民间的诸多节日仪式上，看到周礼的影子。武汉大学教授武可训先生就讲，长篇小说《农历》既是小说，也是礼说，既是文学，更是"文化"，教化的作用，让体裁显得不再重要，就像食物的营养价值，让名称显得不再重要一样。

（载于宁夏新闻网：2019.2.1）

过大年是中国人的天命
——答《半岛都市报》刘依佳女士问

问：看您的博客，您称自己是"大年迷"，为什么这么说？您是什么时候"迷"上大年的？都做了哪些研究？

答：之所以称自己为"大年迷"，是因为被深度吸引，深度投射，深度迷恋。就连至今做梦，还往往在过大年。

从小就迷上了。说从小就迷上了可能不准确，应该是从有大年以来就迷了。

开始文学创作以后，大年就成为我最着迷的书写对象，看过我长篇小说《农历》和散文集《守岁》《永远的乡愁》的读者都知道，大年是我百写不厌的内容。包括随笔集《寻找安详》，其中也有"通过大年走进安详"一章。

为此，我和宁夏卫视合作拍摄了十集《我们的节日：春节》节目，还和宁夏电视台经济频道合作拍摄了许多其他传统节日的节目。后来长篇小说《农历》出版，被中央电视台中文国际频道编导王海涛先生看到，邀我合作拍摄八集《中国年俗》，接着拍摄大型纪录片《记住乡愁》。《记住乡愁》

已经连续三年在春节前后播出。

问："年"在您看来，具有什么样的特殊意义？

答："年"是中华民族的精神基因，是中华民族的季节性精神狂欢的高峰期，在散文集《守岁》和《永远的乡愁》里，我反复写道，它是中华文化的全本课。懂得了大年，我们就懂得了生命。它是孝的演义、敬的演义、感恩的演义、和合的演义、教育的演义、喜悦的演义、天人合一的演义，当然更是中华民族狂欢精神的演义。如果我们错过大年，就意味着和生命本身错过。就拿除夕守岁来讲，它是古人精心设计的一堂生命觉悟大课，但是现在却被春晚和手机短信干扰了。因此，我一直在强烈呼吁，把春晚挪前或者推后一天，强烈呼吁大家，把手机关掉，一家人在祖先的牌位前，伴着袅袅香烟和盏盏烛灯，围炉而坐，一寸一寸地体验时间，体验那个被天地神圣化、神秘化的时间，体会那个一年只有一次的阴阳交替天地共庆时刻的"守"，一寸一寸的庄严，一寸一寸的神圣，一寸一寸的喜悦，籍由那个守，我们都可能悟道。

问：现代人都说年味淡了，您怎么看？都说春节还是那样过，家还是一样地回，现代人的年味淡在哪里呢？

答：应该说，近几年，年味又浓起来了。但是和最浓的时候比，真是淡了。怎么淡的，有个词我们细心体会一下就知道了，那就是"冲淡"，被现代性所冲击。谁都知道，年是乡土大地上长出的一棵精神狂欢大树，一旦乡土味不在，年的味道就保不住了。

年味淡的另一个原因，是特殊的历史让它的祝福性流失了。

问：现代人在传统民俗、传统文化方面的缺失主要体现在哪？

答：体现在我们躺在金山上却到处找饭吃。传统文化就像空气、阳光，是生命不可须臾分离的营养，它就在生命内在，但是现代教育从小就引导孩子向外寻找生命力，寻找幸福，最后留在受教育者菜篮子里的全是知识、文凭、各种生命标签，但是喜悦没有了，根本快乐没有了。换句话说，喜悦的能力没有了，幸福的能力没有了。因此，才有北大教授调研发现的，40%的大学生有空心感，觉得生命没有意义，甚至有些孩子从初中开始就想自杀。这一点，显然被国家领导人注意到了，因此总书记在刚刚召开的高校思想政治工作会议上说，一定要把立德树人放在首位。而要立德树人，民间习俗和传统文化就是必须要上的生命课程，因为它是生命的最基本构材。

问：您曾说，留住了大年，就留住了中华民族的根。作为忙碌的现代人，我们该如何做，才能留住大年，才能让年味浓起来？

答：前面你曾经问过年味为什么淡了，我回答过你，一是乡土性受到冲击，二是祝福性流失。那要让年味浓起来，就要反其道而行之。

要想恢复乡土性，怎么办？尽可能回老家过年。如果无家可回，或者回不去，也要在心里营造出来这种乡土味。用能够唤醒我们潜意识深层的乡土意象，比如剪纸、对联、香烛、灶君、门神，包括祖先挂像，等等。现在，有些人家过年期间干脆诵读《农历》，也很好，今年央视"1号线上"就拿《农历》《永远的乡愁》制作动画，让大家观看，也很好。

每逢年节，人们就想起《农历》，想起《守岁》，想起《永远的乡愁》，因此，有人说，只要人们还愿意过传统节日，这几本书就不会下架。中秋赏月晚会，人们会拿出《永远的乡愁》朗诵《红色中秋》；重阳诗会，人们会拿出《农历》朗诵《重阳》；等等。这也许是这几本拙著一印再印的节候性原因。

要想恢复年味，另一方面，就是要恢复年的祝福性。任何一个节日，当它的祝福性不在时，渐渐就会被人们遗忘，味道也出不来。祝福祝福，只有祝，才有福。可是，人们把这个生命秘密忽略了。近些年，随着中宣部持续性地倡导"过好我们的节日"及各地各部门营造气氛，特别是央视包括全国传统媒体的大力推动，年的气氛是有了，但祝福性恢复得还不够。

我曾给《记住乡愁》的编导们介绍过，许多古代戏剧之所以没有灭亡，是因为农村过庙会的风俗没有消亡，因为这一风俗在，庙会就要年年举办，庙会年年举办，就要年年请戏班子唱戏。为什么？因为自古以来，娱神都要唱戏。为什么娱神要唱戏？因为戏中演的是忠孝节义，神喜欢啊。不少人在庙会上许愿，如果庙中所供神仙保佑我一年平安或者生意顺利，我就在新一年的庙会上出资请戏，唱三天，或者五天。如此循环，戏团就生存下来了。而一些不能上庙会的剧团，往往就灭亡了。

电影电视出来多少年了，一些地方的牛皮灯影还在上演，也是因为一些地方的庙会"法定"要请牛皮灯影娱神还愿。这就是祝福性在传承年节文化中的重要性，它成了一种天然的保障。而大戏中演的内容却是人的命运是由自己掌握的，福缘善庆，祸因恶积。大戏又变成天然的教育。

同样，当人们体会到大年的祝福性对生命的意义时，你不让他过年，他也要过的。那么，大年到底对生命有没有祝福性？这些年，我做了一些实践，答案是肯定的。比如一些特别焦虑的人、生命出现了病相的人，我建议他大年回到故乡，祭祭祖，守守岁，孝孝老人，走走亲戚，奇迹出现了，许多病相消失了，许多焦虑缓解了。什么原因？他的根连上了，根连上了，能量就连了上。具体原理，我在拙著《醒来》

336

中讲得很详细。限于篇幅，在此我就不多说了。

问：您是什么时候萌发了要写一部"小说节日史"的？《农历》里的习俗，是哪里的习俗？都是您经历的吗？里面的人物原形有您或您家人的影子吗？

答："小说节日史"的想法，是在写长篇《农历》的过程中萌发的。《农历》我写得很慢，写了十二年。十二年时间沉浸在一件事情里，那种感情，大家可以想象。《农历》里的习俗，是宁夏南部山区西海固的，文化根源应该是甘肃天水秦安一带的。我出生在宁夏西吉县将台堡，就是总书记去年前去在长征胜利纪念碑献花的那个地方，但文化习俗是祖父从天水秦安带过来的。我在《农历》里写到的文化，应该是大地湾文化遗存。

书中大多情节都是我经历的，人物原型有我们家人的影子。

问：《农历》里的孩子，为什么叫五月和六月，而不是其他月份？有什么特别含义吗？

答：之所以这么命名，纯粹是凭直觉，对于他们兄妹就觉得应该这么叫。写作过程中，我也换过很多其他名字，但都没有叫五月和六月好。因此，当有人问为什么时，我常常回答，大概在这个世界上，真有那么一个村庄，真有那么两个天地精灵，他们的名字真就叫五月和六月，我只不过是一位书记官，把他们记录下来了而已。因此，我认为好小说不是作家写出来的，而是上天所赐。现在，有不少人分析五月和六月姐弟二人名字的意义，各种说法，我都不否定，也不肯定。因为那个为什么，本身是天意，而天意，又有谁能够说得清楚呢？

问：《农历》中的"干节"，是个什么节？《农历》中的十五个节日，有一部分是二十四节气中的，另外还有一些是传统节日，您写作时选取的依据是什么？

答：干节就是正月二十三燎干，是我们那里非常隆重也非常壮观的节日。大家可以到书里去看过程。《农历》中的十五个节日的选取依据，就是某一年某一个节日到来时，我有感觉了，有状态了，就在那个时空点上写下来。有没有感觉，有没有状态，这是依据。事实上，在我的电脑里，还存着许多节日，但是在写作过程中找不感觉，换句话说是不享受，我就放弃了。

问：过去的春节，于您有何遗憾？今年的春节，您准备怎么过？

答：过去的春节，于我没有遗憾。如果说一定有遗憾，那就是随着岁月的流逝，一位位家人不在了。我曾讲过，有娘在的地方就是故乡，同样，有娘在的地方也是大年。现在，我的娘不在了，年的狂欢里，就增加了许多伤感。好在我的父亲还在，我要好好守着他，他在哪里，我就守在哪里过年。过一年，少一年，当然，过一年，是一年。

今年的春节还说不好，到时再看吧，这些年，因为帮助宁夏卫视和中央电视台做节目，有几年没有赶回去。

问：对于当下洋节兴盛、传统节日式微的社会现象，您怎么看？

答：洋节兴盛不可怕，因为那只不过是一种商业狂欢，很少有人体会到真正的精神狂欢。因此，我不觉得那是一种"兴盛"，而是一种"热闹"。因为它不是我们血液里的东西，不是我们基因里的东西，就像一尾鱼跳到草丛里做游戏，终究找不到大海的感觉。

传统节日式微，原因在上面我已经回答了。怎么看？我的看法是，过不了多久，传统节日就会兴盛起来了。因为一个到外面看热闹的人，看累了，还是要回到自家炕头的。没有谁成天待在别人家过日子的。就拿电视来说，大型纪录片《记住乡愁》创下了首播收视人数达 20 亿人次，重播加新媒体观众达 100 亿人次的纪录。这让我们对传统文化存在的时代合法性和不可替代性有了更大的信心。而传统节日，是传统文化的重要组成之一。当初在论证《记住乡愁》选题的时候，专家们争论得非常激烈，不少人认为这样的选题，肯定没有几个人收看，我个人对传统文化的热情甚至成为一些学者冷嘲热讽的对象。然而三年之后，事实说明了一切。一个人不可能长期待在娱乐的高温里，人总是要回到常温中的，而传统文化就是生命的常温。一个人也不可能总吃汉堡和麦当劳，还是家常饭养胃。当一个人感觉自己的胃不舒服了，他自然会回到母亲或妻子的面前来。

当然，还有一个方面，随着中国国际地位的提高，一些定居和生活在中国的洋人，他们过洋节，那也是他们的大乡愁，我们应该衷心祝福他们。就像一些华侨，无法回到祖国，在异国他乡过大年一样，也需要当地人的衷心祝福。这是两个概念。对此，我常说，要"求同尊异"。但大前提是，一个人要先把自己的家底看好，再去打理别的。正如一个人先要孝敬自己的老人，再去养老院做义工。

（载于《半岛都市报》2017.1.12）

守岁是让我们学习进入时间
——关于中国年文化

一寸一寸地感受时间

张　磊：还有几天就要过年了，说到年呢，很多人想到了大年，所以我们请来了小说《大年》的作者郭文斌老师，另外一位是我们宁夏影视频道的编导刘净。

我们今天所谈的这个年，主要是年三十这一天，虽然不同的人有不同的理解，但是现在来讲似乎有一点千篇一律，至少全国上下在过年的时候有那么三件套是不可避免的：一个是吃年夜饭，一个是看春晚，还有一个就是放鞭炮。我想问问郭老师，您对过年这一天有什么样的理解？

郭文斌：我觉得在中国，大年是带有集体意识的一个文化现象。我曾经写过一篇文章《大年是一出中国文化的全本戏》，之所以说它是全本戏，就是中国文化的一些重要元素，我们在大年里都能找到。可以这样说，大年是孝敬的演绎、感恩的演绎、喜庆的演绎、祈福的演绎，更是传承的演绎，等等。我们今天探讨的其实是守岁，而守岁，我觉得是中国人关于节日，特别是大年最为灵魂的一部分，守岁常常应该是从掌灯时分开始，到第二天的清晨。

张　磊：就是说从年三十的傍晚开始，也就是华灯初上的时候。

郭文斌：所以在中国民间，守岁是非常重要的仪式化的这么一个时间段。它是一种团聚形式，也是一种给天地敬礼的形式。它不以现在的家为单位，而是以族为单位，以祠堂为单元。守岁之前，一家或一族人已经完成了一系列准备工作，比如说去上坟请祖先，把祖先请到家里面来，和一家人团聚。即使现在，在民间，过大年每一家都还设一个供桌，也就是祭桌，祭桌上是另一个世界：祖先们所在的地方。我们那儿把临时用红纸签写的祖宗牌位叫"三代"。

在这么一个时间段里面，空间被突破了，一家人不单单是现在的一家人，而是包括了三维维次之外的多维维次，除过我们的祖先，还有"天地"，比如说我们常常说的天官赐福的天官、门神秦琼敬德啊、灶神啊、谷神啊、水神啊，等等。所以当天地众神都来到我们人间，来到我们"身边"的时候，你会感觉到我们现在的家已经不是普通的家了，在这样一个特殊的气氛里边，守岁开始了。

张　磊：那是感受天人合一的最好的时机。

郭文斌：对。所以过去有一个传说，一个叫年的猛兽，专门等一年的最后一天来到人间攻击人，好多人好多村落都被年吃光了，但唯独有这么一个村子，有一对新娘和新郎，刚刚结完婚，都穿着红衣服，家里挂着红门帘，年这个猛兽看到红颜色的东西就不敢靠近。有另外一家孩子玩爆竹，年听到响声了也不敢靠近，古人就把这个传说传下来。过年守岁，正是因为人们害怕被年这个猛兽袭击，所以大家坐在一块儿不敢睡觉。其实在我理解，这个年是一个象征，时间的象征。时间这个猛兽，不管是大人小孩，不管是飞禽走兽，不管是鳞介虫雉，都不可逃避，都无法逃避，我们在一开始的时候就被这一条猛兽攻击。我认为，古人是借用"一夜连双岁，五更分二年"这么一个特殊的时间段让我们进入时间。就是说，守岁是让我们学习进入时间，对时间敬礼。

张　磊：说通俗点就是，让人们意识到过一年就少一年了。

郭文斌：而只有完全地进入时间，我们才能真正进入一种怀念的状态、祝福的状态、亲情的状态。因此，守岁它是一种巨大的"天伦"之乐的这么一个状态。"守"字是宝盖下面一个"寸"字，它的意思是在这一个时间段里，让你一寸一寸地去感受时间。

张　磊：听郭老师讲这样一种状态，对我们，无论从人的精神需求来讲，还是从人文的角度来看，都可以说是一种莫大的享受。但实际上现在这样过除夕的少之又少，甚至说没有人这样去过。

刘　净：刚才郭老师说到这个时间，我就想起您刚才说到的光阴似箭。世上最没有办法挽留的就是时间，没有任何方法能让它停止让它静止。可不可以这样说，过年这一天之所以对我们来讲很特殊，是因为一年三百六十五天过去了，最后这一天是给我们的一个特定的时间，就像您说的过去过年是静的，是在特定的这一天中来让我们思考这一年，让我们来面对自己。

郭文斌：我给除夕打过一个比喻，它类似于恋人的第一次相聚，这一段时间是让人觉得特别留恋的，所以民间在那一天晚上有一个特殊的约定，绝对不生气，绝对不说烦心的事情，绝对地进入当下，不让杂念在心中诞生，就是很纯粹的一种祝福的状态。这个时候用我们现在的词来说，就是一种现场，就是进入绝对的现场，过去的事不再想，未来的事也不再想，就是享受当下，感应当下。所谓守岁就是跟时间融合的一种状态。这时候你会发现当下不是别的，当下就是快乐，全然的快乐。

因此守岁再深一层去讲，就是对生命的一种祝福。它的原意指的是这个。这个时候天地神人和睦相处，共同祝福新的一年开始，共同"感应"一元复始，因此非常神圣。所以它是古人对时间的一种认知姿态，也是对待生命的一种敬畏姿态。

张　磊：刚才在讲过除夕人们的一种状态的时候，能够看出来您是非常陶醉，而且非常向而往之的，这和您小时候的经历是有关系的，可能和您后来产生的思考也有很大的联系。那么我们现在过除夕的这种方式，就是很少有人去守岁了，您认为是一种进步还是以后会有其他的变化？

郭文斌：时代的潮流是不可抗拒的，我觉得形式可以转换，但精神应该保留。我理解，除夕是一个特定的时间的象征，如果我们真正理解了守岁的精神，我们就可能把每一天都当作除夕去度过，把时时刻刻都当作一种守岁的状态，那么这个时候，我们的生命其实就是回到一种比较纯粹的原初的状态。所以你看中国古文化，中国五千年文明其实有一个重要的提醒，就是让你回到当下。有人问孔子怎么理解死亡，孔子说，不知生，焉知死。什么意思呢？就是说我们只能而且只能把当下把握好。所以古人肯定是用这种方式作为一种呼唤。我说所有的节日，它是古人唤人回家的一声长调。你看清明、端午、重阳，它就是通过时间之树上的果实提醒人们，我们应该怎么样度过生命中的每一个细节。

春晚恰恰是对守岁的一种打扰

建议将春晚调整到除夕前夜或大年初一晚上

张　磊：您是否认可现在人过年三十的方式？

郭文斌：不是特别认可。我说过一句话大家可能不理解，我说，春晚可能恰恰是对守岁的一种打扰。我记得有春晚之前，在老家度过守岁的晚上，那可是太享受了。"坐久灯烬落，起看北斗斜"，在屋里坐久了，抬头一看星斗，觉得它也在过年；走出院子，你会感到，树也好水也好都在过年；你还会看到院子里的猫、狗、鸡也在过年。所以我们老家的大年三十，是要给每一个生物所在的地方点燃一根蜡烛或放一盏灯的，牛圈里我们要放进去一盏灯，水房里面会放一盏灯，蜂房里面会放进去一盏灯，还要给牛戴上红花，给羊打上红彩，然后我们要在井房里贴上对联"青龙常驻"，要在羊圈里贴上"槽头兴旺"。所以在那一天，你会觉得大自然确实是在祝福和庆祝。

346

　　而当春晚出现的时候，小孩子们的目光被吸引到电视上，等春晚结束，守岁最黄金的一段时间已经过去了，一家人围炉而坐的一种纯自然的亲情状态消失了。可能老人都希望孩子们这一刻围在他们面前，听他们讲祖先的故事，但是孩子已经没有兴趣去听了，为什么呢？春晚在播放。

张　磊：您认为春节尤其是除夕这一天，应该是一个相对纯粹的时间，不应该有那么多的纷繁复杂的事情去打扰这一天？

郭文斌：所以我说让时间回归时间，让灵魂回归灵魂。

张　磊：刚才咱们说到在过年这一天，家人团聚，说一千道一万，除夕晚上也得在一起吃一顿饭。像现在之所以会出现春运，就是因为实在有太多的人春节一定要赶回家去。

刘　净：有那么一句话，叫有钱没钱回家过年。

张　磊：不管怎么样都要赶在这一天，尤其是年三十这一天，和家人去团聚。说到团聚，现在好像也有所变化，在之前来讲，过年团聚是理所当然的一件事，但现在，似乎有很多人因为各种各样的原因反而是不愿意回家。

刘　净：我感觉像您前面所说的，在除夕夜这个时间段，我们每个人其实都不应该被这个社会所控制，不应该被物质所影响，而应该是完全被自己的精神所引导。忙碌了一年了，在那一天，我们每个人要静下心来和自己的心灵对话，我过去一年做了什么，我有什么是需要弥补的，我明年又应该怎么样，完全倾听自己内心的声音。像郭老师刚才讲的过去传统的一种过年方式，它给了人们一种意境，比如烛光火苗燃起来的时候，香烟升起来的时候，它会带我们进入这样一种静的意境。可是现在的春晚好像是在强行让我们进入另一种意境，好，锣鼓喧天春晚开始了，过年开始了，我们每个人不带任何思想，坐在电视机前看这个节目。我突然感觉到，可能过去这种传统上的过年对每个人来说，是从根本上对心理的一种影响。过去的年是怎么过的？

　　郭文斌：过去的大年已经是一种反物质的状态了，是一种人神共在的状态、天地共庆的状态，正因为有这个"共"，才显得非常神圣。我说过大年它有一定的迷狂性，春节到来的时候，不管天南地北的人他都要回家，不管多大的代价多大的损失，他都要回家，带有迷狂性。

　　张　磊：如果从时间上来看的话，这个迷狂是哪一天开始产生的？

　　郭文斌：从腊月就开始了，这个时间段到来，你不由自主就要回家，所以我说大年三十的那一顿饭，已经不是普通的一顿饭了，它是一个象征，吃什么并不重要，重要的是能够坐在一个桌子上团圆。"年"就是五谷成熟，"腊"就是我们把一年天地所赐的五谷奉献给众神，感恩啊。在过去，年三十我们都要在院子里给天地燃一炷香，请天官赐福，这个时候就是感谢天地赐予我们粮食、水、万物，更主要的是给我们平安、健康、长寿。所以从年三十开始，其实是一种庆祝的开始、感恩的开始、怀念的开始。实际上古人不仅是对过年这样，他们对每一顿饭也都要感谢，感谢造物给我们粮食、水，每一顿饭之前都这样说，只不过节日把它强化了。所以在我们的印象中，三十那一晚，绝对是比金子还要贵重的。我记得我小时候为了把这一段时间延长，腊月三十那天早早地就起来，催着父亲贴门神和对联。就是说我们想让那一天的傍晚从下午开始。当门神已经贴好，春联已经贴好，花灯已经挂上，这时候你就觉得时间进入了一种纯休闲的状态。我记得小时候在母亲的年夜饭还没有上桌但肉菜的香味已经飘出来了的这一段时间，真是感觉美得不知所措。我在《大年》那篇小说里写过，我说明明和亮亮两个人新衣服穿好以后，不知道该干啥，明明从东屋跑到西屋，亮亮也跟着从东屋跑到西屋，然后从西屋又跑到东屋。他们两个在夜色的水中游泳，快乐得不知所以。

刘　净：我也看过那篇小说，年三十那天内容非常多，从洗尘、祭祖开始。

郭文斌：所以那天的时间就像是大海一样，而那一天的人就像是鱼，感觉在快乐中游泳。当压岁的时候到了，当分岁的时候到来，当父亲把一年要分发给孩子的压岁钱、糖果都准备好的时候，你会发现那种接受赏赐的快乐；当母亲把年夜饭端上来的时候，你会发现那种不平常。为什么呢？这是被众神被天地享用过的，或者说共同享用的一顿饭，它超越了物质意义，是一种精神。

刘　净：是不是可以说，现在很多人不知道年夜饭吃什么，是理解在浅表的层次？我们过去条件不是很好，所以才有过年的时候吃一顿好的这个盼头，现在因为天天都吃大鱼大肉，天天都吃好吃的，所以对年夜饭没有什么期盼。

郭文斌：所以当我们把节日中的祝福、感恩，或者说是庆祝的意义剔去了之后，节日就只剩下欢乐的外壳了。

刘　净：只剩下形式了。

郭文斌：它的灵魂已经丧失了。而古人认为这一天就是人神共在、天地共庆，所以你看那些对联，大门上是"出门见喜喜盈门　抬头迎春春满园"，横眉是"普天同庆"，你就觉得一院子都是春。"春"我们平常理解是个时间概念，是季节，但在那一天你感觉它是一个生命。春来了，春穿着花花绿绿的来了，满脸笑容的来了，带着无限的祝福来了，就那种感觉，有一个很神圣的开始。另一个门上的对联是"天增日月人增寿，春满乾坤福满门"，你一下子觉得院子里、空气中到处都飘着福，到处都是福气。它是一段被神话、被渲染、被强化了的时间。"三阳开泰从地起，五福临门自天来"，那个时候它就时时提醒你天地共在、人神共庆，所以这个时候人回到一种感恩，回到一种纯粹，回到一种敬畏，回到一种怀念，是很自然的状态。

刘　净：张磊家现在过年还贴春联吗？

张　磊：贴呀，肯定要贴。

刘　净：不过说实话，我们家这么多年只有两年贴过，我好像更喜欢手写的这种春联，不喜欢外面机印的成品，我一般是贴一个福字。

郭文斌：我父亲应该是我们村子的一个民间秀才，到大年三十那一天，全村的人都来让他写对联。

刘　净：那么您的那篇小说其实就是小时候真实生活的写照了？

郭文斌：年三十的时候，父亲会写一院子的对联，墙上挂的是对联，院子里铺的是对联，炕上是对联，地上是对联，一进去一院子红彤彤。所以我说那一天一院子的福、一院子的喜、一院子的庆，就那种感觉。现在机印对联的这种感觉就没了，觉得它很冰冷。过去我们小的时候自己画门神，当你调着颜料画秦琼、敬德时，你觉得秦琼、敬德在你的笔下徐徐地诞生了。还有剪窗花，我们小的时候都剪窗花。一到腊月，红纸绿纸用纸针扎起来，用剪刀剪出一朵梅花呀，喜鹊啄梅呀，猫吃献饭呀，等等，这个时候的感觉是，你在创造一种喜庆。用机器印对联、门神，肯定找不到这种感觉。

为什么古人祭祀的时候要用火？

刘　净：过去是门联一贴代表守岁开始。

郭文斌：这个年从除夕就开始了，通常讲的是秦琼、敬德一贴好，用黄表在秦琼、敬德的像上面一粘贴，这时候就意味着众神已经到了，说话做事就要非常严谨、恭敬了，绝对不说死，不说病，不说灾。不吉祥的话不说，反庆祝的话不说，反祝福的话不说，那一刻多生气你也不能生气，也就是我们常说的说好话做好事就是从那一刻开始的。你的心态在那一刻就要变得喜洋洋，绝对的快乐，所以它是强制性地让你进入一种时间，享受时间，你会发现那一晚上的时间是可以看到的、可以摸到的、可以嗅到的，有芬芳，有香气。你能感觉时间那天就像一个老人一样地走过，你能听到他的脚步声。

我记得有一年晚上我和哥哥不知怎么睡着了，打了一个盹，后来我们从屋子里出来了之后，发现院子里的灯还亮着。我们就觉得很对不起人家，人家还在亮着我们怎么睡着了，觉得很歉疚，然后赶快给灯里添满了油。然后兄弟两个就把炉子搬到了房台上，守着那个灯笼看，灯笼上的喜鹊啄梅还亮着，就觉得灯笼本身就是一个生命，或者说就是一个幸福的载体。这时候门吱的一声响了，怎么回事？猫出来了，也坐在我俩的身边看着那个灯笼。你会感觉那个灯笼提醒你的就是时间，你就想着时间慢一点慢一点再慢一点，所以当那一天鸡鸣的声音传出来时，就有一种巨大的惆怅。这个除夕又过去了，你就觉得怅然若失。

刘　净：有一年大年三十晚上我通宵没睡，那是唯一的一年，我说我坚持一下，家里人都睡了，我就自己看书，很安静。那天夜里，到了一点多鞭炮声就停止了，早上五点半的时候，窗外的环卫工人就开始扫街，我听着那个唰唰的声音，真的觉得和平时是不一样的。我当时感觉到的不是对过去这一年的惆怅，而是觉得新的一年来了，那种新的期盼，一切都重新开始了的感觉，特别好。已经是将近十年前的事了，但我一直记着。

郭文斌：你讲的这个细节非常有象征意义，有典型性。在那一刻，事实上当你听到扫街的声音时你是回到了自身，回到了时间，否则的话你是听不到的。我小时候就觉得，除夕和大年初一的体会可能是我生命中非常强烈的一个记忆，所以就比较讨厌初二的到来。我们大年最盼望的是什么事呢？下一场大雪，大雪封山，亲戚也别来了，串门儿的也别来了，一家人就围炉而坐，享受那个纯粹的世界，真是特别留恋那一段时间。后来我在一篇文章中写道，我说大年它是带有迷狂性的、神秘性的，可能类似于一种集体无意识的东西。

大年可能是中国人的基因。

所以这一天大家再劳累也要从四面八方回来，坐在一块儿。

张　磊：对。我特别同意郭老师的这个观点，可能现在我们过年，像守岁这种传统几乎是没有了，但是就像您说的，有一种精神上的东西在自己的基因里、血液里。就像年前真正进入腊月的时候，你会对年三十这一天有着无穷无尽的期盼，而且会人为地从时间上把这一天放大，感觉这一天的到来是如此的漫长，然而真正到了年三十这一天的时候，你到大年初一回眸一望，才发现年三十这一天真的是转瞬即逝，有一种失落感，又有一种刘净刚才说的喜悦。

郭文斌：是。按说这一天过去还会有一天，就像苏东坡说的"明年岂无年，心事成蹉跎"。这是人们对时间的一种感悟，因为这个时间太特别了。就像苏东坡在同一首诗里描述的："欲知垂尽岁，有似赴壑蛇。修鳞半已没，去意谁能遮。况欲系其尾，虽勤知奈何。"一条蛇已经从洞里钻进去了，只留下一个尾巴，你想抓也抓不住。这一年不管怎么样也已经过去了，你拿不回来了。事实上从另一方面来讲，守岁是人对生命无常的一次集中放大的打量，生命就是这么不可留恋。所以我说这个年它让我们明白时间就像猛兽一样无情，不管你是达官贵人还是平民百姓，在时间面前你是不可逃脱的、平等的。年、节日就是提醒你回来回来再回来。孔子当年让他的几个学生都谈谈他们的理想，一个学生就说我愿意把一个国家治理好，一个说我能当好一个小司仪就行了，最后一个叫曾皙的学生说，我的理想是有三五个朋友去郊外踏春，看草长莺飞，听清泉淙淙。孔子说，我和你的理想一样。为什么孔子会同意后者呢？其实后者就是说生命是需要回归的，是需要打量的，是需要享受的。世俗当然重要，事业当然重要，但是我们需要特定的时候回来打量一下自己，打量一下生命，放松一下自己。

张　磊：而且我们一步步地回归和短时间精神上的静养，都是为了整装待发，更好地去走好世俗中的下一步。所以当你带着一种守岁的心态对待时间，对待光阴，对待工作，你肯定很敬业。你知道时光不再，黄金易得，韶光难留，就是这个意思，所以守岁就是让你感觉到时间的宝贵。

年夜饭不单单是为了吃

刘　净：就像刚才张磊提到的，老年人对年的理解可能要比我们年轻人更深一些。我们这个年龄的人对年的感觉已经很淡了，对年的认识已经很少了。我看到郭老师书里讲的，才知道原来年是这样过的，比如我们刚才说的贴春联，现在就已经有一些意味在改变了。那么，接下来的程序就应该是年夜饭了。您刚才讲的年夜饭那一刻很神圣，那个时候天、人、神是合一的，现在的年夜饭可能就不一样了。张磊家有没有在外面定过年夜饭？

张　磊：定过。

郭文斌：在外面吃年夜饭的感觉跟在家里肯定是不一样的。你可以想象一下，一族人在祠堂里，上面是自己的祖先，然后是祖先的牌位，后面是香桌、蜡烛。这一桌年夜饭意味着怀念，意味着一种祭祀，意味着一种汇报。所以这个年夜饭不单单是吃的问题，更多的是一种庆祝。在这个时候，普通的一碗米饭、一口菜，都是一个人神的中介。它是一个媒介，我们的祖先这会儿也在享用我们一年四季辛苦所得，天地众神也在享用我们的辛苦所得，这时我们的劳动就变成了一种奉献。快乐在什么地方？快乐在奉献当中。我们首先变成一种奉献，一桌饭就变成了一种象征。它既是物质的又是精神的，不同于我们现在在饭店包的一顿饭。

刘　净：现在甚至还有天价，像十九万八一顿的年夜饭，咱们宁夏最贵的是八万八。

郭文斌：我们小的时候做年糕的豆子都要精挑细选，品相不好的不能做年夜饭，所以那一天的枣子苹果这些干果都要精挑细选，不干净的品相不好的不用，甚至谐音不好的也不用。后来我看《论语》，为什么孔子说肉割不正他不吃，席子放不正他不坐，其实他表达的是一种敬畏、尊重。事实上最终讲的是一种感恩。我们要对天地万物带着一种敬畏感，这个文化这么一看，就是表达中国人特有的一种对大自然的感恩，对天地万物的感恩，对我们生命自身的一种无比珍重。所以我才说大年是中国文化的一出全本戏。如果你细细打量，里面中国传统文化的元素应有尽有。

到除夕第二天黎明的时候，我们都会到水井里面去打第一桶水，那天打上来的第一桶水的感觉很特别。你会发现水是新的，水也是被福气浸染的。所以那一天第一桶水打上来就要用非常干净的盆子盛上，然后去供奉祖先。院子里面正中有一个祭桌，上面有水，有瓜果，有香烛，是供给天官的。你会发现袅袅飘升的一缕香烟是一个载体，就像我们今天讲的信号一样，你会发现天地万物已经融为一体。

我理解的幸福是一种人神共在的状态，就是一种纯粹的灵魂回归。古人祭祀的时候都要用火，我认为火的状态就是灵魂的状态，火在木头里它是沉睡的，当木柴被点燃的时候灵魂就被唤醒。

刘　净：放在我们现在的社会当中，对每一个普通人来讲，能够学会每天有一点点的时间和自己的心灵对话，就是一种幸福。

郭文斌：所以我们要把每天变成节日，把每刻变成守岁。如果我们带着守岁的心情去度过每一天，那可能你能获得的幸福要比别人多得多。为此古人说，日日是好日，时时是好时，事事是好事。这个"好"，从守岁开始。

刘　净：郭老师讲了过去过年的很多形式很多内容，我觉得是一种特殊的意境，但为什么我们很多人现在感受不到了？除了天价年夜饭还有另外一种形式，我在想是不是对传统的一种让步，比如上海今年外请厨师特别火热。大家说传统的这种形式当然好，但我现在家里成员太多了，做饭特别累，一回来十好几口人，请一个好的厨师我一样在享受年夜饭，只不过是请别人来做。

郭文斌：我觉得请厨师做年夜饭，本身是对年夜饭的不恭敬。年夜饭不单单是为了吃，它的整个备料和制作过程就是一种奉献，就是表达一种心情，奉献、感恩、敬畏。在民间，我们腊八一过，特别是腊月二十三这一天要全家沐浴，古人把它叫斋戒，带着一种沐浴斋戒的心态去做这一顿饭。为什么呢？这一顿饭不仅仅是给我们家人吃的，我说过是人神共享。如果没有大地，没有雨水，没有空气，没有阳光，就没有五谷丰登。所以这一天，中国人特别是中华民族，用这一天来表达对天地的一种感恩，这是再自然不过的事情，也是最重要不过的事情。

我们的幸福从哪儿来？从天地的赏赐而来。我们没有阳光就没有办法生存，没有雨水就没有办法生存，没有大地就更不用说了。所以为什么说要守岁？因为没有天地对你的赐予，幸福无从谈起。我觉得这一天做年夜饭，本身就是年的一部分。像我说的一家人可能要去拣枣子，要挑核桃，要选配料，这个过程一家人都要在一块儿做，这一天都是一个奉献的过程。因此我觉得从外面请厨子做年夜饭已经变味儿了。那我们吃年夜饭的意义跟平常有什么区别？没区别了。

刘　净：它可能只保留了团聚的这一个意思，全家人要聚在一起，要坐得很全，所以这一点我也不赞成。

张　磊：其实现如今很多事情都变成了只保留形式，比方说压岁钱，比方说坐夜，其实失去守岁的根本了。还有过年穿新衣服，尤其这两年我感觉需求越来越淡了。

郭文斌：这是一件好事，为什么呢？说明社会的物质极大地丰富了，我们日子过好了，但是我有一个观点，物质的丰富跟幸福有关，但不是本质上的关联。过去当华灯初上的时候，一家人坐在一块儿，最年长的人给你压岁钱，它有一种意义，还是一种奖励。比如说这个孩子今年表现得特别优秀，给家族争了光，就多发一些奖励，这些压岁钱不单单是钱，它代表着一种赏赐和祝福。在过去物质比较匮乏的年代，新衣服当然是一种特殊的物质和特殊的快乐，但更重要的是在特定的日子里穿在身上的一种亲情。过去除夕夜一家人在祠堂里一坐，年夜饭吃完干吗呀？围炉而坐。听爷爷讲传统。

长者要讲祠堂里的这一位，曾给家族争得了什么光荣，为国争得了什么光荣，为这个民族争得了什么光荣，他作了什么巨大的贡献能在祠堂的这个位置，其实变成了一种教育。这一天不敢加入这个团队的是哪些人？作奸犯科的人。要是哪个孩子在祠堂里找不到自己的父亲肯定是最大的痛苦。为什么找不到父亲？无非是因为父亲做了有辱于这个家族的事情，他的爷爷或父亲被开除出族籍。这还是一种教育。

还比如说，吃完年夜饭之后，在子夜到来之前，一村子的人，它叫一社，要到庙里面去抢头香。这个场面也特别壮观，因为四面八方的灯火都向一个地方涌来。然后到土地庙上面，庙墙上全是对联，"保一社风调雨顺，佑八方国泰民安"，等等。中国人就是在这个地方展现自己的文化的。一村子人的鞭炮都在这个地方放响，一村子的人在这个地方手捧一炷檀香，等着子夜的到来。会长在看表，倒计时，随着子时那一刻到来，会长一声"磕头"，众人齐匍匐在那个地方感谢土地，所以它叫土地庙。土地庙是一个象征，是对大地对万物，对提供给我们物质保障的天地万物的一种感恩。

关于守岁的几点建议

张　磊：郭老师有过这样的生活经历，我和刘净我们这个年纪的人会听起来特别羡慕，而且这么一来，我们会觉得现如今的过年，尤其是除夕这一天，我们赋予精神上的东西实在太少，但精神上的东西也需要物质去承载。承载可不能凭空存在，如果让郭老师给我们现在的人提一些建议的话，我们年三十这一天应该做什么？

　　郭文斌：完全回归到原来的样子是不可能的。我有一个想法，第一如果我是全国政协委员，我就会提一个提案，把春节晚会放到腊月二十九或大年初一，把除夕晚上留出来。不管人们以什么方式，让他先躲开春晚这四个小时，当这段时间空出来的时候，大家肯定会在这一段时间，围炉而坐，把酒话桑麻。

　　张　磊：其实我觉得打打麻将也比看春晚好，亲情会更浓一些。

　　郭文斌：打麻将你是跟亲人在打麻将，麻将成为一种交流的载体，所以在《大年》里我也写过，大年初一一家人打牌，有一种特别的快乐。为什么快乐？因为是一家人，所以赢了也无所谓，输了也无所谓，打牌仅仅是一家人坐在一起的一个载体。

　　张　磊：而且还边打边拉家常。

　　郭文斌：不像豪赌，神经要特别紧张，它的价值在于目的。

春节这一天一家人在打牌，仅仅是一种方式，跟吃年夜饭一样。

张　磊：不看春晚去打牌这是一个建议，还有什么好建议？

郭文斌：还有一个重要的建议就是倡导大家回老家过年。大家在城里已经奔波了一年，只有回到老家才能找到年味儿。我说过，有娘在的地方就有故乡，我们还可以说有娘在的地方就有年味儿。因为大年本来就是乡土之树上结出的果实，本身就是一个乡土的节日。它不同于情人节和圣诞节，不同于城市所表达的节日，所以乡土的年是最原初的年。

张　磊：我们现在的年是形式还在，但精神已经不在了。我们要求的是与自己的内心与时间同在，而不是与赵本山同在。

郭文斌：对。守岁的关键词是"守"，"守"我说过，是一寸一寸地感受时间。中国古人讲究茶道，茶道的过程其实就是让你进入时间的过程。古人在喝茶的时候是不能喧哗的，它就是通过一种杯盏交替的特定仪式，让你进入时间。

张　磊：实际上茶道并非茶之道，而是以茶悟道。

郭文斌：对。它的目的是道，茶是一个载体，和守岁一样，

362

是让你进入时间，因此我说春晚是一种打扰。

人是一种趋快乐的动物

刘　净：您觉得我们现在过年的形式和方式，哪些是对过年的一种延伸？哪些是传统对现代文明一种合理的让步？哪些是一种扭曲？

郭文斌：我个人的理解，现在我们通常看到的守岁的方式已经与传统大相径庭了。如果说还有什么一致的地方，那就是时间是共同的，心情是共同的，团圆的主题是共同的，体会亲情的主题是共同的，但庆祝的成分已经丧失了，盛大的祭奠的成分已经丧失了，启迪人们灵魂的意义已经丧失了，教育传承的意义已经丧失了。

过去大年初一，我们要挨家挨户去拜年，哪怕你是仇人，平常恶语相加，但那一天你必须走进你的仇人家，在他的祖先的牌位前上一炷香，不然全村人都会孤立你，所以那天当这一刻到来的时候两家自然言和。大家走村串户的过程是一种文化的展览，因为只有过年大家才把祖上留下来的很珍贵的字画挂出来。一伙人相约去拜年，每到一家，一炷香烟一上，一杯茶一端，然后指指点点地欣赏字画，谈论的全是人伦道德的话题，比如说"第一等好事只是读书，几百年人家无非积善"。长者讲，年轻人听，人活着的意义是什么，什么才是人间正道。"守身如执玉，积德胜遗金"，告诉你守身之难，告诉你做好事的价值比把万贯家财留给子孙更好。然后再讲祖先以前给老百姓做过哪些好事，有了什么伟大的创举，上了什么学校，拿了什么文凭。还有写这幅字的人，也要标明官职，有什么社会影响，有什么文脉贡献，受过什么国家奖励，只有是有大贡献的人，大家才会挂他的字，珍藏他的字。这对后生们是一种大鼓励大教育。

当这些都丧失的时候，年就只剩下一个外壳了。

张　磊：郭老师刚讲的是原先的拜年，似乎现在的拜年有点变味儿了，或者说附加的意义和原先有很大的区别。现在拜年很多成了一种手段，一种沟通感情的手段。甚至比方说领导家呀上级家呀，提上一些礼品，名为拜年，实为做一些其他的事。

郭文斌：今天的拜年与传统意义上的拜年有很大区别。今天的拜年更多的是具有社会学的意义、公关的意义，是带有公关动机的一种行为。而过去的拜年，一村的人出去拜年选的第一家人很重要。第一家必须是这个村子里辈分最高的，不是官最大势最大的。所以古典乡土的拜年是一村一族的人串起来，就像一个队伍一样，一起到最年长辈分最高的一家去拜年。它表达的是一种孝敬，是对长者对仁者的一种尊重。

这一天的拜年，即使在村子里最没有身份的人也不能落下，一家都不能落下，它表达的是一种平等。所以《朱子家训》里面讲"见富贵而生谄容者最可耻，遇贫穷而作骄态者贱莫甚"，其最终表达的是仁义孝义，它是一种文化的演绎。

现在很多东西被我们遗失了、忽略了、改变了。现在，生活在城市里的人应该如何把仅存的东西保留住,然后再升华，成了一个难题。韩国和日本现代文明非常发达，但这些古老的仪式都留下来了。日本人就是再富有，但面对这些很传统的节日时，他们仍是以一种很古朴的心态去过的，到了年末春节的时候，举行的一些仪式，实际上是中国古代举行的一些仪式。他们认为我们能收获五谷，是谷神在掌载。所以这一天当第一料粮食打下来的时候要去感谢谷神。韩国也是。

刘　净：那么说我们传统的东西已经遗失了？

郭文斌：不会，还是可以恢复的。关键看政府去不去倡导，如果倡导是绝对会恢复的，现在政府用法定假日的形式鼓励大家过传统节日，就是一个很好的措施。

张　磊：日本、韩国的做法给咱们提供了一个鲜活的范例。

郭文斌：现代文明的发展和传统文化的保留是完全不冲突的。现代性肯定不是反传统的一个理由，因为人本质上是追求快乐的一个生命体,当人能够在传统文化传统节日中找到比现代节日和现代性更多的幸福和快乐的时候,人肯定会走向传统。只要政府去倡导,只要全社会去呼吁,只要尝试着在传统中品尝快乐,传统节日就会到来。文化不会衰落,传统节日也不会衰落,关键是我们政府、我们全社会,需要从传统节日中去开发,去唤醒人们遗失的那一部分幸福,因为它本身是一种巨大的享受。只要人们品尝到那种幸福,就像古人说的"曾经沧海难为水",当他品尝到充分的幸福和快乐的时候,他就会去追求,像趋光的动物一样,人是一种趋快乐的动物。

刘　净:为什么每年有春运高峰?因为每个人都有回家过年的愿望。但为什么会有《常回家看看》这首歌的产生?

郭文斌:《常回家看看》充分说明我们平常是不常回家的,家庭和家族是中国人对世界文明的贡献。现在西方人已经认识到中国古人的四世同堂五世同堂,是一种了不起的伦理贡献和享受。但现在我们趋于一种单元家庭、原子家庭,伦理的板块解构了,常回家看看成为一种呼唤,这也说明现在的伦理出现了问题。我们都有一种体会,当你打开门回到家里,看到爸爸妈妈在的时候,内心的那种踏实感和充实感,那是家的感觉。但现在我们打开家门,看到的是冰冷的沙发、电视,这是原子家庭必须付出的代价。

现在为什么有那么多人养宠物？就是为了给这种已经找不到的感觉找一个替偿。

　　张　磊：今天聊的这短短的三十分钟时间里，我觉得我和刘净进入了一种时间的状态，因为郭老师在讲述的时候其实也进入了一种思考，甚至可以说是一种回归。我们说每年的春节咱们都是一样地过，那么在看了这期节目以后，电视机前的您是不是也应该思考一下今年的除夕夜该怎么过呢？作为现代人，我们不可能让所有的传统一下子回归，但我们能像小时候学做家务一样从一点一滴做起，让今年的年味能够更传统一些。春节真的对我们每个人都太重要了，一个人从懂事开始，一生不过才过几十个这样的除夕之夜而已。放眼全世界、全人类，有哪一个节日能够让我们为之心神向往，能够让我们在那天陷入迷狂，能够让我们在那天有着无以复加的想要团圆、想要得到快乐的那种渴望？在中国来讲，只有春节。

（载于《黄河文学》2010 年第 2 期）

大年，引领我们回归生命本质

有一年，我因为跟宁夏电视台合作拍几集《我们的春节》这个节目，没有回家。那一年我一个人待在城里，我感觉我那个年就过得特别孤单，特别寂寞。我突然发现，过大年如果不回故乡，就像是结婚没有进洞房一样，好像没过过。

春节也好，大年也好，我个人理解，它是乡土中国的一种情结。我是从四个方面来理解大年给我们提供生命力的价值的。

感恩大年让我们在感恩中获得生命力

"腊"这个字的本意就是合祭百神。一年的收成下来，当五谷成熟之后，当我们一年平平安安地抵达了终点站之后，我们就要感恩。所以，中国人的感恩情结之所以隆重，是因为中国人懂得恩情。

中国人习惯通过感恩来回到本质地带。过年也是这样。

你看我们一族人在祠堂里面感祖先的恩；我们大年初一给长辈拜年，感长辈的恩；然后，大年初二给岳丈家拜年，感岳丈家的恩；接下来，给老师拜年，给亲戚拜年，感老师的恩，感亲戚的恩。所以，"感恩"在中国的大年这样一个盛大的节日里面，是重中之重。

你再看我们贴的那些对联，"三阳开泰从地起，五福临门自天来"，"从地起""自天来"这样一种逻辑关系直接告诉我们，我们的福气、我们的幸福是天地所赐，我们要感恩天地。"天增岁月人增寿，春满乾坤福满门"，你看，它的大前提是"天增岁月"，我们才能增寿，它的大前提是"春满乾坤"，我们才福气满门。所以，它的大前提是感恩。从腊八到正月二十三大年结束，在这整整的四十五天里面，感恩的话题一直在贯穿。

那些社火词也是明明白白的感恩词，感恩社神和火神。古人认为，如果没有社神没有火神，我们没办法获得生存的基本保障。再看到过大年的时候，在前七天，它有一个非常有意思的节日分配，大年初一是叫鸡日，大年初二是狗日，大年初三是猪日，初四是羊日，初五是牛日，初六是马日，初七才是人日，对不对？它为什么这么排列呢？非常有意思。为什么要把鸡放在第一天呢？鸡放在第一天，因为鸡象征着时间，鸡报晓。所以，人活着第一需要感恩的是时间。第二天是什么呢？狗。狗表达忠诚、坚守。只有把时间守住了，生命才有价值。第三天为什么给猪呢？猪把它的生命奉献给人们。过去人们养猪，相当多的人家是为了祭祀的，平常人们是不怎么吃肉的。第四为什么是羊呢？羊给人们提供温暖。第五天为什么要给牛呢？它给我们耕作。第六天，马，为我们运输。第七天才是人。对于前七天的这一个节日的分配上，我们看出来，这是我们古人表达的一种感恩。所以，感恩这样一个情结，贯穿在整个春节里面。

祈福大年让我们在祈福中获得生命力

大年说到底，它是一种祈福活动。古人认为没有四要素作保障的祈福，是没有效果的。哪四要素呢？古人认为，第一，要真改过；第二，真奉献；第三，真恭敬；第四，真感恩。

我小的时候也参与社火，社火里面有四个角色——四大
370 灵官，当那个角色把衣服穿上，脸打好，进入角色之后，一天都是不能说话的，不能动私心杂念。行头上身，脸一打，脸谱一画，你已经不是一个普通的人，而是一个人神中介。这样的仪式你参与了之后，会体会到什么叫祈福。而且，祈福在天人合一的情况下才会有效果。《了凡四训》里面讲："凡祈天立命，都要从无思无虑处感格。"我们会想到，在一些

盛大的仪式过程中我们要静默，一切仪式无非都是把我们带到一种天人合一的状态。我的理解，鞭炮在春节中的存在也是为了祈福。你看，啪，那么一声，那一刻我们在一种无思无虑的状态，就是在愣神儿的状态。

我小时候经历的元宵节点荞麦灯，那个经历太深刻了。我在长篇小说《农历》里面写过一章。当一桌子的荞麦灯一盏一盏地点燃的时候，父亲告诉我，那一刻你不能动俗念。那么，人在那一刻应该怎么做呢？他说，你只是看着那个，那个火苗是怎么存在的，看着那个荞麦灯捻上的那个灯花是怎么结起来的就行。我们就看，看着看着，就有了一种体会，自己仿佛进入了"火"里面，进入了另一个世界。我觉得那一刻，人的生命状态，真是神如止水，一念不起。

我们小的时候过大年，老人讲要"断三恶"。恶的念头不能起，恶的言语不能有，恶的行为不能有，整整四十五天。要是说了一句不吉祥的话，那是要挨板子的，动了一个不吉祥的念头，也是不吉祥的，更不要说做不吉祥的事情了。你想，四十五天一个人能把"三恶"断掉，那是多么吉祥如意啊。

祈福在整个春节里面，大年三十的祭祖是祈福，唱大戏是祈福，耍社火是祈福，贴春联是祈福，拜大年更是祈福。

和合大年让我们在和合中获得生命力

大年给我们提供了富有生命力的支撑，我个人认为这个"支撑"是和合。"和"是和气的"和"，"合"是合作的"合"。古人把和合直接定为二仙——"和合二仙"。过春节，你会体会到古人讲的四句话："与日月合其明，与四时合其序，与天地合其德，与鬼神合其吉凶。"就是跟什么都要合上去，不能分。

孔老夫子讲的"一"也好，古人讲的"天人合一"也好，这一切都是让我们要回到一种"都一样"的生命状态，也就是说天地间所有生命从本质上来讲都一样。这非常明显，因为中国人过大年的时候，把所有的生物，动物也好，植物也好，都纳入一个平等的祝福行列。在这个经典的传统的春节仪式里面，我们会看得很清楚，不但要给人过大年，还要给我们现在认为的似乎是不存在的生命状态过大年。我们小的时候，只要一进入大年，每天吃饭的时候先要在大门外面放一碗饭，传统年俗认为这个宇宙中，还有一个我们看不见的生命的世界，也在过大年。除夕的下午，家家户户要去上坟，有祠堂的人当然就直接进入祠堂，没有祠堂的人要上坟，把祖先请回来，牌位一写一贴，才进入正式的守岁。

为什么大年大家一定要坐在那个团圆的桌子上，才算是真正的过大年呢？那不单单是一桌饭的问题，那是一个家庭的圆满程度、和气程度、团结程度。为什么要吃饺子呢？饺子就是合，各样的合到一块儿。"和合"这两个字在我们的"年文化"里面是重中之重。通过"和合"走进我们生命的本质地带，这是"年文化"秘密中的秘密，这是我个人在写《农历》的时候感悟到的。

教育大年让我们在教育中获得生命力

年给我们提供的生命力其实就是教育和传承。大年从腊八开始，到元宵节结束，或者到腊月二十三燎干节结束，整个过程都是在教育。那一副副对联就是教育，"要好儿孙必读书，欲高门第须为善"，你看，直接告诉儿孙，福气、幸福从哪里来，要行善，要读书。所以，过去这些对联，事实上每一句都是类似于一种家训的劝诫。《周易》讲了一个核心理念——"积善之家，必有余庆，积不善之家，必有余殃"，这样的一个核心理念演绎成了各种各样的对联、戏词在春节上演。所以，整个春节就是在教育。

大年从一定意义上来讲，就是让我们连根养根的。所以，过大年的时候一定要回到故乡。回不到故乡，至少要回到母亲的身旁。我记得小的时候有一次过年，我骂了我哥哥一句，在这一句话里面带了一句比较不吉祥的话，我父亲把我狠狠地揍了一顿。那一次教训太深刻了，从那之后我就知道，一进入大年那些不吉祥的话是不能从嘴里出来的。所以，一到大年人是带着什么样的状态过的呢？战战兢兢，如履薄冰。这其实是对小孩子的一种自我管理的教育。你想，他经过三四十天的自我管理，将来的一年他会自我管理。

所以说，大年是中国文化的全本戏；大年是中国人准宗教性质的一种系统；大年是中国人基因性的活动总集；大年是中国人的不可或缺的、赖以繁衍生息的精神暖床。确实是这样。

结束语

当我们在以上四个方面有了初步体会之后，就会体会到古人讲的"普天同庆"的感觉。我小的时候确实能够体会到那种"普天同庆"的氛围，那一种欢乐、那一种幸福，在我以后所谓追逐的各种幸福的道路上，我再没有体会过。就是说，它是一种生命根部的幸福状态，它跟我们的奋斗没关系，跟我们的追逐没关系，跟我们所谓的成功、荣誉这些没关系，它是只要我们一脚迈到了生命的本质地带，通过这些仪式，它就在那里。

（载于《新消息报》2015.2.13）

从"星空端午"到"人格端午"

韩春萍：端午作为古老的传统节日，有说是源于纪念屈原，有说是为了纪念伍子胥，有说是为了纪念曹娥，但我注意到，您对端午的由来，有不同的看法。

郭文斌：是。我这些年一直在讲，我同意端午的屈原说、伍子胥说、曹娥说，但这肯定不是端午的原始意义。

不同于西方，大多节日和重要人物的纪念相关，中华传统节日多是大自然的节律，有着深厚的天文学背景，是天文在人文中的诗性对应，是天人合一思想的节庆化，是古人趋吉避凶的时空制度。

比如端午节，就源自天象崇拜，由上古时代龙图腾祭祀演变而来。古人根据日月星辰的运行轨迹和位置，将黄道和赤道附近的区域分作二十八组星宿，俗称"二十八宿"，按东南西北四方各分为"七宿"，在东方的"角、亢、氐、房、心、尾、箕"组成一个龙形星象，即为"苍龙七宿"。

苍龙七宿的出没周期与一年四时一致。先天八卦和我们现在的地图正好相反，上为天为乾，下为地为坤，正南为先天八卦的乾位，即为"天"。仲夏午月午日，苍龙七宿运行至正南中，也就是乾的方位，是龙升天的日子。从《易经·乾卦》爻辞可见其一年四时的运行轨迹。

初九：潜龙，勿用。意思是：巨龙潜伏在水下，还不是施展才华的时机。

九二：见龙在田，利见大人。意思是：巨龙出现于田野，宜于见大人。

九三：君子终日乾乾，夕惕若，厉无咎。意思是：君子整天勤奋不懈，直到夜间还是警惕如白日，危险而无害。

九四：或跃在渊，无咎。意思是：或者腾跃上进或者退处在渊，没有危害。

九五：飞龙在天，利见大人。意思是：巨龙高飞于天，宜出现大人。

上九：亢龙有悔。意思是：巨龙高飞穷极，终将有悔。

仲夏端午苍龙运行至正南中天方位，对应乾卦第五爻"飞龙在天"，是龙星上升过程最佳的状态，所谓"九五之尊"。

故从下数第五爻称"九五"；九五之爻在上乾卦中居于中的位置，称"得中"，而且从总卦来看，它处于奇数的位置，阳爻处于奇位称"得正"，故九五爻既"得中"又"得正"，从其所处位置来看，就是大吉之位。信奉天文的先祖们这天自然要祭祀。

韩春萍：端午节俗后来逐渐褪去了图腾崇拜的神圣意义，与历史传说中的人物相结合，越来越具有世俗性，您觉得这种变化有什么积极意义吗？

郭文斌：屈原、伍子胥、曹娥三个人物故事，是忠和孝的典型，后人在天文内涵上加进去了忠孝文化，让端午这个节日具有了人格色彩和爱国精神，这是好事。但由"星空端午"变为"人格端午"，减弱了这个节日的天地精神，把人们投向浩瀚星群的视线转向人间。在屈原投江之前，中国人已经开始轰轰烈烈地过端午了，只不过是屈原选择了端午这天投江，用他的生命和一腔爱国热情附加给端午一个人格意象。如果能够把人们对端午的理解，从"人格"扩展到"天格"，也就是扩展到中华传统节日的"大自然节律"特性，将会锦上添花，也会使中华传统节日旨在调节天地人关系，旨在个体性和整体性交换能量，获得整体性关照这一特色，更加具有统一性。

韩春萍：如何获得整体性关照？

郭文斌：古人认为，个体生命也是小宇宙，和大宇宙具有同构性，二者如果能够很好地保持同频，其共振节律就和谐，和谐生健康，生康泰。比如，12个月，对应人体12大关节；365天，对应人体365个小关节；28条经络，对应28宿；人体70%的水，对应地球70%的水；等等。

古人的许多节日设计，就是维护这种共振性、和谐性，因此，古人过节是很真诚很虔敬的。在今天，我们从北斗导航中获得的方便，那种精准，可以帮助我们理解天文和人文关系在古人心目中的地位。在古人看来，如果我们的心足够诚，足够敬，也是可以像手机接收北斗卫星信号一样接受到宇宙天文信号的。《孝经》就讲，孝悌之至，通于神明，光于四海，无所不通。

万物生长靠太阳，而宇宙，不仅仅只有太阳。

韩春萍：听您这么一描述，感觉和宇宙星空联系的端午和伟大人格联系的端午各有魅力。那么，为什么"星空端午"渐渐被"人格端午"代替？

郭文斌：这有历史的原因，也有天文的神圣感逐渐被淡化的原因。就像二月二龙节，现在能从天象去理解的人，已经很少了。

韩春萍：您觉得天文的神圣感被淡化，有什么后果？

郭文斌：后果重大，最直接的后果是人的敬畏心、感恩心、谦德缺失。而人的敬畏心、感恩心、谦德缺失，会有什么结果，历次自然灾害已经告诉我们答案。

韩春萍：2020年是多灾多难的一年，大自然向人类敲响了警钟，在这个特殊的端午节，再读您的长篇小说《农历》，特别是"端午"一章，和当年的感觉大为不同。心想，人类如果像乔家上庄的人们那样生活，大地就会安宁许多，或许疫情就不会这么凶猛，如果每个地球人都接受的是五月、六月那样的教育，也许人类和自然的关系就会融洽许多。我注意到，《农历》中的"端午"一章，当年以短篇小说《吉祥如意》为名在《人民文学》发表，并且先后获得"人民文学奖""小说选刊奖""鲁迅文学奖"。请问，当初您为什么要以《吉祥如意》作为篇名？

郭文斌：这出于我对端午的理解。从拙著长篇小说《农历》中，我们可以看到，许多传统节日本身就是防疫设计，也是吉祥如意的方法论，有生存法，也有生活法，有行动法，更有心法。《吉祥如意》写的是五月和六月在端午的早晨上山采艾的故事，其中许多节俗，都是吉祥如意的蓝图，也是诗意生存的蓝图。按照我现在对端午的考证和理解，它可能更符合端午的原意。

韩春萍：今年，我看到不少人从驱疫避邪这个角度谈端午，是不是和今年全球暴发的疫情有关？

郭文斌：也许是。关于疫情暴发的原因，仁者见仁，智者见智，但有一点是肯定的，那就是我们和大自然的关系出现了问题。记得《农历》刚出版的时候，不少人认为写得太乌托邦，但今年，不少读者重提《农历》，和你的观点一样，西北师范大学等高校还召开了研讨会，专门进行了研讨。

韩春萍：如何才能让中华传统节日回到当年的气氛？

郭文斌：这个，我以前讲得比较多，关键要恢复节日的祝福性。今天，我还想谈谈，要想让中华传统节日回到当年的气氛，就要恢复农历也就是夏历的应用。因为中华传统节日是结在夏历这棵大树上的果实，如果只用阳历，有关月亮阴阳圆缺的节日就失去了它的历法依据，比如中秋，比如中元，比如元宵，比如寒节；如果只用阴历，那么和太阳运行对应的节日就失去了历法依据，比如二十四节气。阴阳合历人文化、节俗化后，会让人的认知方式、思维方式、行为方式更加注重阴阳平衡，也更加辩证、更加中道、更加注重整体性，当前人类更加需要这样的认知方式、思维方式和行为方式。

现代社会为什么会有人感到不快乐

——答《海南日报》魏如松先生问

问：《寻找安详》可以理解为一种探寻快乐的方法吗？

答：可以。《寻找安详》正是快乐学读本，它探讨的是根本快乐。

问：《寻找安详》一书中谈道："安详是一条离家最近的路。"你是基于什么考虑，提出这个观点的？

答：基于现代人无法治疗的痛苦。因为我发现天灾是因为自然失去了安详，人祸是因为人心失去了安详。

为此，我提出了安详学的概念，并尝试着进行了一些实践，人们的欢迎程度大大出乎我的意料，以至于十分密集的讲课邀请只能让我暂时停止创作。无论是机关还是学校，反馈来的信息是安详理论对人具有神奇的"改变"作用。以至于那些没有安排讲座的学校，学生家长强烈要求学校邀请，为的是让自己的孩子能够听到这堂关于安详的演说。一些有关安详的观点或被传媒摘引，或被人们作为短信互相转发。

让我惊喜的是，在安详的影响下，不少问题学生得以改变，不少问题家庭得以改变，不少心灵疾患得以痊愈。从此，每逢我们搞一些公益活动，那些从中受益的同志都会闻风前来做义工。正是这些出乎我意外的神奇"转变"，让我深深地感到，安详是一剂药。

另一方面，十多年来，自己一直在探索根本快乐，之前的许多路都没走通，直到找到安详，一直折磨我的身心疾患才迎刃而解。

问：现代社会，为什么会有人感到不快乐？

答：一是没有方向感，二是无"家"可归。

问：现代人最大的痛苦是什么？

答：焦虑。比如安全焦虑、财富焦虑、健康焦虑以及孩子的教育、就业焦虑，特别是归属焦虑。

问：安详可以应对这种危机吗？

答：实践证明可以。除过刚才给您谈的这些意外效果，《寻找安详》出版后格外受读者欢迎也说明了这一点。

只有我们让大地重新回到安详，让人心重新回到安详，和谐才有基础，才有前提。就是说，我们要从根上解决问题，要让大地回到"风调雨顺"，让人心回到"风调雨顺"，否则，我们的整个生命，整个社会，光灭火都忙不过来。

问：你心中，安详是一种什么样的状态？

答：安详是一种让快乐处在常态的状态，或者说是一种让快乐永远保持在"高潮"的状态。如果一种快乐它不能保持在常态，它不永恒，它还需要条件作保证，那就不是安详。

问：安详也分层次吗？

答：对。它是分层次的，我在拙著《寻找安详》里探讨过安详的不同层次。简单地说，它分为低度安详、中度安详、深度安详。低度安详还不稳定，还需要唤醒。中度安详已经自觉，但偶尔还有"断"的时候。深度安详意味着安详已经成为一种"习惯"，绵延不绝。其实"三度"安详只是一个方便的说法，细分起来需要不少篇章。

问：你觉得焦虑是怎么出现的？

答：因为安详的缺失，或者说是"根"的缺失。安详缺失经年，现在尤甚。现代人活在从未有过的"飘"之中，无根感之中。

在我看来，是四种飓风把现代人带离"根"，带离安详。一是泛滥的物质，二是泛滥的传媒，三是泛滥的速度，四是泛滥的欲望。泛滥的物质抢占了人们的精神，泛滥的传媒抢占了人们的眼睛，泛滥的速度抢占了人们的时间，泛滥的欲望抢占了人们的灵魂。这四者攻守同盟，狼狈为奸，陷套并设，圈人圈地，最后织就一个天罗地网，让天下无辜难以幸免，难以逃脱，难以挣脱。

四种飓风之所以能够得逞，一个十分重要的原因，就是安详的缺席。因为安详的缺失，人们一点儿免疫力都没有，一点办法都没有。就像一个被投进滚锅的鱼，除了在烈火沸水中挣扎，别无他法。烈火、沸水一般的焦虑成为远比艾滋病和癌症更让人们束手无策的集体疾患。

而消除这种焦虑的唯一办法就是回家。但是我们已经找不到回家的路。

《寻找安详》就是想给现代人指出一条回家的路，一条最近的路，一条能够让生活和回家并行不悖的路，一条不管你现在在任何方位，都可以随时切入的路，一条经过许多人证明无误的路，一条适合现代人的可操作的路。

安详既是一条回家的路，又是家本身。

问：我们寻找安详，方法是向外，还是向内？

答：既不向内，又不向外，就在"现场"，安详就在"现场"。这个"现场"，不同于我们通常说的那个"现场"。《寻找安详》一书中有相当多的文字是在探讨"现场"。从了解"现场"开始，而"现场感"，而"感现场"，而安详。

问：我们该如何做到长养安详之气？

答：这是一个系统工程，也是中华民族五千年文化的精髓所在。《寻找安详》中分七个章节探讨了这一问题。如果我们一定要给读者给出一个答案，那就是读安详的书，做安详的事。

公益不是安详，但可以帮助我们走近安详。近年来，我们坚持做公益，无论是教育公益，还是赈济公益。从中体会很多，也很微妙。就拿后者来说，汶川地震、西南旱灾，我们都第一时间献上了爱心，仅在文艺界，就募得几十万元汇往灾区。前天，青海玉树地震，我们又在当天发出《寻找安详》和《西夏》义卖的消息，带动大家为灾区献上一份爱心。参与的同志，无疑会从中体会到一种来自爱心开花结果洋溢出来的快乐，所以，每次我们搞活动，都会有那么多人自愿前来做义工。

"我做公益，因为我快乐"成了这个团队的口号，也成了这个团队迅速成长的动力。

（载于《海南日报》2010.4.19）

生命的本质是安详
——答济南时报郑连根先生问

问：我以前读过《弟子规》，可这次读了您的《〈弟子规〉到底说什么》后仍然觉得别开生面。您用一本书的篇幅解读古人这篇一千多字的文章，可见用力之深。那么，您最想通过这种解读告诉读者什么？

答：告诉读者生命的本质是安详，如果我们此生和安详错过，等于和生命错过。而《弟子规》，是先贤为我们找到的打开安详之门的最好钥匙之一。

问：这几年来，也有很多人提倡读诵《弟子规》，您的此次解读是否受这种潮流的影响？或者是，您想通过自己的解读校正现实中的某种偏差？

答：我对近些年推广《弟子规》的所有仁人志士充满敬意，无论效果如何，只要他们的动机是为了受众，都值得我们赞叹。但实事求是地讲，如果不把其中的大逻辑讲透，如果不帮读者找到可操作的把手，只是通过诵读，是解决不了社会病相的，甚至会发生学生在吟诵现场行窃的事件，这当然就会遭到人们的质疑和诟病。就这么一个小册子，是不可能应对社会危机的，有人甚至会认为推广者十分幼稚可笑。您讲得很对，希望读者看完本书，能够对《弟子规》生起真正的信心，希望推广者看完本书，受一些新的启示，为《弟子规》更加深入地植入大地深处服务社会尽一份绵薄之力。

问：我还发现，您解读《弟子规》时，调动了儒释道三家的思想资源，那您是否觉得儒释道三家思想有着共同的文化基座，或者是最大的"思想公约数"？

答：非常对。在我看来，儒释道都是服务于人生幸福的，他们是我们的三位亲人，一位是父亲，一位是母亲，一位也许是祖母，也许是姥姥，他们都想让我们生活得幸福美满，获得吉祥如意，如果说他们三家有一个最大的思想公约数，那就是爱，无条件的爱，也就是我这些年讲的安详。

问：用一本书的篇幅来解读《弟子规》，您怕不怕别人说您过度阐释？

答：恰恰相反，我觉得《弟子规》是讲不完的，如果细讲起来，应该是十几本书才是。因为它太伟大了，这个"伟大"，只有在你认真实践之后，才能体会。不说别的，单就"执虚器，如执盈，入虚室，如有人"一句，就可以写一本书。

问：除了对中国传统文化进行一般性的解读之外，您还提出了安详文化的概念。您能否解释一下什么是安详文化？现代人又该如何才能做到安详？

答：安详是生命的本质。它是快乐之根、喜悦之根、幸福之根，或者说是根本快乐、根本幸福、根本喜悦。为了让大家好理解，我常说它是一种不需要条件作保障的快乐，就是说，如果一个快乐，它还需要条件，就不是安详。比如，我渴了，得到一杯水，我快乐，这就不是安详。安详是有水我快乐，没有水我也快乐。可见，它是一种来自生命本身的快乐，一种只有向内求才能得到的快乐，一种反条件的快乐。它不同于我们通常意义上讲的来自欲望满足的快乐，来自服务的快乐，来自外在的快乐，它是我们生命本质的体，也是我们生命本质的用。打个比方，如果说生命是太阳，那么安详就是阳光，如果生命是月亮，那么安详就是月光。我这样讲，大家就会问，那还需要寻找吗？没错，它客观存在，它与生俱来，却因为我们没有"醒来"，因而感觉不到它，甚至可以说，正是因为它太简单了，我们即使看到它，也不愿意相信。

通常情况下，如果我讲，有水我快乐，没有水我也快乐，有人就会说，那怎么可能，没有水，我渴啊，事实上，它就是可能，只要我们找到安详。那么，如何才能找到安详？《弟子规》是一把很好的钥匙。只要我们愿意百分之百地落实《弟子规》，就能开发出这种快乐。但是我们要开发这种快乐，需要把傲慢放下，把偏见放下，把成见放下，把心灵调整到一种归零状态，然后像小孩子一样，从《弟子规》做起，就能得到。于此，我在书中有分享。

问：从您的书中了解到，您也不完全是一个书斋型的作家，在获得"鲁迅文学奖"之后，您更多地转向了社会公益事业，推广安详文化即是您的一种实践。您能否介绍一下推广安详文化的经过及感悟？

答：之所以提出"安详文化"并尝试着实践，是因为我看到这个社会灾难太多了，作为一个作家，就要思考这是为什么。最后，我得出一个结论：大地多灾是因为大地失去了和谐力，人类多难是因为人类失去了和谐力。那么，这个和谐力到底是什么？一个词跳出了我的脑海，它就是安详，然后寻找，有些心得，跟大家分享，很有效果。后来被受益者请到一些大型讲堂试讲，意外地受到了大家的欢迎，就从银川讲到全国各地，包括北大和清华。再后来，被中山图书馆的吕梅馆长推荐给中华书局，由祝安顺先生策划出版发行，同样受到读者欢迎，不到半年就重印三次，一些读者一买就是几百本送朋友，真是有些如饥似渴，可见人们心中非常缺这一块。意外的需求让我只能暂时放下创作，一边补课，一边深入实践。这个过程中，我发现《弟子规》和安详能够互相印证，互为方法论，就有了现在这本书。

问：您在《〈弟子规〉到底说什么》一书中提到过一位您的中学数学老师，您在上数学课的时候打瞌睡他"罚"您背古文。这位老师让人心生感动，您能否再多透露一下他的信息，如他现在生活得还好吗，是否已经退休，等等？

答：如果我们一定要在现实生活中找到一位安详的典型，他就是最好的一个。他现在仍然在我的家乡宁夏西吉县平峰中学教书，他是一个全才式的老师，也是一个全德式的老师。通常情况下，人们都拼命进城，他却相反，要求教育局把他从县城学校调到乡下，过一种且教且耕的生活。前年，我去学校看他，他在既是宿舍又是办公室又是厨房又是炭房又是自行车房的不到十平方米的屋子接待了我。如果换了别人，在这样的屋子接待学生可能会觉得非常不好意思，但我没有从他脸上看到一丝难为情，如果你留心他的目光，只有安详。当他拉开抽屉，拿出我在不同时期写给他的十几封信时，我的泪水再也止不住地流了下来，唯有这时，我才从他的目光中瞥到一丝慌乱。他的儿子考上大学，走时我主动把孩子叫到银川的家里住了一夜，第二天送他上火车时，给他五百元钱，却无论如何送不到他手中。他的拒绝方式，如果要找一个词来形容的话，还是安详。就是说，他们父子都生活在一种强大的灿烂的内心里，外在的物质世界根本影响不了他们，真是有些"水火不入"的感觉。

问：您曾说过："四种飓风把现代人带离家园：一是泛滥的欲望，二是泛滥的物质，三是泛滥的传媒，四是泛滥的速度。"可是，现在看来，这"四种飓风"似乎并没有减弱或停止的迹象，反倒有愈演愈烈的趋势。这该怎么办？

答：这正是让我不安详的地方。我真想有一个天大的嗓子，大喊一声，让狂奔的人们停下来，但是我没有；我真想是一个天大的交警，举起手中的黄牌，让狂奔的车停下来，但是我不是。那怎么办？我们唯一能够做的，就是先让自己停下来，然后再力所能及地影响一下有缘人，告诉他们真幸福其实就在此时，就在此地，就在我们的呼吸中、举手投足中、一言一行中、一餐一饮中。

（载于《济南时报》 2011.10.16）

《寻找安详》是快乐学

——答《渤海早报》如是先生问

问：您是在 2006 年提出"安详文化"的概念的，这是一时因为某件事情而带来的灵感，还是之前就有所感悟？这一概念的提出与您的生活经历有何联系？

答：说来话长，我在几本拙著的后记中陆续讲过安详文化的诞生过程，而《水随天去》《瑜伽》《睡在我们怀里的茶》《寻找丢失的眼睛》等小说本身就是这种寻找过程的文学化。之所以把它作为一个文化点提出来，是奢望着能够利益世道人心。

问：您是从文学方面，让我们在文字里找到了一种精神上的皈依感，可有些当代文学作品，恰恰让我们感到越来越迷茫。你认为"我们正好把文学给弄反了""时代积诟，文学难辞其咎""这是一个天大的误区"，那么怎样通过文字进入安详呢？

答：安详的文字本身就是安详。它既是通往风景的道路，又是风景本身；它既是花园的门，又是花园本身。正如你走进一望无际的大草原，大草原就既是道路又是风景。一旦到达安详地界，理事便为一体。这也就是古人为什么要特别强调"善护念"，为什么强调要把安详的熏习变为"日课"。就是说，对于安详的熏习，每天都不能落下，假如哪一天落下了，那么这一天就有可能走失，就有可能被污染，就有可能焦虑，就有可能迷茫，就有可能动怒伤肝，就有可能动情伤心，就有可能动气伤身，就有可能动手伤和，更有可能因安详的缺席而犯下让人终生遗憾的错误。

因此，安详文化不但是快乐学，还是"根本医学"，当然也是成功学。

问：有关你的一些报道里，说你在给一些公司职工作报告后，有许多人会一下子感到平和许多，也会更加敬业，把工作当成一种快乐。对于我们这些普通百姓，在这个浮躁的时代里，怎样才能内心平和，喜乐安然（假如我们不喜欢文学，只是在柴米油盐的市井生活中穿梭的小人物）？

答：安详文化正好适用于无法走进古典喜悦的人群，它试图为当代普通老百姓提供一个快乐准入，在最朴素最简单最平常的现场，体会生命最丰富的幸福。

安详文化是文学，但已超越了文学。安详文化正想告诉当代人，安详不在别处，安详正好在柴米油盐里，柴米油盐正好是安详着陆的地方，正好是安详的道具和道路，只要你从中学会转身，安详就在身后，甚至就在转身之间。

问：在你的一些关于中国传统文化，特别是节日文化的论述中，让人感到好像只有重新恢复过去的那一套礼仪过程，比如您提到的除夕安安静静地守岁，并建议国家把春晚改在初一，才会有一种安然自足的存在感，才能让我们平和愉悦地感受到自己的存在，但是也有人认为这是一种复古倒退行为。您怎么看待？

答：回家不是复古。就像阳光是照耀过我们祖先的，大地是养育过我们祖先的，现在，我唤醒人们享用阳光，重回大地，你能说这是复古吗？母爱是传统，有谁还能够在传统的母爱之外再创造一套新的母爱出来？地下饮用水是传统，有谁还能够在地下饮用水之外再创造一种新的饮用水出来？四季是传统，有谁还能够在春夏秋冬之外再创造出一套新的四季出来？

问：看过你的一些著作之后，有这样一种感受。古人特别讲究自省，显得很安然，而我们当代人却越来越看重自身以外的东西。比如"琢磨"这个词，在《诗经》中指一个贤人君子不断地提升自己，自我砥砺；而在当代社会这个词逐渐演变成对外在关系的思考，比如琢磨某某事，琢磨某某人，有的时候甚至成为了一个贬义词。您怎么看待这种现象?

答:如果一个人向外寻找幸福,生生世世也找不到幸福。现代人犯的一个最大的错误是本身就开着幸福的车子却满世界寻找幸福,最后把车子都开爆了,终究和幸福擦肩而过。

内者,入也;外者,远也。这是"内"和"外"的本意,也是古人对安详和幸福之门的暗示。

灵魂是一个经年的茶杯,"琢磨"是擦洗杯垢,让它洁净,从而回到本来的面目。快乐是一个尘封的明珠,向内即是,当下即是,放下即是,如果离开当下寻找幸福,犹如缘木求鱼。

问:最后,能不能对安详文化下一个具体的定义,或者说安详文化的灵魂是什么?

答:安详文化是快乐学,它启迪"根本快乐",旨在帮助现代人找回丢失的幸福,让人们在最朴素、最平常的生活中找到并体会生命最大的快乐。安详既是一个人的生命力表现,也是一个民族的生命力表现。安详文化的灵魂是回到"灵魂"本身,说到底是回到"种子快乐"本身。它是对人的终极关怀,因为它是一条离家最近的路。它的现实意义是服务于和谐社会构建,服务于提高人的"真正幸福"指数。拙著《寻找安详》中,有对安详内涵和外延的阐述。

(载于《渤海早报》2010.3.16)

从建设心灵"安居"到尝试破解中华民族史上最大的谜团

——答新华社宁夏分社负责人杜晓明先生问

杜晓明：新年伊始，就有两家国家级出版社重点推出你的著作。中华书局出版的文化散文读本《寻找安详》在全国热卖，人民文学出版社出版的长篇历史小说《西夏》一出版就获得好评，被社长管士光先生作为今年社里可圈可点的六部重点长篇在答《中华读书报》记者问时重点向读者推荐，同时上了凤凰网的十大好书榜，而且排名第五。有评论家称，这是一部不同于任何一部传统历史小说的长篇，因对人性密码的成功探索，又用了十分新颖的写作手法，读来格外震撼人心。请问，这种井喷式格局，是你有意安排，还是巧合？

郭文斌：这纯粹是巧合，前者是我近些年来关于快乐学的讲稿，后者是我和同事韩银梅的合著。

杜晓明：而且我发现这两本书都有特别的"填充"意义。《寻找安详》填充的是现代人因为价值多元而找不到北或者信仰危机带来的内心空洞，更为准确些说填充了社会转型时期终端价值观的空档，在人们最饥渴的时候送上了一杯可口的安详茶，在人们最疼痛的时候送上一剂有效的止痛药，在人们无家可归的时候给人们指出一条离家最近的路。《西夏》填充的则是史书中唯一缺席王朝的文学缺席。这两个"填充"决定了这两本书在中国文化史和文学史上的特殊地位。

我们先聊《寻找安详》。

我注意到，你2006年就提出安详学的概念，并且指出"安详是一条离家最近的路"。这真是一个十分新颖的提法。请问，你是基于什么考虑提出这个观点的？

郭文斌：打开每天的报纸、网站、电视，重要位置多被天灾人祸占着，触目惊心。而这些天灾人祸又以惊人的速度更新着，人们甚至来不及记住标题，就被新的天灾人祸顶掉。就连天灾人祸都是如此匆忙，如此席不暇暖，为什么？突然一天，我十分吃惊地发现，天灾是因为自然失去了安详，人祸是因为人心失去了安详。为此，2006年，我提出了安详学的概念，并尝试着进行了一些实践。人们的欢迎程度大大出乎我的意料，以致于十分密集的讲课邀请只能让我暂时停止创作。

无论是机关还是学校，反馈来的信息是：安详理论对人具有神奇的"改变"作用。许多没有安排讲座的学校学生家长强烈要求邀请我，为的是让自己的孩子能够听到这堂关于安详的演说。一些有关安详的观点或被传媒摘引，或被人们作为短信互相转发。

让我惊喜的是，在安详的影响下，不少问题学生得以改变，不少问题家庭得以改变，不少心灵疾患得以痊愈。从此，每逢我们搞一些公益活动，那些从中受益的同志都会闻风前来做义工。

另外，在我提出安详学之前，我个人的心灵也在痛苦地挣扎、漂泊。我在几本拙著的后记中陆续讲过寻找解脱的过程，小说《水随天去》《瑜伽》《睡在我们怀里的茶》《寻找丢失的眼睛》等本身就是这种寻找过程的文学化。之所以把它作为一个文化点提出来，是奢望着能够利益世道人心，能够给被焦虑折磨得痛不欲生的现代人提供一份清凉。而中华书局的祝安顺先生则给我来信说："我希望这本书能将您的安详立在时代的潮流中，犹如一尊铁锚，将这艘被物欲冲击得东倒西歪的大船定住！造福大众！"说实话，当时我还没有立下这么大的志向，也压根没有想到中华书局会这么看重这部书稿。

一个陷入致命焦虑中的笼中之鸟，出笼之后想回头打开更多的笼子；一个久困忧郁旱海的迷路之人，走出旱海后想把更多的迷路人带出旱海；一个被病苦所缚之人，解困之后会腾出手来去解开更多被缚的人……安详学的提出，可谓"人之常情"。

更巧的是，安详学的提出正好遇上国家构建和谐社会的大战略布局，这让安详学生逢其时，有了用武之地，有了报效国家的机会，可谓"天时地利"要让"人和"吧。

杜晓明：安详为什么能够应对社会危机？为什么如此被大家欢迎？

郭文斌：安详之所以能够应对社会危机，是出于对人，特别是现代人最大痛苦的体认。

杜晓明：你认为现代人最大的痛苦是什么？

郭文斌：说是焦虑，大概不会有人反对。

人们之所以疯狂地"得"，正是来自疯狂地"失"。人们发现，疯狂的"得"和疯狂的"失"是一对孪生兄妹。然而人们又找不到挽"失"的办法。人们发现，生命像一个破桶一样漏着，但是一点办法也没有。只好一边拼命挣钱，一边频频出入于医院，甚至司法机关，甚至刑狱；只好一边拼命逢场作戏，一边诅咒着真情不在，却又乐此不疲。美容院、健身中心、氧吧等如雨后春笋，千奇百怪的疾病亦如雨后春笋，才去了魑魅，又来了魍魉。

因为找不到一条回家的路，人们从未有过地慌乱和空虚。

为了填充这种慌乱和空虚，人们只有以加倍的速度来掩饰，只有以拼命的忙碌来掩饰，只有以财富的积累来掩饰。生命进入一个巨大的两难：要么被速度累垮，要么被焦虑击垮。最后，速度本身又成为一个焦虑。生命的高速公路上，残骸历历。

　　更有一种人，因为迷失日久，压根就不记得还有一个家，或者压根就不相信还有一个家，也不相信有一条回家的路。因此，他们以速度为家，以效率为家，以欲望的满足为家。利益的最大化成为他们生命的全部。为了这个利益最大化，不少人直至把车开到不择手段那个道上去。

　　请问，不择手段会给这个社会带来什么？又会给这个不择手段的人带来什么？

　　尽管大家都明白这是在沙漠上盖房子，在火上筑巢，知道这是蒸沙成饭，但是别无选择。就像人们知道当"爱"成为"做"出来的，那个"爱"已经成为机械制造，已经充满着汽油味、活塞味，充满着噪音、排污，但是人们又别无选择。因为人们已经没有时间进行一场经典的爱情，当然也就没有时间进行一场经典的爱。

　　就像有一次，我提议一位有钱的朋友去乡下看望一个孤儿。他说，我可以给你钱，但是我实在没有时间。没有谁愿意把车开出高速公路。再过一段时间，我们是否能够成功地完成一个经典的梦，都值得怀疑。谁都明白，要看风景就得先把车从高速公路上开下来，但是那个刹车已经失灵。由风景和速度而生的焦虑再度产生。

　　旅游业的兴盛正是这种焦虑的副产品，正是因为人们在平常的日子里看不到风景，在最近的心的花园里看不到风景，风景才成为一种饥渴。餐饮业的兴盛正是这种焦虑的副产品，吃已经不再是吃，而是满足人们的一种填充感。房地产业的兴盛正是这种焦虑的副产品，正是因为人们无家可归，才拼命地置家。

杜晓明："安详既是一条回家的路，又是家本身。"看来这个"家"才是真正的安居，是所有人都能住得起的，不需要建设部硬性承诺的。只要你愿意。难怪《新消息报》报道，有读者一次要买一百本送亲戚朋友，看来他是给亲戚朋友送"安居"。

郭文斌：社长的这个比喻好。等《寻找安详》再版时我建议出版社干脆改名为《寻找安居》。从"安详"到"安居"，真正到家了。

杜晓明：我注意到你们《黄河文学》的"三个倡导"，也看过不少你对文学的见解，应该说是对当代那些不负责任的文学和文化是一记棒喝，也是一种对文学和文化的重新定义，"呐喊"的味道很浓，责任感扑面。你认为文字和安详是一种什么关系呢？

郭文斌：安详的文字本身就是安详。它既是通往风景的道路，又是风景本身；它既是花园的门，又是花园本身。正如你走进一望无际的大草原，大草原就既是道路又是风景。

一旦到达安详地界，理事便为一体。

因此，安详不但是快乐学，还是"根本医学"，当然也是成功学。

安详是文学，但已超越了文学。安详正想告诉当代人，安详不在别处，安详正好在柴米油盐里，柴米油盐正好是安详着陆的地方，正好是安详的道具和道路，只要你从中学会转身，安详就在身后，甚至就在转身之间。

杜晓明：了解了你的安详学之后，发现这是一门关于幸福和快乐的学问。日前，温家宝总理在作政府工作报告时指出"让人民生活得更加幸福，更有尊严"，我在想，总理的这个心愿是不是又给安详学提供了更大的舞台？

郭文斌：对，非常对。安详是无上的幸福，也是无上的尊严。还是刚才那句话："当一个人内心存有安详，仅仅从一餐一饮、半丝半缕中，就可以感受到世界上最大的幸福。否则，即使他拥有世界，也可能和幸福无缘。"

因此，安详学既能给富人提供心灵着陆，又能给穷人提供心灵温暖。

中华民族的古传统是向"内"寻找幸福，因为幸福就是我们"本身"，只是我们已经习惯了向"外"看，那束天生的打量幸福的目光已经永久睡眠。正因为这种向"内"寻找幸福的文化，造就了中华民族五千年的辉煌和灿烂，也造就了中华民族五千年基本的社会的稳定和安宁。

杜晓明：如果某个大学要把安详学作为一门课程，你建议把它作为哲学开还是心理学开，还是文学开？

郭文斌：哈，这还没有细想过，三门齐开吧。

杜晓明：大家都知道，内蒙古有《狼图腾》，西藏有《格萨尔王》，宁夏一直没有相应的"地标性"的长篇问世，你创作长篇《西夏》，是否有填补这方面空白的考虑？

郭文斌：不排除这方面的考虑，我在博客中谈过我和同事韩银梅合著这部长篇的动机。每一次去西夏王陵，我都有一种强烈的负债感，觉得欠着它一笔巨债似的，同时又有一种宿命感，总觉得自己和那个一千年的时空有种神秘的契约似的。

多年来，脑际一直萦绕着一些问题：

一个和宋辽三分天下，与宋金三足鼎立的王朝，为什么独在史书中缺席？

一个雄踞西北对垒中原数世纪的强悍民族，为什么像雪一样融化得无影无踪？

一代天骄成吉思汗为什么要从种族和文化上彻底把西夏从历史长河中清除出去？

前期与北宋、辽平分秋色，中后期与南宋、金鼎足而立，被誉为"三分天下居其一，雄踞西北两百年"的西夏，似乎一夜间从地球上神秘地蒸发了，曾经不可一世的党项族再也踪迹难觅。关于西夏，无论是正史还是传说，千余年来鲜有言者，西夏给人们留下了数不清的谜。

有人认为，这是中华民族史上一个最大的谜团。

20世纪初，一大批西夏珍贵文物的出土，震惊了国内外学术界。昔日，由于西夏遗留实物很少，西夏文献资料极度缺乏，西夏学者屈指可数，连曾使用过几百年的西夏文也没有几个人能辨认了，西夏学几乎变成“绝学”。

数十年来，随着不少热心人的努力，西夏逐渐由“绝学”变“热学”，但是，却没有一部相应的长篇问世。作为生活在这片土地上的作家，我和同事韩银梅不揣浅陋，决心啃下这块硬骨头。

但这显然不是一件易事。

经过反复商议，我们准备给读者呈现一部细节的西夏、呼吸的西夏、有体温的西夏。

当一个历史上最神秘的王朝，连同它最神秘的土地、最神秘的皇帝、最神秘的军队、最神秘的文字、最神秘的女人、包括最神秘的鸟，通过《西夏》向我扑面而来时，我体会到了一种巨大的神秘力量，也首次体会到了“长篇”特有的命运感的巨大冲击，常常被其中的人物恨得咬牙切齿，也常常为那片流泪的土地热泪盈眶。

杜晓明：“细节的西夏，呼吸的西夏，有体温的西夏”，这个提法好。在你看来，西夏为什么会神秘地在地球上蒸发？

郭文斌：这正是我一直思索的问题。在写《西夏》的过程中，我在日记上写下这么几段话：

"一、历史之潮已逝，留下它耀眼的河床，让我们打量沉思，它的名字叫"文化"，它是一种方向，又是一个宿命，通过它，我们看到的却是中华民族本体的生命力，包括她的文化的合法性，这种合法性，决定了她本质上已经超越军事和谋略，军事或许可以占领地理，但它永远无法占领时间。

"二、这是一个占领人类文化最高点，向人类文化最高点坚决挺进的历史，也是一个不断暴露人性弱点的历史，在文化和人性之间，一个民族较量了数百年，最终是输是赢，后人难以定论。

"三、反同化和主动同化，反融合和主动融合，反沉默和主动沉默，既是西夏的悲凉，也是西夏的精彩。"

杜晓明：作为第一部完整地反映西夏的长篇小说，也是你自己的第一部长篇小说吧？你采取的是一种怎样的写作策略？

郭文斌：著名评论家郝雨在其论文《历史深处的人性密码》中说：

"一般的历史小说，往往偏重表现某一阶段社会历史的复杂进程，甚至意在揭示社会历史的普遍发展运演规律，或者起码也是要以历史为镜鉴，从而达到借古讽今或者以古喻今的目的。其核心要素是'史'，主体构架是'事'，一般很难格外超俗地深入到'人'。而郭文斌、韩银梅的长篇历史小说《西夏》，在主旨取向与表现意蕴上和那些传统历史小说有明显不同。从《西夏》当中你不只是能够读到人类历史表面上的那些残酷与血腥，爱恨与情仇，而且更可以从那无数轰轰烈烈、起起落落甚至血流滚滚的历史上的杀戮和征战中，透视出其场景背后的人性深处之动因。"

"《西夏》取材于遥遥一千年前西夏古国从兴至亡近两百年的漫漫长史。期间数次的王权更替、宫廷政变，以及与周边宋、辽、金等的杀伐激战，其描绘和展示出的历史图景不可谓不波澜壮阔，而小说所包含的真正的意味，却是在尽量揭示这些图景背后的人性真谛。而正是那些光怪陆离千姿百态的人性内在的图像和密码，使得这样的一部小说更能让人在阅读欣赏中感到特别的惊奇和震撼。"

我觉得他的这段话，讲得还是准确的，基本上概括了这部长篇的特点。

杜晓明：祝贺啊，如果我是一个读者，要你重点向我推荐两部书稿中的一部，你会向我推荐哪一部？

郭文斌：这真是一个难题。这要看你需要什么。《寻找安详》一看书名就知道，它是一部快乐学或者说幸福学读本。现在，它署的是我的名字，其实是被读者成就的一本书。当初我到全国宣讲安详，是因为读者太需要。现在它作为一本书流通，也是因为读者太需要。否则，中华书局是不会把目光投向我这个既没有上过"百家讲坛"又不是大学著名教授的"非著名"作家身上的。

而《西夏》，我们知道，它是历史上最神秘的王朝，也是史书中唯一的缺席者，单是历史故事本身，就非常有看头，更何况我们在写作的时候，还主动把它多维化，破解这个中华民族史上最大的谜团是一个方向，考量人的命运是一个方向，考究人的命运背后的那个"秘密"又是一个方向。

杜晓明：记得著名评论家雷达先生在你的小说集《大年》研讨会上说过这么一段话："读完郭文斌的小说让人大吃一惊。没想到还有这么美的短篇小说。没想到还有这么美、这么纯粹、这么含蓄、这么隽永、这么润物无声的小说。他的小说你要作理论上的概括可能不容易，但是你可以被陶醉。郭文斌的小说感动得我掉泪。郭文斌给我们提供了罕见的审美体验。郭文斌作品提供的美学价值，那种罕见的美，尤其值得我们珍视。"这么高的评价，我还真没发现雷达先生用在其他哪个作家身上。但是，恰恰在雷达先生讲完这番话之后，却不多见你发表作品，这是什么原因？你不觉得可惜吗？

郭文斌：当然可惜。我有一个写作计划，那就是想写一部"小说节日史"，从1998年就开始了，但是到现在还没有大的进展，一想起来心里就着急，但是很快我就会安详下来，因为安详的推广是现代人急需的。打个不恰当的比喻吧，就像一个大夫，同时有两个病号到诊所，一个是急症，动作慢一些就要死人，一个是慢症，这个大夫肯定先要就诊急症，尽管那个慢症早挂号。

杜晓明：我还在一个报道中看到，你在获得"鲁迅文学奖"之后，一反常规，没有借着获奖给你带来的良机及时创作，以获得高额稿酬，而是投身一系列公益活动中，而且大多活动都在全国引起了强烈反响，一些著名学者还撰文称，"郭文斌在重整散文的文化"。请问，这和你的安详学有没有关系？

郭文斌：真是要感谢"鲁奖"，它确实给我带来很大的声誉，也带来很大的人脉。我把它叫作"鲁奖效应"。怎么回答您的这个问题呢？这么说吧，之所以在"鲁奖"之后就投身公益事业，是因为我觉得借这个"鲁奖"效应实现我的公益理想比实现致富理想更快乐。我这样说大家可能会认为我在作秀，但事实确实是如此。什么是"公益"？越"公"越"益"。这个"益"不单单是指好处，还包含着巨大的快乐，快乐不在别处，快乐就在"公益"里，那里有一种从其他任何地方都找不到的大快乐。

还有一点，中国先贤们一直强调"知行合一"，如果不"行"，那么这个"知"就是"浮华"而已，它和你的人格没有关系，当然和你的生命也没有关系，它只是装在脑袋里的一些货物而已，它不能成为一个人的血液，更不会成为一个人的骨髓，更不会成为一个人的生命力。

因此，我在《寻找安详》的后记中写道：

"我要借本序一角深深地感谢，感谢那些在安详成长过程中给予过无微不至关怀的领导，鼎力支持的同道和家人，休戚与共的同事和团队；还要感谢一路把我送到文学最高殿堂的各位恩师，正是他们，让我拥有了一个以演说的方式行愿的资质，回报社会的资质。

"还要深深地感谢中华书局的副总编辑顾青先生，从安顺老师的口中，我得知了他对这本书的格外支持，连同为此书的出版付出巨大辛劳的编辑曹雅欣老师。

"还要深深地感谢我的朋友高以谨和中山图书馆的吕梅馆长，是她们把安详介绍到南国，接着又由吕梅馆长介绍给祝安顺老师。

"最后，我要深深地感谢安详。因为没有它，就没有我的今天。快乐主义富翁的排行榜上，就没有我的名字，当然也就没有这个书稿。"

（载于《黄河文学》2010.4）

乡愁：唤醒了人的感恩心和敬畏心

——《文艺报》记者徐健访郭文斌

由中宣部、住房和城乡建设部、国家新闻出版广电总局、国家文物局联合发起，中央电视台组织拍摄的大型纪录片《记住乡愁》今年走进第四季。从1月2日起，在中央电视台中文国际频道周一至周五晚八点播出，每晚推出一座古镇，讲述古镇里的传奇故事。该季延续第三季"一镇一神韵，一镇一味道"的创作理念，继续以古镇为题，集中展现各地古镇独具特色的历史人文风情。围绕"忠孝勤俭廉，仁义礼智信"等中华优秀传统文化精神，通过生动的故事化表达，解码中华文化，展现古镇优美和谐的自然环境、底蕴深厚的人文精神、丰富多彩的民风民俗、代代传承的优秀美德。该片播出以来，社会反响强烈。本报特邀该片策划、撰稿人之一的作家郭文斌，为"乡愁"释疑解惑，讲述"乡愁"背后的故事。

记　者：有人说，"记住乡愁"应该为"记住乡情"。在人们的潜意识中，"乡愁"总是和悲伤联系在一起。

郭文斌：在我看来，《记住乡愁》恰恰还原了"乡"和"愁"的本意。"乡"在甲骨文中意为"相向对坐，共食一簋"，后来演进为"自己生长的地方"。"愁"从"秋"从"心"，"秋"表示"成熟的庄稼"，"把秋放在心上"的意思是"心里牵挂着成熟的庄稼"，引申为"心里牵挂着劳动的成果"。对于有五千多年历史的中华民族来说，"成熟的庄稼""劳动的成果"就是中华优秀传统文化。作为"中华优秀传统文化传承发展工程"重点项目，《记住乡愁》节目坚定文化自信，在弘扬优秀传统文化方面，发挥了引领示范作用，被誉为"弘扬社会主义核心价值观最接地气的精品力作"。

记　者：在你看来，《记住乡愁》的节目内容跟我们现在的生活有什么关系？

郭文斌：关系重大。因为《记住乡愁》展现的是中华民族两三千年最优秀的生存方式、生活方式，拍摄对象是村落、古镇的典范，是我们从中华大地上众多的村落、古镇里面选出来的。一个村落、一个古镇，它能保持一两千年的生命力，一个家族能够保持它长久的生机，肯定有值得后人借鉴、学习、效仿的地方。虽然说现在生活条件改变了，技术发达了，但是生存的一些基本常识、基本规律、内在密码、基因性的传承是不会变的，这就像两三千年之后，大地的生长性是不会变的，阳光的照耀性是不会变的，水的营养性是不会变的，空气的滋养性也是不会变的一样。《记住乡愁》对现代人意义重大，无论是对个人的幸福，个人的获得感、幸福感、安全感，还是对家庭的和谐、家风的传承、家道的建设，以及社会美德、公德建设和国家民族的发展，包括打造人类命运共同体，《记住乡愁》都给我们提供了很好的典范。

记　者：节目中有许多关于孝道的故事，有些年轻人看了会觉得是愚孝，你是如何看待孝道的?

郭文斌：我倒觉着《记住乡愁》里面的孝道故事，都没有愚孝的感觉。愚孝不论是古代还是在今天我们都是不提倡的。当然在过去强调孝道的年代，确实也出现了一些愚孝的现象，但是主流肯定没错，如果说主流错了，中华民族也不会维系五千年。《弟子规》讲："亲有过，谏使更，怡吾色，柔吾声。谏不入，悦复谏，号泣随，挞无怨。"当年曾子问孔子，说："敢问子从父之令，可谓孝乎?"孔子说："是何言与，是何言与。"孔子说，这是什么话，这是什么话。接着孔子就讲了一大段话："昔者天子有诤臣七人，虽无道，不失其天下；诸侯有诤臣五人，虽无道，不失其国；大夫有诤臣三人，虽无道，不失其家；士有诤友，则身不离于令名；父有诤子，则身不陷于不义；故当不义，则子不可以不争于父，臣不可以不诤于君；故当不义，则诤之。从父之令，又焉得为孝乎!"（《孝经》十五章）就是说天子也好，诸侯也好，大夫也好，士也好，还是父子之间也好，如果有人劝谏，有人给他讲真话，让他改过，他就不至于犯错，不至于失败。所以，孔子也反对愚忠愚孝。真正的孝敬应该像《了凡四训》里面讲的，能够做到"远思扬祖宗之德，近思盖父母之愆；上思报国之恩，下思造家之福；外思济人之急，内思闲己之邪"，意思是能把祖先的美名传扬，把祖先的美德继承下来，同时还能替祖先和父母改正错误，更正错误，挽回错误，挽回损失。所以古人绝对不是讲愚孝。

记　者：《记住乡愁》中有很多人在有成就之后回家乡发展造福地方，但现在古镇的年轻人外出打工追求梦想也可能在外安家，空巢老人的出现不可避免，你觉得这跟孝文化的传承是否背道而驰？

郭文斌：的确。《中庸》里面讲："夫孝者善继人之志，善述人之事者也。"在继承长辈的愿望，完成长辈的理想方面，现代人不如古人。在古代，如果说老人不同意孩子出去，孩子是绝对不会出去的。现在确实有许多空巢老人，他们之所以在晚年得不到孝养，有一个重要的原因，那就是人们颠倒了自己生活的方便跟老人生活的方便之间的先后次序。古人的一切生存、生活首先考虑的是老人，现代人可能考虑自己多一点，这是我们在对待幸福、对待人我利益之间的一种选择上的不同。

记　者：如何看待家庭与梦想的关系？家庭是对梦想的束缚吗？

郭文斌：这个不一定。因为家庭本身是梦想的一部分，一定意义上，家庭完美应该是人的第一梦想。假如说一个人的梦想实现了，但是家庭破碎了，后院起火了，那他的梦想也只是空中楼阁。在中国人看来，家庭是我们幸福的载体，古人有一句话，"满屋珍藏不及身心安泰，万千事业何如家室平安"，讲的就是这个道理。

记　者：古人制定了不少规矩流传至今，当我们强调守规矩的时候，是不是与提倡创新有矛盾？

郭文斌：守规矩不是限制事物的可能性。一定意义上讲，创新本身就是守规矩，因为创新之所以成功，说明事物本来可以那样存在，既然可以那样存在，那就是存在合法性，而遵守存在合法性就是根本意义上的守规矩。从辩证法角度来讲，没有规矩很难有创新，创新是在规矩基础上的超越。宇宙间总是有一些大规矩的，这些大规矩正好是创新的大前提。就像赛车，要赛出名次首先是在规矩前提下的突破，如果没有规矩的创新，可能意味着灾难。规矩是生命的大前提，正如人体，一切形体创新必须在心脏承受力的大前提下进行。创新是分层次的，比如说空间维度不同，创新的结果就会不同。即使是同一个维度，大前提不同，创新也会不同。就像足球场上的创新和篮球场上的创新肯定不一样。如果我们把足球场上的创新拿到篮球场上，那就是混乱。因此，守规矩是创新的前提。古人定的规矩，正是创新的大前提，正是为了更好的创新。

记　者：《记住乡愁》中出现最多的是祠堂、家谱、家训、家规，这些对当代人的意义何在？

郭文斌：祠堂和家谱是人的"有谱教育"，是熏陶，是提醒，是警戒，是激励，更重要的是，它能给人提供安全感，人一旦有了安全感，就不会在外面寻找寄托了，许多错误就会避免了。也就是说，它既是效率教育，更是安全性教育。

现在有人认为有了法律，就不需要家规和家训了。殊不知，法律是道德的底线，它不能代替家规和家训。因为家规和家训事实上已经上升到心性教育、道德教育的高度。我们知道法律只约束人的行为，不负责人的起心动念，但是任何行为都是由起心动念造成的，假如说人的起心动念错了，行为最终肯定也会错，所以遵守法律跟家规家训是两个层面。事实上如果没有家规和家训的底子，不少人就会铤而走险，就会钻法律的漏洞，最后就会有许许多多的人受到法律的制裁。

记　者：你如何看待家乡文化对当地人的影响？

郭文斌：《记住乡愁》播出之后，对当地人的影响巨大，比如有些人有意识地保护起老宅子了，有些人开始修家谱了，有些不打算结婚的人张罗着结婚了，因为他认为男女在人生中还有一个重要的使命，那就是要传宗接代，不单单说把自己的一生过完就完了。除此之外，《记住乡愁》还唤醒了人们对自然、对土地的保护意识，唤醒了人的感恩心和敬畏心，唤醒了人的爱国之情。

记　者：《记住乡愁》第四季的创新之处在哪里？

郭文斌：《记住乡愁》第四季在保留生活气息、泥土味、烟火味、人情味、故事感的同时，"新花样"不断，第三季增加了知名主持人出镜，在第四季，我们又增加了"名人还乡"等，丰富了表现形式。第四季首播收视比上季更高，位列全国第三，纪录片收视第一。

（载于《文艺报》2018.02.07）

寻访中国人的乡愁
——答党建网党建电视主持人王碧薇问

主持人:《记住乡愁》已经在元旦期间推出了第三季,那么跟前两季相比,它有哪一些不同的看点?

郭文斌:因为第三季它是古镇,那从它的内容上、框架上、故事上、类型上与第一季和第二季就不同了。古村落是以家族为主的故事单元,那么到古镇的话,天南海北的人都在这儿了,它是由不同的姓氏构成的这么一个社会单元。所以,就人和人之间的相处而言,古镇已经不是以家规祖训作为共同的理念基础和纽带,把人们凝聚在一起、让人们生活在一起了。

古镇的伦理方式变了,它更多的是一种工商文明,守约守契啊、义利有度啊、共商共赢啊,这些理念就成为重点。那么,如果说家族这个单元它有血缘关系,那么古镇上更多的是一种商业合作关系。就是说在一个家族单元里面,五世同堂啊一家其乐融融,这是可以理解的,是人之常情,但是如果是在一个古镇里,几千人处得其乐融融,没有对抗,没有纠纷,

417

那就更加能够证明我们传统文化的生命力。所以它对拍摄也提出了更大的挑战，在一个几千人的古镇里面要找到人选，和在一个几十人、上百人的村子里面相比，难度更大也更有传奇性。在第三季里面要拍历史文化名城，那就是乡村和城市的一个过渡地带，农耕文化跟现代文明的一个冲撞地带，所以它更有情感张力和故事张力。感觉现在已经是从小家往大家的这个方向在过渡了，那就是让人更加期待了。

主持人：在您看来《记住乡愁》它是从什么角度去切入，来为我们这么生动地展现乡愁的呢？

郭文斌：乡愁它确实是人的一个情感，怎么通过镜头语言来传达这确实是一个挑战。那么《记住乡愁》它找到的是中国最有群众基础、最有泥土气息也最有根基感的一个载体，那就是中国的古村落和古镇。这个"古"意味着它有历史，这个"古"意味着它很深厚，这个"古"意味着它是人们血液里的东西，所以它的大载体就是古村落、古镇。

进一步来说，村落、古镇找到的依托是中国的乡土故事，是古村落、古镇里面最有乡愁含量的那些细节，比如说风俗人情、世道人心，包括最能跟我们的记忆勾连的那些炊烟、鸡鸣、狗吠、家训、祠堂、家谱这些细节。它的核心部分其实就是传统文化里面能够让每一个人找到共鸣点的文化基因。

主持人：郭主席您可不可以给我们分享一个最让您感动的故事呢？

郭文斌：有一个刚刚完成的故事。在西藏的昌珠镇，有一个小伙子在田里劳作，突然发现一台拖拉机正在倒车且马上就要碾到一个小孩，他立马冲过去把那个孩子救了出来。救完这个小孩子之后，他就失去知觉了，等他醒来时他已经躺在医院里，而且残酷的事实摆在面前：他将永远失去一条腿。然而他没有任何抱怨，他说在这个时候，一条腿就显得不重要了，重要的是把这个小孩子救了下来。像这样的故事，在第一季和第二季里面还有。

在四川德胜村，两个孩子因为口角发生争执，动手了，一个孩子把另一个孩子的眼睛给打瞎了，肇事者当时就吓跑了，没想到这个受伤的小伙子不但没有抱怨，而且还去帮肇事者的妈妈种庄稼。后来记者问他怎么能做到这一点时，他说他也不是故意把我打瞎的，那么我如果记着仇恨，他不快乐我也不快乐，我现在把这个仇恨忘掉，他快乐我也快乐。

还有广西有个罗凤村，每天早晨，大家在上工的时候，把要卖的菜拿到市场悬挂在树上，在旁边放一个收钱的袋子，把菜标明价格人就走了，需要买的人去把菜拿上，主动地把钱放在那个钱兜里面，也走人，就是说卖家和买家是不见面的。一百年来，没有发生过谁多拿了菜，谁少给了钱的情况。

它们是我们中华大地上的真实存在，所以我一直在讲一个观点：把《记住乡愁》认认真真地看完，民族自信心的丧失者他会找到信心，文化虚无主义者他会找到真实感，道德悲观主义者他会找到乐观，迷茫无助者他会找到人生方向。

主持人：在前面的时候也提到了，《记住乡愁》纪录片是"弘扬社会主义核心价值观最接地气的一部精品力作"。我们说弘扬社会主义核心价值观其实是一个很宏大的主题，那么如何做到接地气？

郭文斌：我的理解是，在拍摄这些节目的时候，包括从踩点开始，节目组真的深进去了，进入了芬芳泥土的内部，进入了这些家长里短内部，进入了故事主人公生活的内部进行挖掘。主人公的生活是泥土的，那么节目就一定是泥土的。我也常常给编导组强调，细节细节再细节，就是一定要从大的故事框架里面进入细节。可能有一出节目，故事你忘了，情节你忘了，但细节记住了，那么，它就是一株一株庄稼、一朵一朵鲜花、一缕一缕炊烟，所以它肯定就是乡土的、是接地气的。我们拒绝假大空，只要是片子一上来是口号式的、宣传式的，那我们一般就会打回去，让重拍了。

在宁夏南长滩这个村子的时候，我们和编导一块下去，编导还用他原来的那种采访习惯，噼里啪啦几下发现采访不下去了——最主要的讲述人可以说是一种拒绝采访的状态。那在这种情况下怎么办呢？我就等，我就找他的情感点，最后我发现，他们那个村子里的每一个房间都是改造过的，但是他在那个屋子里摆的家具又是旧家具，我就觉得这个里面肯定有问题，有秘密。我就和他说，你屋子这么新，这家具这么旧，而且摆放的格式又很古典，是过去我知道的那种摆放方式。他一下子就眼泪汪汪的，咋回事呢？原来他的妈妈已经去世了，他妈妈生前，这个屋子里的家具就摆放成这个样子。他说他现在把家具仍然摆放成这个样子，是因为他一进这个屋子感觉他妈妈还在。由这个切入点，他开始给我们讲这个村上的故事，一下子有了一个口，然后还带着我们去采访另外一些村民。你看，这就打开了。

这些古村落、古镇已经被别的媒体拍摄过了，你要找到新的故事点是很难的。比如说同样是宁夏，有单家集这么一个村子，它是毛主席当年住过的地方。你想这是个红色主题，多少中外名记者都拍摄过了，那在这个点里面我们怎么找到乡愁？我们第一次去，没找到，然后第二次再去找，就找到了。怎么找的呢？就是把别的编导已经拍过的那些主题绕开，讲回汉团结。当年这个村上已经有四座清真寺了，但是汉族还没有一个寄托信仰的地方，那么回族群众便集资给汉族盖了一座关岳庙，由此我们就采访到了许许多多非常感人的回汉团结的故事，后来把我们的编导都看哭了，所以片子出来影响特别好。回汉之间的那种团结尊重，确实能让我们想到古人讲的大同社会的那种感觉，就是说求同尊异，把那个"尊"

字拍足了，就打动人。

主持人：当今社会存在一些低俗或者是媚俗的现象，《记住乡愁》就好像是一股清流一样洗涤了人们心里的那种焦虑啊，或者是沉积的一些灰尘之类的。我想知道咱们这部片子承载了哪些社会责任呢？

郭文斌：如果往大一点讲呢，它为我们打造人类命运共同体这样一个宏大理想提供了模板。你可以做一个简单的推理：一个村落几百人几千人，几百年来没有纠纷，没有对抗，其乐融融，那么把这个模式放大，这不就是人类命运共同体的模式吗？一个古镇上那么多的人，但是这个古镇上没有官司，没有仇杀，没有矛盾，没有对抗，即便有矛盾，也能通过一种很好的方式妥善地解决，那么这样的一个模式，放到今天不就是人类命运共同体的模板吗？这就像《大学》里面说的"君子不出家而成教于国"，就是说把一个家做好了，就是一个国啊。

主持人：今天郭文斌主席为我们分享了《记住乡愁》背后的故事，同时也为我们展示了中华传统文化的博大精深和源远流长。感谢大家收看本期节目，我们下期再见！

(党建网党建电视 2017.2.20)

不要躺在金山上讨饭吃

——答《农村大众报》刘秀平先生问

问：您在《乡愁》系列中，找到您心中的美丽乡村了吗？它是什么样子的？

答：《记住乡愁》2015年、2016年已经播出120集，现在央视中文国际频道每晚八点黄金时间正在播出第三季60集，观众在这180集节目中看到的乡村和古镇状态，就是我心中的美丽乡村和古镇的样子。当然，在我想象的世界中，更为理想的古村古镇，应该是我在长篇小说《农历》中描写的那个乔家上庄的样子。

问：按冯骥才先生的调查统计，随着城镇化进程的加速，全国平均三天就有一个传统村落消亡，在这样的情况下，我们靠啥留住乡愁？

答：冯先生说得没错，在全国平均三天就有一个传统村落消亡的情况下，我们要留住乡愁，既要在实体层面上做文章，同时也要在文本层面上做文章。实体方面，我们要引导人们认识到乡村生活的优越性，比如，大自然比城市对人更具有滋养性，少辐射、少污染、少纷扰，安详、宁静，精神压力小。在180集节目中，我们看到不少人在城市打拼一番后，最终回到乡村，过起现代版的桃花源生活。可以预见，随着雾霾肆虐和城市病加剧，还会有更多的人放弃大城市工作生活的计划，到乡村去发展。还有，新农村土地政策的出台，也会鼓励一些人回到乡村生活。

　　文本层面，我们要留住乡愁，就要通过传统和现代媒介，打造记忆版的乡村和古镇。《诗经》里描写的实体不存在了，但是只要《诗经》在，和那些实体对应的"乡愁"就还在。每个人都无法活千秋万代，但是他的精神可以千秋万代。物质世界无常，这是宇宙规律，精神世界有常，也是宇宙规律。因物质无常而珍重精神有常，以此引导人们放下过度的欲望，怀着一种生命珍重感，过一种安详、利他、和谐的生活，正是《记住乡愁》的初衷之一。

　　问：您在文章中说"传统文化是我们的宝"，它珍贵在什么地方？

　　答：我从正反两方面回答您的这一问题。正面，传统文化是我们的精神上的空气、阳光、大地、水、庄稼，没有它，我们就无法生活。《记住乡愁》180集节目证明了这一点。但凡兴旺发达的家族，莫不是在高效应用传统文化，遵循传统文化。反面，一个人、一个家庭、一个家族，包括一个民族，但凡反传统，我们会发现，都会出现灾难，180集节目中，有不少这样的例子。翻开历史，我们也会看到，但凡反传统的朝代，都是短命的。

近些年，我在全国做文艺志愿者，亲眼看到不少传统文化推广平台，为改良社会风气做出了巨大贡献。就拿银川来说，为了证明中国文化的生命力，我鼓励几位同学成立了一个"寻找安详小课堂"，用传统文化帮助人们解决问题，没想到效果非常好。在中华书局出版的拙著《醒来》中，收录了八位受益者的分享，他们或因阅读拙著《寻找安详》，或因参加小课堂学习，有重度抑郁症得到痊愈的，有浪子回头的，有深陷矛盾深渊的家庭变和谐的，等等，让人实实在在地感受到了传统文化的力量。

您肯定知道，贵报所在的齐鲁大地上，有不少比银川的寻找安详小课堂更成熟的传统文化平台，比如中国孔子基金会发起创办的孔子学堂在继"千堂行动"之后，向"万堂计划"迈进；比如被央视新闻联播报道的尼山书院；比如烟台的丰金书院，档案显示，在参加他们的课程学习之后，有一百多对离婚夫妻复婚；比如威海的"君子之风"建设，上央视，出国门，远播海外。

这一切，都非常有力地说明，传统文化确实是我们"宝"。

问：您认为，传统乡土文化的保护内容是什么？是建筑、生态，还是文化遗产？如果资源有限，先顾哪一头？

答：这三方面都很重要，如果资源有限，应该先保护灵魂性遗产，就是乡土文化的精神核心。就像一个人，如果他的精气神很好，有些小病痛终会修复，假如精气神没有了，再好的医生也无法让他生还。传统节日，如果它的祝福功能不丧失，即使生活再现代化，它也不会消亡；如果祝福功能没有了，无论我们如何去抢救它，也难以奏效。

问：今天各级政府及旅游部门都意识到传统村落对于旅游业的价值，那么对一些规模较大、保存较好、特色鲜明的村落的旅游开发，您有什么建议？

答：旅游开发是一把双刃剑，既有破坏性，又有建设性。破坏性是旅游开发一定会让传统村落变味，但品质较高的开发商，则会尽可能保持它的原味，尽可能保持它的原始审美结构，这样，倒会延长传统村落的寿命。因为延长传统村落的寿命就是延长开发商的利润，求利心恰恰起到了保护古村落的作用。因此，最关键的还是开发商的素质，最好让他先看看《记住乡愁》再开发。

问：对于生活在传统村落的居民来说，他们期待的是能够享受城市现代生活的便利，有能够维持有尊严的生活的经济收入，一味地保护是否会阻碍他们跟上现代社会的脚步？

答：跟上现代化的脚步和保护没有矛盾。老子讲得非常好："有无相生，难易相成，长短相形，高下相倾，音声相和，前后相随。"任何事物都是辩证性存在的。事实上，当保护做到极致时，就是最好的现代化；当现代化走入尽头时，就是最大的落伍。就目前的情况看，如果人类再不节制，地球村恐怕将不堪重负。如果拿方便对生命的价值和安全对生命的价值相比，人们肯定首先会选择安全。当一些城市已经没有生存安全感时，人们就会选择乡村。这时，保护乡村生活方式就成为真正意义上的现代化。

因此，近十年来，我在极力倡导人们过一种低碳、朴素、安详的生活，并且自己带头，也感染了不少同道。孔子基金会的常强等先生还撰文肯定这种生活方式，大家的共同目的，无非是为了给子孙后代多留一条活路。

问：您曾作为文化志愿者走遍祖国的大江南北，您是否思考过如何让中国的传统文化化入现代社会生活？

答：根据我这些年的实践经验，要想让传统文化化入现代生活，落实三个字就可以。

一是"利"字。就是让人们真正获得践行传统文化的利润。现代人是利润思维，那传统文化弘扬者就要适应这种思维，主动把"利润"送到受众中去。当一个人从传统文化中得到利润，他自然会推荐给亲朋好友。《了凡四训》这本书这些年之所以被人们普遍传诵，正是因为它正在讲传统文化的巨大利润。

二是"中"字。这个"中"有三层含义，一是最大公约数。就是在古和今、中和外、上和下、左和右、前和后、内和外寻找最大公约数。这种寻找过程，就是古人讲的走中道的过程。为此，要特别注意走出过度的复古误区、排外误区、反现代误区，要强调重精神实质，不要把传统文化和一些仪式完全画等号，一定的仪式是必要的，但是唯仪式化也会让人逆反。二是让人们向上寻找幸福。生命认同度越高，低层次的痛苦就越不起作用。就像一个追求精神质量的人，物质的失去已经不会太让他心痛了。生命是由很多层面构成的，比如我常常讲的"物我、身我、情我、德我、本我"。高一个层面，幸福指数就增加很多。一个不断追求超越"我"的生命层级的人，是不会因一件事想不开而放弃生命的。因为水路走不通时，他会走旱路，旱路走不通时，他会想办法乘飞机。三是让人们向内寻找幸福。要让人们明白，幸福、健康全是能量变的，而不是对象给的，既然是能量变的，那就不要在换对象中浪费生命，而要在提高生命能量上下功夫，如何提高生命能量，我在拙著《醒来》中有专门的章节介绍，大家有兴趣可参阅。

三是"行"字。传统文化要落地，弘扬者一定要知行合一，把健康、和气、安详、幸福的"利润"表演给大家看。同时，也要告诉大家，传统文化只有通过实践才能受益，因此，只学不做是永远不能产生效果的。关于如何"行"，我在拙著《寻找安详》《〈弟子规〉到底说什么》中有专章介绍，大家可参阅。

问：中国传统的乡村之美除了青山绿水原生态的秀丽之美外，还有守望相助纯朴的乡情的之美，您更看重哪一个？为什么？

答：这两者我都看重，事实上二者是统一的。古人认为，境由心造，如果心灵的水土流失了，环境的水土一定是保不住的。180集《记住乡愁》节目，也证明了这一点。当然，如果非要在二者中间找一个侧重点，我选择后者。因为有了乡情，即使没有乡秀，人们的精神世界仍然拥有温暖；假如只有乡秀，而没有乡情，再美的地方，也是冰冷的。这就像一个内心没有幸福感的人，他即使躺在金山银山上，也是痛苦的。

问：您作为央视大型记录片《记住乡愁》的文字统筹，在研究与创作过程中，发现了什么样的宝贵家底？该如何弘扬？

答：180集节目，给我最大的收获是，坚定了我的文化自信。对于中华传统文化，我一直是一个乐观主义者，我从来不怀疑它会过时。而参与《记住乡愁》的生产过程，更加坚定了这一点。就目前得到的确定规划信息，节目至少还要拍摄 120 集，这本身说明了传统文化不但没有过时，而且还得到了观众的追加"订货"。如果观众不需要，反馈信息不积极，投拍方早就鸣锣收兵了。从目前得到的数据看，前两季120 集创下了首播收视人数达 20 亿人次，重播加新媒体观众达 100 亿人次的纪录。现在，第三季正在中文国际频道热播，收视率稳定在 0.7 左右，足见人们对传统文化的渴望。

从权威评价来看，第二季已经摘得 2016 年度"金熊猫"国际纪录片最佳人文关怀奖、第 22 届中国电视纪录片系列片十优作品奖，说明专家层面的认可。作为纪录片，既能得到观众的认可，又能得到专家的认可，这是非常不容易的。

我是这样看待这份无比宝贵的"家底"的：这三季 180集节目，是电视人用三年心血编纂的新《四库全书》，筑就的新文化长城，开凿的新文化运河，修建的新文化航母，书写的新精神史诗，是中华文化的一次超常集成和空前博览，是中华民族精气神的跨时空汇聚，也是中华民族文脉的抢救性修复。相对于课堂式宣示、论坛式宣讲、文章式宣传，它更加生动、形象、鲜活、有温度、有情感、有大地泥土的芳香，有人间烟火的气味。通过一个个唯美的镜头，让我们看到了中华大地的好风水，感受到了华夏儿女的好风气。它无疑是中华文化优良性、生机性、合法性、不可替代性的最广泛、最基础、最深厚的展示，它让人们确信，中华文化完全可以为打造人类命运共同体这一宏伟历史性命题提供模板。

伴随着先祖们几千年的生存实践，中华文化的精髓早已融入人们的日常生活，成为中华儿女的另一片蓝天和大地，另一种阳光和空气，甚至日用而不觉。现在，编导们通过镜头将其生活化规模性重现，让人们反观到它的巨大价值，从心底升起对这种根性文化的深厚自信。

作为节目的文字统筹，两年来，我见证了这个拍摄制作团队是如何超负荷工作的，无论酷暑还是严寒，神州大地上，都闪动着他们寻根的身影；无论边关还是哨所，都洒下了他们探源的汗水。多少个假期，他们在剧组度过，多少个生日，他们在异乡举杯。想孩子了，看看视频，想老人了，打打电话，没有看到谁在敷衍，没有听到谁在抱怨。整个剧组时常处在一种攻坚状态。用制片人王海涛先生的话说，这是一次电视人的自愿长征，也是一次电视人的文化自觉，带着这种长征精神和文化自觉，他们走进第三季。

不同于第一、二季的古村落，第三季的内容是古镇。众所周知，古镇有商贸、戍边、大户聚居等主要成因，那就意味着选题拍摄更有挑战性。在欣赏了已经完成的节目后，我非常欣喜地发现，较之前两季，无论是内容，还是表现手法，本季都有许多新的突破。

既然是古镇，就有不同于古村落的许多看点。如果说第一、二季展现了农耕文明日出而作、日入而息、凿井而饮、耕田而食的天然之美，表现了父子有亲、兄友弟恭、夫唱妇随、长幼有序的伦常自觉，表达了资父事君、曰严与敬、孝当竭力、忠则尽命的职分自觉，讴歌了祸因恶积、福缘善庆、厚德载物、自强不息的生命自觉，那么，第三季则在继续深化前两季主题的基础上，侧重表现了建章立制、尊约守契、义利有度、合作共赢的工商文明，重点挖掘了传统文化中能够在当代有效传承、发展，能够充分融入当代人精神血液，为现代生活提供建设性精神营养的文化要素。

问：您在乡土中国的寻访中，发现了让您感到痛心的问题吗？该如何解决？

答：最痛心的是，如果打个比喻，就是我们躺在金山上讨饭吃。我们有这么好的精神营养，但我们却在四处寻找心灵蛋糕；我们有这么好的幸福建材，但我们却满世界找快乐之矿。因为忽略，所以错过；因为忽略，所以废弃；因为忽略，所以破坏。

解决办法也很简单，只要我们认真把这180集节目看一遍，哪怕看三分之一，我们就会知道真正的幸福学是什么，真正的健康学是什么，真正的成功学是什么。

432

（载于《大众日报 农村大众》2017.1.16）

《记住乡愁》：让优秀传统文化活在当下

——答《新消息报》记者倪会智女士问

问：记住乡愁第二季和第一季有什么不同？第二季的村落里，有哪些让您难忘的故事和细节？

答：百集大型纪录片《记住乡愁》第二季仍以"关注古老村落状态，讲述中国乡土故事，重温世代相传祖训，寻找传统文化基因"为节目宗旨，以中国传统村落为主要拍摄对象，共选取了60个中国传统村落里的相关故事。纪录片采用纪实手法进行拍摄，展现了古老智慧与当代社会的融合，真实再现了当今中国人民自强不息、拼搏奋发、勇敢顽强、积极进取的时代精神；围绕"忠孝勤俭廉，仁义礼智信"等中华民族优秀传统美德，讲述了在民间流传了千百年的动人故事。这些沉淀深厚的家族历史、祖训族约、民间风俗，延续了中国悠久的文化底蕴和根源流脉。纪录片中真实人物的命运和选择，彰显出朴素的道德准则和价值追求，体现了中华民族厚德载物、自强不息的民族精神，反映出优秀传统文化活在当下的时代价值。

在《记住乡愁》第二季拍摄的节目中，有自强不息、靠双手打造出路的河南省郭亮村、福建省南岩村、福建省青礁村；有清正廉洁、忠义传家的福建省廉村、江西省吉安村、安徽省许村；有友好互助、邻里和睦的浙江省三门源村、广西壮族自治区高定村、云南省芒景村；有常怀感恩之心、民族团结的西藏吞达村、宁夏单家集村、云南省勐景来村；有珍爱自然、和谐共生的贵州省占里村、广西壮族自治区门头村、海南省草堂村等；有仁爱孝德、诚信勤俭的湖北省大余湾村、江西省汪口村、河北省西古堡村；有崇文重教、尚学育人的广西省金圭塘村、福建省洪坑村、河南省张店村等。节目通过展现传统村落优美和谐的自然环境、布局合理的人文景观、丰富多彩的民风民俗、独具特色的乡土之物、深沉丰厚的文化积淀、传承千百年的村规民约和家风祖训，唤起海内外华人的家乡记忆，把一份份对家乡的乡愁升华为对中华民族优秀传统文化继承的共同情感。

　　在《记住乡愁》第一季和第二季共120集所拍摄的村落中，涵盖了包括台湾、香港在内的32个省、市、自治区和特别行政区，共涉及蒙古族、藏族、回族、彝族、羌族、苗族、赫哲族、鄂温克族、撒拉族、土家族、侗族、瑶族、白族、傣族、纳西族、布朗族共16个少数民族的相关节目。为完成该节目的拍摄制作，中央电视台共投入40多个摄制组奔赴全国各地采访拍摄，福建、山东、江苏、四川、山西、广西、贵州、江西、河南、湖北 10 个省级卫视也组织专门力量参与部分节目的摄制。

问：宁夏的两个村落的采拍中，您印象比较深的是什么？

答：宁夏的两个村落，从乡愁的基本形态上讲，可以说它们都不达标，但拍出来的效果，却是第二季里的佼佼者，特别是单家集，被精选上一套播出应该没有问题，南长滩也很有希望。这也给项目的负责同志以启示，就是说，硬件的形态固然重要，但内在的精神更重要。单家集回汉民族的团结有一种打动人心的温暖。当时采点的时候，单北村委会主任单云平给我印象特别深。作为一位回族干部，他对汉族的尊重，是那么自然、由衷、大气，这种自然、由衷、大气，让他的讲述特别从容、优雅和高贵。从他的语言中，包括语气中，你感受不到分别心。我在想，如果国际社会上，人人都有他的这种民族气度，人类将会更美好。当时，我就是从这个角度给两位编导力荐的。事实上，第一天采访下来，和前几个村子一样，两位编导觉得在形态上仍然不达标，如果拍出来，将和整个节目风格不协调，但是在回县城的路上，我还是给他们讲了这个题材的价值。

说来也巧，正在讲时接到自治区党委宣传部文艺处负责同志的电话，让我赶回银川参加我的长篇小说《农历》投拍电影有关资助项目的会议申述，这笔资金将直接决定电影是否能够投拍，当时心理斗争了一番，最后还是决定留下继续争取单家集进入《记住乡愁》第二季的拍摄计划。晚上，两位编导终于决定第二天返回继续采访。躺在床上，我一边为没能回银参加申述遗憾，一边又觉得自己留下来特别有意义，因为这个片子太重要了，具有非常强烈的启示价值。第二天，像是有一种伟大的力量帮助似的，编导们从几位采访对象身上挖掘了很多故事。最终，两位编导决定申报选题。那一刻，我在心里向他们致敬，为他们的大气魄点赞。

南长滩的采点有些戏剧性，第一轮的常规性采访事实上失败了，因为村里最具讲述能力的拓兆柏校长对世风日下人心不古情绪强烈，很难进入。但这是七个备选村的最后一个点了，我希望奇迹能够发生，最好能给宁夏拍两集，于是就决定继续在他身上寻找突破点。最后终于找到了，那就是亲情。当我把话题引导到母亲身上时，他的心扉被打开了。片子中讲了许多他母亲与众不同的教育细节，在此不表，单讲一个情节：

南长滩整个村子基本上都按农家乐改造过了，家家房子都是新的，但是在拓校长家，我发现屋内陈设和别人家不一样，全是当年的旧家具，桌子上安放着一位鹤发童颜的老人像。我就问他为什么不换家具，因为看起来和新房子不协调，不想校长说，他母亲活着时，用的就是这些家具，家具也是按现在这个样子摆放的，现在，他保持原样，每次进屋来，就觉得母亲还在，接着眼圈就红了。我看到，央视的两位编导也被深深打动了。接下来，他就带我们寻访了"有乡愁感"的人物，没想到每个人身上都非常有戏。

两个村子都动用了航拍，在我的印象中，它们是宁夏大地上的一绿一红，单家集以绿色调为主，南长滩以红色调为主，都非常美。特别是南长滩，家家户户屋顶上晾着红枣，在空中俯瞰，就像是一幅天然的老花格布，美得让人拍案。

这次采访给我印象深刻的，还有两位编导的原则性和吃苦精神，在他们心目中，只有艺术标准，没有其他想法。采点时正值盛夏，天特别热，但他们每到一个村，都要穷尽一切可能地进行挖掘，甚至晚上也都不顾劳累和我一起参加一些宁夏师范学院和"文学之乡"的文学活动，感受这片土地上的文化气质。后期拍摄和编辑中表现出来的敬业和谦虚精神，也让我深受教育。

问：乡愁在年底时节似乎颇具意味，谈谈春运吧。

答：春运是乡愁的发酵剂，也反证了《记住乡愁》这档大型纪录片的价值。第一季播出后，它的同名书在上海书博会上首发，没想到买书的人排成长龙，有些人一买就是十几本。我一边签一边和他们聊天，他们说，好久没有看到能让人心灵如此安宁的节目了。一位大学生说，记住乡愁，不但是记住故乡味儿，更重要的是让我们记住人味儿。一个社会，如果没有人味儿，再发达，你的心里也是恐怖的、飘泊的。是啊，只要乡愁在，就有人味儿在，只要人味儿在，亲情就会在，幸福就会在。

在我看来，春运正是中华民族人味儿的维持者，也是见证者。

为此，中华书局编辑在出版我的文集时，把散文卷的名字从《永远的堡子》改为《永远的乡愁》，我觉得非常好。

问：如何记住乡愁呢？我这个异乡人，觉得乡愁就是对老家的思念。也不知道为什么，每次回到老家，虽然很残破老旧，心里却分外宁静。也许哪天父母不在了，我也就回不去了。

答：你的这段文字让人有种掉泪的感觉。我常说，有娘在的地方就是故乡，父母不在了，那块土地上的魂就跟着去了。但从已经播放过的第一季和正在播的第二季节目来看，那些有生命力的家族，正在解决你提出的这个问题。为了让世世代代的子孙能够回去，能够感受到娘的味道，他们在不顾一切代价地留住祖宅、祠堂、家谱。在第二季中就有这么一集，一家人到了生活最困难的时候，有人出高价买祖宅，他们也不卖，一些祖宅，都已经几百年了，仍然被他们不断地修复，就是这个原因。

现代社会，人们之所以没有安全感，一个重要的原因就是你说的，人们回不去了，或者说是没有地方可回去了。没有祖宅，我们没有地方安放漂泊的身体，没有祠堂，我们没有地方安放漂泊的灵魂，人在潜意识里就有一种恐惧感。正是这种恐惧感，让人们拼命地抓钱、抓物、抓情，甚至有那么一些人不惜以付出生命为代价。

为了给中华民族甚至说给人类留下一个更大的精神故乡，节目组的同志们可以说是在拼命地工作。一天，说好九点在新台审片，制片人王海涛先生没有来，有人说他的血压有问题，我说好好睡一觉就好了，我和他住在同一楼，知道他好多天没有怎么好好睡觉了。但是一个小时后，他还是出现在了审片现场。一次审片休息时，执行总编导王峰给我讲，负责拍摄乡愁的编导，都带着一种神圣感在工作，除了拍摄乡愁，他们还要完成常规节目，因此许多同志都处在一种极限状态。但是，我发现，所有的编导们都在一种喜悦的状态中工作。正如策划人之一周密所言："其实《记住乡愁》的制作过程也是一次自身修行的过程，让人学会包容忍让、以德报怨，学会心平气和、淡泊明志，学会自强不息、锲而不舍，懂得慎独修身、读书明理，知道山外有山、人上有人，常存感恩敬畏之心，更加理解了中国知识分子的家国情怀：为天地立心，为生民立命，为往圣继绝学，为万世开太平。"

反过来，这种理解又推动他们不计辛苦地去干工作。

大家也许不知道，一部片子，仅编辑制作过程，就需要好多次打磨，审片，修改，修改，再审。一次，一部片子经审需要重拍，一位小姑娘都急哭了。王峰执行总编导又像母亲一样在那里哄，杨华就说，要不我就和她一块去拍吧，让我非常感动。

2015年的最后一个晚上，新年的钟声就要敲响时，制片人王海涛先生从外面买了几个菜，在工作现场请我们吃饭。当我们拿起筷子吃饭时，他又开始发微信了，那微信，写得情深意长，我才知道，他还牵挂着那些至今还在外地拍摄的编导们。那顿饭，他基本没有怎么吃。我们碰杯时，他给大家说："记得两年前，在赶制《中国年俗》现场，就和郭老师一起吃的小年夜饭，那时，我们怎么会想到，在当时看来有些天真的想为中华传统文化传承做些事情的梦想能够以记住乡愁的形式顺利展开！"我说："是啊，这既是天时，又是地利，还是人和。"

问：在城市里出生长大的人，有乡愁吗？

答：在城市里出生长大的人，当然也有乡愁，童年所在的地方，就是乡愁所在的地方。我从王海涛先生那里得知，中宣部对乡愁工程非常重视，已经作出明确部署，要继续拍摄第三季第四季，主要拍摄方向就是城市。

（载于《新消息报》2016.1.12）

乡愁，为心灵憩息寻片故土
——答《宁夏日报》记者尚陵彬问

春节来了，乡愁近了。乡愁是什么？是村口的那棵老槐树，是家里的那把老藤椅，是外婆做的那碗香喷喷的羊肉小揪面，还是与父母道别后偷偷流下的两行清泪？乡愁是一把打开故乡之门的钥匙，顺着乡愁的思绪，离家的游子总能找到回家的路，触及心底最柔软的部分。忆及乡愁，成长中每一处细微的风吹草动都会从心底悄悄泛起，没来由就会让人热泪盈眶。今天，我们寻找乡愁，不是为了重新回到那年那月、那时那地，而是追忆一种文化，那是精神力量的传承，是中华民族真正的血脉。

约宁夏作协主席郭文斌采访时，他正忙着为中央电视台百集大型纪录片《记住乡愁》做文字统筹工作，整日整夜埋在节目台本里，透过文字，触摸中国传统文化的根。他在《人民日报》发表札记说："许多台本，我都是流着热泪读完的，我甚至能够感觉到，祖先从远方伸过来的手掌，轻按在我的肩头，支持我，给我力量。"

所以当记者向他提出关于"寻找乡愁"的采访时，他欣然允诺。在此刻，他有太多话想说。

记　者："乡愁"已然成为当下最热门的流行词。春节临近，人们为回家的一张车票而费尽周折，心中记挂的，或许就是那一抹温情脉脉的乡愁。您心目中的"乡愁"是什么？

郭文斌：字面意思理解，乡愁就是思乡之情。过去我们提起乡愁，最典型的代表就是余光中那首《乡愁》。现在，习近平总书记丰富了乡愁的内涵：2013 年 12 月，总书记在中央城镇化工作会议中指出，"要让居民望得见山、看得见水、记得住乡愁"。

这段时间我参与了中央电视台大型纪录片《记住乡愁》的文字统筹工作，对"乡愁"的理解更加深入了。这部纪录片把镜头对准了中国最传统的一百个村落，以记忆中的乡愁为情感基础，拍摄村落里的祠堂家谱、古老学校的校训，拍摄"忠孝勤俭廉仁义礼智信"，讲述中华传统美德在民间的千百年传承。我认为，现在我们讲"乡愁"，就是要寻找传统文化的基因，就是要唤醒中国人的根意识。

记　者：现在也有这样一群人，他们似乎没有乡愁，一心向往外面的世界，特别是一些在"北上广"等大城市打拼的年轻人，一些"80后"和"90后"，逢年过节不愿回乡，宁愿利用春节假期去外面旅游。他们为什么没有乡愁？或者对他们而言，是"乡愁"无处安放吗？

郭文斌：这个问题你是在替时代发问。不要说这一时代的年轻人没有乡愁，就连我们这一代人也差点儿就感受不到乡愁了。当下的中国，城镇化的脚步轰隆作响，这是历史的必然。城镇化改变了乡土中国的地理结构。随着城市版图不断扩张，乡村的景象日渐凋敝，尤其是大批移民，房子常常换，到处漂泊，在地理上找不到自己的故乡。没有故乡，何来乡愁？

人一旦没了故乡的概念，没了归属感，一切病相就要来了。漂泊带来恐惧，恐惧带来贪婪、嫉妒和仇恨，于是各种社会问题层出不穷。

从文化上讲，今天的传统文化存在断代的危险，许多现代人找不到自己的"精神家园"。就拿过年来说，过去我们老家是全村人一起过年，吃过第二道年夜饭，大家就穿着棉衣，打着灯笼，拿着香表和炮仗，到庙里抢头香。站在山头，看到四面八方的灯火齐往庙里涌，晃晃荡荡的，你的心里就会涌起莫名的感动。到了庙里，娃娃们放炮，成年人则凑在庙墙下欣赏各村人敬奉的春联。什么"古寺无灯明月照，山刹不锁白云封""志在春秋功在汉，心同日月义同天""保一社风调雨顺，佑八方四季平安"，等等。等到子夜，阴阳交接的时刻来临，大家一齐点燃手里的香表，祭拜祖宗神灵，祈福感恩。这一系列"过年"的仪式，庄严、神圣，让人们感到吉祥如意。

现在城里的孩子们很多都没经历过这种过年的仪式，别说全村人一起过年了，城市人在高楼大厦住了一辈子，可能连对门邻居叫什么都不知道。人情冷漠了，年味儿就淡了。

特别是这些年，大家过年都看春晚，把一次全家人、全族人集中起来举行仪式、交流感情、集体感恩的时间给浪费了。我把春晚叫作"中国人在一年中最宝贵的一段时间的一次集体走神"。大家以为现在过年就是回家吃顿饺子和看看春晚，当然会觉得过年越来越没意思，还不如在外面旅游。连过年都索然无味，让人们何谈"乡愁"？我特别希望有哪一位智者，能够向国家有关部门建议，把春晚取消，或者延后，把人们从电视机前拉回来，回到应有的"年味儿"上，即使是陪陪父母，和家人打打牌、聊聊天，都好过闷头看电视。

记　者：所以说，我们现在寻找乡愁，就要从重新认识节日的内涵开始，让乡愁生出根？

郭文斌：是的。我们需要重塑传统文化，需要仪式感。所谓言为心声、行为心表，恢复传统节日之礼，就是在传承文化，就是在重塑人们的精神家园，让心灵回到故土。

现在我们谈节日文化，常常说"民俗"，是把它们当成娱乐节目了。这其实是本末倒置。时间和空间也是生命体，是有能量的。人在特定的时间点做特定的事情,有特别的意义。比如过年,家家户户祭祖、祈福、贴春联、互道祝福,传递的是吉祥如意,表现的是温良恭俭,通过仪式让中国人集体连根,形成凝聚力、向心力。如果人们只把传统节日当作放长假随便对待,那就凝聚不起精气神,自然也没什么幸福可言。

我常说,人要生活得幸福,就要寻找安详。怎么安详?需要一些仪式,一些载体,让灵魂找到归宿。这次参与《记住乡愁》的文字工作,通过记者的真实采访,我看到但凡兴旺的家族,都有家谱、祠堂、祖训,并且家族成员们都像守着生命一样守着这些家谱、祠堂、祖训。仁义礼智信,孝悌勤俭廉,在这些土地上,已经化为人们的思维方式、生活方式、工作方式。

我还发现,幸福原来也在五常十义里,甚至就在一餐一饮、一草一木里。这些让我感受到了中华民族传统文化的温度、美丽、优雅和强大生命力,让我更加热爱创造了她们的先祖,孕育了她们的祖国,传承并发展了她们的古圣先贤,让我对中华民族优秀传统文化更加自信,也更加感受到作为一个文化人身上的重大责任。

(载于《宁夏日报》2015.2.13)

皮是毛的文明

——就文明城市建设答友人王晓非

我们虽然不能把一个文学繁荣的城市就命名为文明城市，但是一个文学衰败的城市显然不能算是文明城市。百科词典对"文明"的定义为："人类所创造的财富总和。特指精神财富，如文学、艺术、教育、科学。文明涵盖了人与人、人与社会、人与自然之间的关系。它的主要作用，一是追求个人道德完善，二是维护公众利益、公共秩序。"

在这个精神财富的总和中，文学在首位。

汉语"文明"一词，最早出自《易经》，曰："见龙在田，天下文明。"孔颖达疏："天下文明者，阳气在田，始生万物，故天下有文章而光明也。"可见，文明是指：因为"文章"而"光明"。

也就是说，真正的"光明"是"文章"。

"天不生仲尼，万古如长夜。"朱子的这句话，讲的也是这个道理。

可见文明和文德辉耀有关。孔颖达有言："经天纬地曰文，照临四方曰明。"用什么经天纬地？文章。

也见文明和文治教化有关。前蜀杜光庭之"柔远俗以文明"论道尽了文明的功用。一个"柔"字，妙不可言。这让我想到了"水"。老子有言："天下莫柔弱于水，而攻坚强者莫之能胜，以其无以易之。弱之胜强，柔之胜刚，天下莫不知，莫能行。是以圣人云：'受国之垢，是谓社稷主；受国不祥，是为天下王。'正言若反。"在我看来，这个"攻坚强者莫之能胜"的"水"，就是文明。

非常赞成当代文明学奠基人张荣寰先生提出的人的人格及其生态的上升直接导致文明的出现的观点。他把人类幸福称为高级文明，其只能是人格社会的产物，是新人格和新生态和谐共进的结果。他指出，必须从人自身及其生态的上升与和谐入手，通过实现人类文艺复兴与人类共同体而迈向人类更高文明，并解决国家之间、民族之间、信仰之间、人类之间、人及其环境之间等发生的所有不幸。一句话，人格决定成败，也决定文明。

而文学的意义，正是为人格提供资粮和营养，为安详提供细节和入口，为幸福设计可能性。

对于当代人来说，最大的文明行为无疑是过"低碳生活"。皮之不存，毛将焉附？如果地球都不存在了，我们还奢谈什么文明？由此观之，一本《老子》、一本《庄子》无疑是再好不过的文明范本。由此观之，中国古人的生活方式，也许是最文明的生活方式。因为它们是低碳的，低碳的生活、低碳的心灵。

无论是对文学的重视，还是低碳的倡导，银川市都走在了前面，作为一个生活在这个城市的市民，我们真是要对所有诗意、低碳生活的呵护者和营造者深深致敬。

2010.9.28

文化、文学与城市影响力

韩美林　周国平　郭文斌

编者按：2014 年 1 月 19 日下午，作为银川市第七次文代会的组成部分，银川市委宣传部、银川市文学艺术界联合会主办了题为"文学、文化与城市影响力"的高端论坛，主讲嘉宾为著名艺术大师韩美林先生和著名学者、作家周国平先生，两位艺术家在 1 月 18 日被银川市政府授予银川市荣誉市民称号。论坛由银川市文联主席、《黄河文学》主编郭文斌主持。

两位艺术大家围绕文学、文化与城市影响力，环境保护与人类的出路，文学艺术与人的心灵出口，自然的环保和心灵的环保，生命和城市的世俗意义、精神意义、终极意义等相关话题进行了精彩演讲。

《黄河文学》根据录音摘选部分，与读者朋友分享。

郭文斌：两位老师是第几次来银川？

韩美林：我是第无数次。

周国平：第二次。

449

郭文斌：对银川的印象如何？

韩美林：那还用讲吗？都成为公民了。

郭文斌：谢谢。韩老师曾经讲过一句话，说是贺兰山岩画给了他启示，促使了他画风的转变，从而形成了他现在的画风。所以他一再地跟我们讲贺兰山是他的福地。不久后在贺兰山有一个以韩美林的名字命名的艺术馆将要落成，这是韩老师继北京、杭州之后的第三个艺术馆，到时候它将和贺兰山的自然风景一道成为银川市重要的人文景观。我们首先向韩老师为银川市投建这样一个艺术馆表达由衷的感谢。

韩美林：谈不上感谢。这是我感谢宁夏感谢银川而报恩的一个艺术形式。三十年前我到这儿来的时候，还是一片荒凉，那时候到了这儿来是为了考证古文字的；后来，二十多年前就正式来了；之后，认识了这里的领导和这里的同志们，以后就不断地来了。

来了有朋友没朋友？第一次给我的感触就是：哇，我感觉在艺术上我真是有着落了。因为我学的是洋画，三面五调三组空间，画石膏像、画人体、画写实的，没有接触过中国画。那时候高校没有中国画系，叫彩墨系，李苦禅当时就被打入了"冷宫"，当时中国画是很吃不开的。后来我们逐渐知道，从民族的尊严来讲，我们的艺术家，应该是强调个性，强调独立性，再强调民族性。没有这个民族，没有他的个性，他在世界上是站不住脚的。大家一律搞"甩甩点点"，都搞"铁片子一拧绳子一绕"，那么这个世界就毁了。所以我说艺术是不能国际化的，是不能全球化的，它必须强调个性，强调独立性。我到了这以后，看到这些岩画，开始研究这些文字的时候，才知道什么叫"书画同源"。

　　郭文斌：非常感谢。银川市讲要建设开放内涵式的银川，走开放内涵式的发展道路，像韩老师的艺术馆，确实对提高我们的知名度、美誉度和注入我们的文化内涵非常关键。周老师，您对银川的印象，给大家谈谈。

　　周国平：我是第二次来银川，美林老师三十年来多次来银川，跟银川的关系应该说是"老夫老妻"了，我跟银川的关系有点像是在"谈恋爱"。我第一次来银川是 2006 年，参加一个"黄河万里行"的活动，其中有一站是银川。我选择了银川站，其他站都没有去，因为我觉得银川是一个比较神秘的地方。两次来银川给我的印象都非常好。首先我是从一个充满着雾霾的地方——北京来的，银川没有雾霾，蓝天非常干净，同时我也很喜欢银川的人、宁夏的人，质朴且非常安静。我是一个非常喜欢安静的人，所以我想如果我在这样一个城市生活的话，应该是很适合我的。

　　郭文斌：周老师说他喜欢安静，让我想起有一次在银川市精神讨论中，关于宣传形象的讨论，我提议"美丽银川，安详生活"，只可惜投票的时候广大市民给我的票数不高，最后得票最多的是"碧水蓝天，明媚银川"。所以周老师观点跟我不谋而合，但是从"碧水蓝天，明媚银川"的角度，我觉得也有道理。刚才周老师讲了，在雾霾横行的今天，一个明媚的城市，一个存在碧水蓝天的城市，将是大家向往之地。

要想让我们这个城市永远保持碧水蓝天，两位老师有智慧给我们建议。我曾经看到韩老师跟李玉林、姜昆、郁钧剑三位政协委员提了一个政协提案："倡导全国人民过低碳生活，一周吃一天素就可以把地球的温度降下来"。看完这一份提案之后我非常感动，韩老师在环保方面，可以说是能用"勇士"称呼了。韩老师，您当时是出于一个什么样的考虑，来提这样一个提案的呢？

韩美林：其实这个问题非常好回答。现在的人跟从前不一样了，因为现在这个社会进步了，你要是在家里"躲进小楼成一统"的话，恐怕你都活不了了。为什么呢？因为出门就是现代科技，出门就是现代的生活、现代的社会、现代的人际关系，现代的人和自然的关系，它都变了。所以，你"躲进小楼成一统"是不可能了。

我认为现在的作家、艺术家都应该成为杂家。从前"杂家"是讽刺邓拓的，那时候大家叫他是杂家，还有点冷笑的意思，不务正业就叫杂家。可是现在来讲你必须得是个杂家，假如你不是个杂家，那么你在这个世界上要生存，尤其是要当艺术家，那你活不了。你不关心地球，不关心空气，不关心水，行吗？

上次梅香不是说了吗，我们这儿的水金贵到什么程度啊，送油都不送水，敬水不敬油，那么这个水将来以后是个恐慌。十几年前，阿拉伯国家的战争不是为了政治观念、体制这个矛盾那个矛盾，而是为了水。现在世界是七十多亿人口，这个人类还能维持三百年吗？

艺术家光梳个辫子，留着个胡子，皱着个眉头，露着个胸毛，挂着一些大圆球子，铁片子一拧，绳子一绕，啊，啪啦啪啦一甩，你能救得了这个世界吗？灵魂工程师能传达给我们后人、传达给我们孩子什么东西呢？你必须得懂这个世界，你必须得了解这个世界。我们人和人之间的关系也是这样的。这艺术家得懂历史啊，艺术家什么都得懂，作家就更得懂了。我讲了，我们不论是搞曲艺的、搞音乐的、搞舞蹈的，还是搞美术的，都得头顶音乐脚踩文学，文学是最细的，所以文学家最值得尊重。

比如你写一个卖豆腐脑儿的，你说出来的话来就得像卖豆腐脑儿的口气；你如果写书记，你说出话来以后一看就得是书记的口气。那如果你不了解，怎么写啊？所以文学是最细的，音乐是最抽象的。我认为现在的艺术家，包括在座的我们必须得成为杂家。

郭文斌：非常好。我在《韩美林语录》里面看到了一句话："动物不会说话，我们要替它们说话。"我还注意到您和濮存昕、冯骥才老师，先后提出"保护江豚，取缔活熊取胆"这样的政协提案，不仅为此流下了热泪，甚至激动得拍了桌子。那么韩老师，很多人可能很难体会您拍桌子、流眼泪时候的那个心情了，您能不能给大家讲一讲？

韩美林：我认为现在的艺术家，也不能光是"温良恭俭让"了，也得学会点"战斗"，因为现在这个环境迫使我们这样。政治斗争是斗争，是可以看得出来的，经济斗争也是这样，股票上去下去了，这都是看得出来的。可是文化斗争是看不出来的，在脑子里面。

现在都倡导大家爱护动物，说实在的，你真正同情熊了没有？当真正的送熊胆粉到你家的时候你恐怕得要接收了，因为这个东西真贵，是吧，轮到你自己，那就不是"马列主义"了。这个不行的。你刚才讲我掉着眼泪，为什么？梁从诚已经去世了，他为保护动物做了最大的努力，尽力了，到死也是这样。听说去看望这些熊，熊都认识他，看见他以后，别提多激动了。

我们清华大学的精英教授也是受了人家恩惠，在电视上说熊是不疼的。我说把你的胆钩出来，你试试疼不疼。你还是清华大学的，我也是清华大学的，我替你脸红，你这种教授真丢人。

你说你不了解，是因为你对动物没有那种爱，你不觉得它也是你在地球上的一个朋友，所以你肯定会无动于衷。假如你要是了解这些知识，它不会说话，你也会替它说一句话。

郭文斌：我很感动。韩老师有一个重要的方法论，叫换位思考。只要换一下，把我们想象成那个熊，我们就无须去讨论熊在抽胆的时候是否疼了。所以这个话题很沉重啊，但也很重要，这对各位文学家、艺术家来讲非常关键。

我在周老师的博客上看到，有一位博友这样给周老师发帖："周老师的文章包含着悲天悯人的情怀，可在一篇随笔中竟然喜滋滋地说吃了一只一百多年的山龟。那一只山龟长一百多年，以我看，很不容易，吃了可惜啊。我认为知识分子不仅要坐而论道，更重要的还要身体力行。周先生讲的生命哲理很深幽，浸润人心，又何妨行护生、惜生的善举哪。"

当时看到这里，我感到很紧张，我在想，博主到底该怎么办呢？谁想周老师竟然十分真诚地回复："您批评得对，我感到羞愧，那是 20 世纪 90 年代初在海南的事情了，那时我在保护动物和生态方面觉悟还很低，今后绝不再犯。"读到这里，我确实非常感动，周老师之所以在国内拥有巨量读者，正是源于这种真诚。周老师，您能不能从哲学的角度，给我们谈谈保护动物对人类的意义？

周国平：那个时候是 20 世纪 90 年代初，改革开放时间不长，还没有保护动物的这种观念，很愚昧。现在我再回过头来看当时的这种行为，真的感觉自己是个罪人，所以特别不好意思，你把我的前科翻出来了。从哲学的角度来看保护动物，我想大概有三个层面。

第一个层面是对自然的态度。人类往往把自己看作是自然的主人，要征服自然。这个观念由来已久，从文艺复兴开始，"知识就是力量，人类要征服自然"成了一个占主导地位的观念。这个观念在我们这个体制里面其实影响也是很深的，所以我觉得应该重新反思我们对自然的态度。

有一个德国哲学家叫海德格尔，他到晚年一直在思考这个问题，我觉得他思考得很深入。我们经常讲一句话："人诗意地栖居"，这句话实际上是海德格尔的一篇文章的标题。在更早的时候，是德国诗人荷尔德林诗歌里面的一句诗。海德格尔在那篇文章里面就讲了人对自然有两种不同的相反的态度。一种是诗意的态度，也可以说是艺术的态度，就是把人看成是地球上万物的平等的一员，地球上的一切存在都有它们的权利，都有它们的价值。所以刚才美林讲了艺术家应该是杂家，我想实际上所有的人对自然都应该抱有一种艺术的态度、一种诗意的态度，作为一个艺术家去对待自然。

还有一种相反的态度称之为技术的态度，就是说把自然的万物都看成是人的私有价值，来满足人的需要。在人眼中它们都是资源，都是能源，都是开发的对象。大河是水利资源，土地是房地产资源，矿山是矿产资源，人们完全看不到它们自身的存在价值。所以我觉得对地球我们应该有一个意识，那就是人不是地球的主人。人在地球存在的时间是很短暂的，我们仅仅是地球的客人，所以我们都应该做有教养的客人，善待地球上的万物。

第二个层面就是生命的层面。就是人类应该同情生命、敬畏生命。地球上的一切生命，尤其是动物是有一定意识的，也是我们的朋友，我们应该善待它们。

第三个层面就是人性的层面。就是说当人类在残暴地对待动物的时候，实际上也是在败坏自己的人性。一个残暴地对待动物的人，他的残暴绝不会只限于在对动物的态度上，他对人也会残暴的，最后就会人心败坏，天下大乱。

郭文斌：周老师讲得好啊，对这三个层面我确实更有同感。我现在有一种感觉，中华民族为什么要倡导孝道，为什么呢？因为一个不孝敬自己老人的人，要对别人好是不可能的；一个可以轻易地去结束一个动物生命的人，也可能会轻易地向朋友和其他人下毒手。所以这是一个自然而然的规律。我想将来韩老师不会再显得这么孤单了，因为您已经有一个重要的理论支持者和哲学支持者了。

看了韩老师的作品，我感觉除了给人以强烈的美学冲击外，更重要的是唤醒了人们的良知。看了他的《动物世界》以后，美国有一位猎人说："我从此要丢掉猎枪。"而日本真岗市授予他荣誉市民，更是希望通过他的"母与子"系列作品唤醒年轻人的公民意识。所以从这个意义上来讲，韩老师的作品不但给我们带来美学冲击，还给了我们许多的唤醒作用。

周老师，您从哲学的角度给大家讲一讲感官冲击和灵魂唤醒这两个之间的价值区别。

周国平：我觉得这个问题挺复杂的，所谓的灵魂唤醒，就是人对人生意义的一种觉悟。艺术感染是一个途径，来自生活中的一个冲击也会是一个途径，或者通过哲学思考获得重要的启示都可以作为不同的途径。每个人通过不同途径获得的启示都不一样，对人的个性和生活的际遇也是不一样的。

郭文斌：的确。2013 年 12 月 21 日，首个"韩美林日"在中国确立，这是美国纽约将 1980 年 10 月 1 日定为"韩美林日"的延续。在这个"韩美林日"上，您进行了面向文化的大规模捐赠活动，有许多人开玩笑说，"韩美林日"就是散钱日、布施日、奉献日。在这个日子里，韩老师确实向文化教育、文化基础给予了很大的支持。我注意到韩老师您曾经讲过说您不卖画不卖字，宁可送，也不卖。有一年有一个日本人，想用一千万人民币买您的罗汉柱，您表示宁可捐给祖国也不卖。您能给大家讲讲细节吗？

韩美林：我总讲，人不要忘本，还有就是我们艺人要善。

作为艺术家来讲的话，我认为自己更应该重视这些方面，这是我们中华民族的美德。

记得冯骥才上次展览会的时候，记者就问，你今天取得什么什么的……他讲，我跟美林两个之所以取得这么多的成绩，印证了我们两个背对着一个"商"字，不搞钱，但是我们又赚了钱。赚了钱一方面是交了税了，另一方面，我认为就是因为我们不忘本。

我们在陕西省横山县看秦腔，我们走进去，发现下面的人正在看戏。上面搭着个棚子，那个棚子的小布竿特别细，就那么横挂着布条子"横山县艺术剧团"。舞台是什么舞台呢？铺一层土，放一些香烟盒子，再铺一层土，放上高粱秆，再铺一层土还是高粱秆，还是香烟盒子，就铺一层在上面踩起来，高高低低在那演出，而那个唱"霸王"的唱得那个认真啊！

你看了以后有什么感觉？我今天早上讲，难道我们有了钱不会想到这些兄弟们吗？这些兄弟姐妹们还在这认真地演出，一天二十块钱，我们呢？某歌星下去，还是什么"形象大使"，到了贵州，我们带着钱建希望小学去了，结果那一拨儿人都跑到她跟前，所有的房子都被他们带的大队伍占了。有个画家，送钱建什么希望小学，但人家根本就没放在心上。他们的心里根本就没有希望小学，没有全部的孩子们，他们就只知道这个明星。

咱们是过来人了，我们就是来捐钱的，不是赚钱的。可

459

是那"形象大使"，说好了不要钱，结果第二天开幕了就是不去，不给钱不唱。

我们呢？多情却被无情恼，本来是修希望小学去了，结果没有希望就回来了。刚才讲的，唱秦腔的一天才收二十块钱，我后来给他一千块钱他给我下跪啊，我说你怎么给我下跪呢？我是延安文艺座谈会后来那样的艺术家培养的，我现在得感谢你们，我们现在是来向你们汲取营养的，我们到这儿来深入生活向你们学习，你怎么来感谢我们呢？我们应该感谢你们。我说我们的关系应该反过来！

像草根艺术家、草根的作家，我对你们非常敬佩，但你们上来之后，千万不要走这条路。所以在座的，想想你们的责任，你们的责任是帮助我们的政府，帮助艺术界，使我们人民在艺术上、在修养上有所升华，而不是混个一官半职。也千万不要忘记了那些没有富裕的、挣扎的朋友们，他们在那为我们的艺术、为我们的民族争取着那一点点的尊严。

郭文斌：非常受教。韩老师刚才讲我们是塑造人的灵魂的，如果我们的灵魂都不纯净，那怎么去塑造别人的灵魂呢？这句话我愿意作为我的座右铭。

2012 年的 6 月，音乐人梁和平受伤瘫痪，周国平老师在他的微博上发了个公告，说愿意把他和著名音乐人崔健合著的《自由风格》一书修订版的全部稿酬捐赠给梁和平先生。

这事得到了全国很多有识之士的响应，有一家出版社就以首付十五万元的形式，先给他预订了这部书稿。这一行为引来了广大网友的高度赞许。我想问一下周老师，您能不能给大家讲一讲，您在做完这一件事之后的感受或者过程中的感受？

周国平：我觉得这件事情和美林老师做的事相比太微不足道了。梁和平是中央音乐团的，崔健刚出道的时候他是崔健的键盘手、音乐总监。我也是通过他才认识崔健的，在音乐圈里他是一个特别有亲和力的人，而且非常活跃。我觉得好朋友突然遭遇车祸，严重的高截位瘫痪，必须要帮忙。我觉得做什么都是做人，做人是最重要的，尤其是当一个人成功的时候，这是对人的品质的最大检验。

韩美林：这跟教育有关系。我回头一看，咱们在座的都是"家属"，都是灵魂的工程师，我们对子女的教育，可不能"跟着走"。我的孩子就不行啊，我作为教训来说，我就是光画画了，光为了事业了，疏忽了对孩子的教育。我们现在千万不要疏忽了对孩子的教育，孩子不懂得什么叫耻辱，这怎么行呢？我们的孩子都是小皇帝、小公主，那不行啊！刚才国平讲的这个，我们艺术家、我们在座的、我们干这一行的，尤其是塑造人类灵魂的人，首先要做人，其次才是艺术。

我们教育孩子第一要做人，第二要学会生存的本领。你起码把自己养活了，千万不能做一个"啃老族"。第三才能讲贡献。必须有这个认识。人类不是无所不能的，要不人类就毁了。再过五十年，如果我们还是一味向这个世界索取，那么这个世界可要了命了。七十亿人口是个限度，将来五十年之后，这个地球还能负担吗？我们不学环境，不学地球上的水、木、山、河、石头、小动物、小植物、空气这些朋友，你不去关心它们，它们不会说话，那么我们这个地球、我们这个人类也还想存在吗？

教育产业化，一开始我就是反对的。我今年都七十八岁了，我不懂账，会计给我报表，我不懂。我家的小保姆只上了小学三年级，后来把她培养成会计，结果把我们赚来的血汗钱两千多万都吞进去了。我们对孩子的教育千万不能这样。

我们还要学点哲学，学点唯物主义，学点辩证法。唯物主义是什么？是实际、实事求是，学点真实的历史，要历史地辩证地看待问题，我们得学点这个东西，画家不能光画画啊。

我们在座的现在想想，我们是作家艺术家啊，能为这个几千年的文明古国说几句话吗？现在反贪反腐，我们就应该拥护党中央。所以我认为我们应该为这个国家，为我们祖国的尊严，实实在在地站起来，做一些努力。

郭文斌：很感动。韩老师从"至要莫如教子"讲教育孩子的重要，到最后讲到了"正"字精神，讲到了民族人的塑造。在这一点上，确实振聋发聩，非常精彩。周老师，在教子方面，您肯定有许多话要说。您的《宝贝，宝贝》一度号称是中国最高稿费的书籍。在这一本书里面，您以一个非常温情的角度讲了教子的历程。韩老师刚才讲，在教育孩子方面，我们要让孩子知道应该知道的品格，学到应该学到的本领，周老师能给大家讲讲您的心得吗？

周国平：首先纠正一下所谓的最高稿酬，完全是出版社、书商的一个炒作，当然这本书在我的书里算是稿费最高的，给了我一百万，当时说的是一千万。后来我问书商怎么能这样宣传呢？他们说把制作费、前期所有的成本费、宣传费都算进去了。我说算进去也没这么多啊！

这本书写的是我女儿从出生一直到她上小学的一个过程，主要是写她婴儿时期到幼儿时期。实际上我想表达的是人生最珍贵的幸福往往是很普通很平凡的。就比如说我们当父亲当母亲了，这个时候其实是人生最快乐的时候，我相信每个人都有这样的体会，我个人感受是非常强烈的。经常有人问我人家介绍我的时候都有很多身份，比如作家、诗人、散文家、学者、哲学家，我最看重哪一个，我说我什么都不看重，所有的身份全是偶然的，完全可能不是，我最看重的是父亲这个身份。这是人生莫大的盛事，要珍惜这些平凡的幸福，不要老到远处去找。实际上老天爷把最好的幸福给我们了，可是我们不知道。

另外最想表达的就是孩子的教育。其实孩子都很聪明的，我做的主要的事情就是保护孩子。孩子上幼儿园期间，家长教育孩子最重要的有两点，第一点就是真正地爱他。所谓的爱不是抽象的，不是给他准备很多物质的东西，为他将来准备一条辉煌的道路。物质的东西都是空的，孩子的命运掌握在他自己的手上，他的很多命运家长是没有办法预测的。素质好的话，面对命运的时候他可以有自己的态度，我们不要期望能管他的一辈子，不可能的。我们自己的一辈子都管不了，还匆匆忙忙的，还控制他的一辈子？爱孩子就是要给他一个好的精神环境，精神环境包括要花时间和孩子在一起，要陪他们玩，尤其现在的独生子女很寂寞，很孤独，一定要陪孩子玩。我孩子小的时候，我就是个大娃娃，整天跟她玩。对我自己来说，也是一个享受，因为现在这样的机会是不多的，以后想这样玩也玩不了，没这个机会了，这样能让孩子的童年快乐。

第二点就是自由，不要给孩子很多限制。我觉得道德上的教育是潜移默化的，不要去宣讲一些什么东西。父母的言行对孩子的影响才是最大的，那个熏陶是最有效的不教之教。

我比较反对现在学校对孩子进行的道德教育的方式，跟孩子们讲一些他们根本听不懂的话、一些意识形态的话，和他们的生活、他们的心灵没有任何关系的话，然后让他们照着去说这些话。我觉得孩子说一句自己不懂的话，实际上是在教他虚伪，这样一种方式本身就是一个很恶劣的道德环境。所以真要让我们的孩子成为中国的优秀公民的话，从一开始就要有一个正确的道德教育。

我认为教孩子最重要首先要教他善良、有同情心，善良就是最重要的道德品质、最基本的道德品质，一个人不善良的话就是虚伪。其次要教他要有做人的尊严，自尊而且要尊重他人。我认为做到这两点，就是有道德的。

郭文斌：非常精彩。

韩美林：我插一句。教育孩子我是一个失败者，我把从前的那个我，跟现在的孩子比，我发现我用了一种老的方式。我们家里没有人管我，我两岁时父亲就去世了，父亲死的时候，我弟弟才一个月，家里就两个寡妇，一个我妈妈，一个我奶奶，一个二十八岁守寡，一个二十九岁守寡，就是这么一个环境。为了大家活命糊口，奶奶和妈妈根本顾不上我们，我们上了一个穷人的小学。这所小学后来培养了很多的国家栋梁。一个旧社会的贫民小学，怎么能培养出大量的人才呢？六个年级，三个美术老师，三个音乐老师，我们的课外活动都有奖，我们这么小的小孩，就能看到做中国第一个无声武侠片的秦红云，也是赵丹、江青的老师给我们辅导画画。赵元任也到我们那去。我们这些小孩，都是穷孩子，能见这么多的艺术大家，是不是和学校培养有关系？

我初中就上了三个月，不到十三岁就参军了，那么小，站岗、送信、牵马、扫地、端菜，给司令员刷鞋。后来那个

465

司令员说，去当通讯员吧，你不是喜欢画画吗？我小学四年级演《爱的教育》，就是秦红云老师辅导我们的。后来到了话剧团，其实演话剧成了业余的了，我现在画画是主要的。谁培养的？是我们的美术老师。所以从这个角度看，和学校教育有关系。

有一个五岁的孩子，叫虎娃，见到我说："爷爷，你得给我签字。"我说："这么小还知道签字呢？""我妈说签字值钱。"这就是现在给孩子的概念，你让我们孩子的教育产业化，让我们的科学产业化，同志们，这是有罪的。所以我这些年一直在会上就敢干，就敢说，一直在战斗。

我们搞艺术的，逻辑思维真是不行的，你非得考数学，好多好多的艺术人才都毁在这个考试中。我是清华大学学术研究所副主任，我在会上就说了，我们清华大学从我这儿开始招博士生不考英语，已经实行三年了。科学家、艺术家该学英语学英语，不该学英语的可以选修，我没说反对，你为什么逼着我们孩子天天学英语，背点诗词不好吗？背点中药方子不行吗？

郭文斌："苟利国家生死以，岂因祸福避趋之"，韩老师为了教育能够实事求是，在请命，在呼吁，非常感动。

韩美林：呼吁到什么程度了呢，大家可能都不知道，以前主管教育的领导，中央开会过来握手，握到我这儿，我把手一放，我说我们没有缘分。勇敢一点，绝对不能辜负我们的民族，绝对不能辜负我们的人民。

郭文斌：说起教育，我倒是突然想到了"大篷车"精神可能对现代教育非常有用。1997年，韩老师创建了"艺术大篷车"，走过了七省二十多个市，沿路他撒钱给那些穷孩子、苦孩子，援建希望小学，一路为大地留下了感动、美丽和数不尽的传说。

刚才说到教育，我想这也是一种教育的形式。韩老师，能否给大家讲一讲"大篷车"？

韩美林："大篷车"其实从"四人帮"的时候我们就开始了，那时候不敢这么张狂。我们有三五个人下农村去，在农村做一些工艺啊、剪纸啊、农民画啊的一些东西，慢慢地形成了气候。"四人帮"被打倒了以后，我们一直坚持这个"大篷车"，到今年跑了差不多一万多公里了吧。我们还要走。"大篷车"已经出国了，去了阿拉伯去了非洲，今年还要去印度，去尼泊尔，今年的规划也挺大的。

为什么这么爱国？为什么这么爱民？我说和教育真是有关系。我的画最大的特点就是不重样，包括岩画，学了那么多岩画，不管受岩画影响也好，文字影响也好，受其他影响也好，没有重样的。跟我下基层有关系：跟老百姓同吃、同住、同劳动，同剪、同刻、同雕、同捏，同讲故事，同笑同哭。

之前说的那个县艺术剧团演的《霸王别姬》也是这样。我们在座的有学秦腔的有学其他戏剧的，是吧？一个地方一个特色，都有丰富的艺术形式、艺术创作、艺术曲调、艺术的处理让你学习啊。可是同志们，丢人呀，你看看"霸王"吃的那个黑饼子，那还是老乡给人家贴的。开始我们给他们钱的时候，大家都不知道西北风那么大，那个钱刮得到处都是。后来换成钢镚，孩子们就抢啊，撒得地下都是土。那些孩子光着腿连裤子都没有，不管男孩女孩，都往嘴里放啊，都是泥巴都是钢镚，我们能忘了他们吗？我们下去以后，学到好多好多真的东西。你不下去，没有"大篷车"你就得不到，而且得到以后就得到真的，所以，还是下去，下去你就是那个韩美林！

郭文斌：太精彩了。我才知道韩老师、周老师为什么这么年轻，纯粹是因为拥有一颗童心，真是这样。大家要向他们学，学他们的青春秘诀，下去再下去，这是我总结的，这是韩老师重要的艺术方法论。无独有偶，2005年应中央电视台《玄奘之路》栏目组的邀请，当时已年届花甲的周国平老师也踏上了探寻玄奘足迹的徒步之旅，大家注意，是徒步。当时条件很艰苦，从河西走廊一带出发，我想问一下周老师，这一次探寻之旅对您有什么影响呢？

周国平：我觉得没什么影响。那次徒步之旅是比较偶然的，他们需要一个学者跟着走，就选择了我，我也就去了，跟着他们走了四天。我走过更远的就是到南极。2000 年的时候我参加了第十七次南极科考队，在南极待了两个月。我很喜欢到原始的这种自然里面去，无论是南极还是戈壁滩，都是原始地带，看到的都是那种大自然原始的苍凉的面貌，和人类社会拉开了一个距离，这个时候其实就感到人在自然面前是很渺小的，会让人想很多问题。所以我在南极写的东西是最满意的，因为那时候心特别静。

　　我生活中这样的记录很少，大部分时间还是一个人在自己的房间里面看书写作，很难说我写作的灵感是从哪个基层里面汲取来的，好像不是这样。所以我觉得对生活可能有两种理解都是可以的。一种就是深入具体的生活里去，到基层去，到老百姓中间去。另外一种方式，我记得史铁生说过，难道我们平时日常生活中过的那些体验不是生活吗？也是生活。实际上同样一种生活，可能外部生活的样子是差不多的，但是内在的感受是完全不一样的，这种内在生活也是很重要的。我通过阅读和思考把内在的感受唤醒了，然后写出来，我发现写出来以后，很多人也有这样的感受，我认为这也是一种深入生活的方式。

　　这里面有性格的区别，有成长道路经历的区别，可能换一种方式对我来说反而不行了。就像你把韩老师关在房间里面不让他出去，让他过我这种生活也不行，他可能写出来的都是疯言疯语了，他就不会是比较平静的，他一定会很愤怒。所以说每个人都有自己的个性和条件，以自己的方式来体验生活，才能做最好的自己。

郭文斌：听两位老师讲话的时候我突然有一个感觉，就像周老师说的，幸福其实很简单，幸福其实就在这里，就在我们朴素的生活中。

韩美林：你不知足就没有幸福。

郭文斌：那关于知足，韩老师给大家讲一讲知足和幸福的关系。

韩美林：我有一次趴在桥上往下看，发现桥下有两个小姑娘在缝鞋垫，有说有笑，一分一分地凑钱，看着这俩姐妹真好玩。这就是生活，那么细腻。凑钱干吗？她俩想买一碗阳春面，阳春面才五分钱。两个人半天凑了五分钱，她去买了，买来后你喂她一口，她喂你一口。我说那就是幸福呀。

所以，不要认为住什么高楼房子是幸福，在那里面不一定幸福。

郭文斌：对。不知足就没有幸福，这是我今天下午又记住的一句语录。关于知足，中国人其实历来讲知足，但是现在我们又在鼓励人们不知足，所以在价值观上现在确实出现了错位。

关于幸福，周老师一直在讲系列讲座。关于提高人们的幸福指数，我刚才有一个感悟，读周老师书的时候，在进入他的文字的时候我很幸福。感觉周老师的文字把我们带向了一个非常宁静的心灵的港湾，就是说在他的文字里，我们找到了宁静。我有一种感觉，追求宁静，可能是人的本质诉求。刚才我在听韩老师唱歌的时候，尽管他在唱歌，但是我就在想，我的心为什么那么静呢？所以我刚好有一个问题，可能有的时候静和动本来就是一个概念，本来这个世界上就没有静和动，对于生命本体来讲，其本身就是安静的。

韩美林：学艺术就应该懂这个辩证法。其实静就是动，动就是静；深就是浅，浅就是深；高就是低，低就是高；暖的就是冷的，冷的就是暖的。很多人写草书、狂草，写狂草不是跟疯子一样，大家讲这个张旭，他蘸上墨就写。其实没有那么疯。我写了七十年，也写狂草，不是那么容易的。这里面有一句：要快得慢，匆匆不及草书。古代书法家就这样告诉我们。

比如画画。画风景吧，画冒着的白烟、白云彩，冬天都是冷色的，树是那个土黄色、咖啡色的，都掉着叶子，是铁锈的颜色。那白烟怎么画呢？白烟白色就调一点钴蓝，这个烟就特别的白。人有错觉的，要利用人的错觉。人干什么不一定准确，大自然跟你不是一回事。对事物深浅的认识，每个人都不一样。

郭文斌：韩老师的话我听到了另一重意思，特别是他刚才给我们的演示，我突然觉得我们追求的名啊利啊，原来是一个错觉，加一笔长的就变成短的，减一笔短的就变成长的，所以，我们还是追求那个永远不变的生命的本质吧。

周老师曾经讲过这样一句话："凡属于社会科学的学术，都应该是学者自己的信仰，如果不是信仰，就是造假。"这句话我有点不太懂，周老师您能不能给大家讲一讲这个话。

周国平：我不记得我讲过这句话。

郭文斌：这是我在您书里面看到的。

周国平：可能是我一个讲座里面的吧。

郭文斌：对。

周国平：原话我有些记不住了，但意思上是对的。我觉得现在学术界就有这个问题，很多学者仅仅把他的学术研究当成饭碗、谋生的手段，实际上对自己研究的东西没有真正的兴趣，更是和他的精神生活完全没有关系。我觉得作为社会科学学者、人文科学学者，他的学说研究应该是跟他的精神生活是一致的，因为社会科学、哲学，核心是一个价值观念，社会科学离开价值观念就不存在了。一个社会要追求一个什

472

么样的社会？什么是正义？人生什么是幸福？什么是道德？这里面全部是价值观念。价值观念实际上是人的精神追求，所以必须跟自己的精神追求一致。我觉得像这种脱离自己的精神生活、自己的灵魂的追求搞所谓学术研这种做法是不可取的，我不愿意这样做。我一定要把学术研究跟我的精神生活结合起来，比如说，学术研究上面我主要做的是遗产哲学翻译和研究，就是因为我在遗产哲学里发现了跟我的精神追求非常契合的东西，我才会去研究它。

郭文斌：就是周老师的事业和生活，追求和价值观达到了统一。了解韩老师的人都知道他是一个不倒翁似的铁人，也可以说是九死一生，经历非常坎坷。他的遭遇如果摊在别人身上，估计我们今天都见不到了，但是我们见到的韩老师依然青春，富有生命力。韩老师给大家讲讲？

韩美林：这个实际上就是做人。我做人有一个原则，即便吃尽了人间的苦头，我也绝不言苦。你看看我谈了一两个小时，讲过苦吗？不讲苦。其实这里面讲的就是做人。你人做不好的话，当艺术家是不够资格的，这是关键。在我看来，做人就一个字，正。我在书里面讲，我们不要左派也不要右派，我们要正派。

对一个艺术家而言，酸甜苦辣，都是你的。

郭文斌：什么是好朋友？韩老师给了我们一个标准。我们都愿意做您的朋友，而且是好朋友。

周老师在去年的十月不幸被一辆电动车撞了，颧骨移位被缝了十六针，可以说是死里逃生，但是他当时一点都没有犹豫，放走了那位肇事者。后来有许多博友在博客上谴责周老师，说他没有社会责任感。为什么呢？他应该让那位肇事者负相关责任，这件事情博友们争议非常大，我也在想，如果是我，我能像周老师那么超脱吗？周老师给我们讲一讲，您当时是出于怎样的想法放走了那个肇事者？

周国平：那次是半夜十二点多，我出差赶回北京，坐机场大巴到我们家附近的西单下车，我太太开着车在马路对面等我。天很黑，我眼睛也不好，过马路的时候，那辆电动车既没亮灯又闯红灯，我就被撞了。当时我就倒地了，然后什么也看不见，因为眼镜也被撞掉了。我看见旁边倒了一辆电动车，还有一个人影，我就跟他说："你给我把眼镜找到。"后来他就找到给我戴上，我才看清了是一个小伙子，二十多岁，一看就是一个农民工。我也发现自己被撞得满脸满手都是血，才知道很严重。但是我心里感觉这个人还是善良的，他没有跑掉，而且帮我把眼镜找到了，然后很紧张地说："怎么办？怎么办？"我说："等一会儿，我太太就在马路对面，你去喊她过来。"后来我太太过来以后我就让他走了。

当时我想得很简单，虽然不知道自己伤到什么程度，但是我想的是不管伤到什么程度，就算是有生命危险，我把他留在身边又有什么用，只有医生能帮我，他帮不了我，这是第一点。第二点，把他带在身边无非就是让他赔钱，负担医药费，但是我看他的样子我也不想。即使他不是农民工是百万富翁我也不想让他负担，我觉得没有意义，这点钱我付得起。我也是想保命所以不愿意耽误时间。我平时就有一个习惯，和人发生争执和纠纷的情况下，不管吃多大的亏，就是不愿意纠缠。这种时候是我的本能起了作用。我想起刚才美林老师说的，我知道他吃了很多苦，而他的心态这么好，我觉得一个人就是应该这样，心要善，心要宽，心善了宽了什么都能过得去。

郭文斌：在北京"韩美林日"那天，前来参加庆祝的曾经担任过美国世贸重建总规划师的丹尼尔·李博斯金讲，韩美林老师对文学艺术的贡献是世界的，跨越时空的。他的原话是："他帮助了世界艺术的标准，超越了未来，超越了整个世界。"这个评价很高。韩老师，他讲的您帮助了世界艺术的标准，主要指的是什么呢？

韩美林：我还不知道这篇文章。

郭文斌：对，这是他讲的。那您现在就凭您现在的直感给大家讲一讲世界艺术的标准。

韩美林：包括在座的，搞艺术的人他不光是自己的、民族的，他是世界的。艺术家是世界的。他虽然搞的是民族艺术，但民族的就是世界的。假如世界上没有印度，没有波斯，没有希腊古罗马文化，没有俄罗斯的艺术也没有中国的艺术，这个世界就没有趣了，这个世界都一样了，还有什么意思呢？所以我认为世界给艺术家留着呢，艺术家就是世界的。

郭文斌：周老师您怎么看世界艺术的标准？

周国平：我觉得一个真正的好艺术家确实是属于世界的，不管他表达的方式是什么，我最看重的就是在艺术里面要有个性。真正的个性实际上是为人类的精神找到一种独特的表达方式，所以共性的东西就是人类精神，真正有个性的，一定是属于全人类的。

郭文斌：周老师，您有一本书的名字叫《生命的品质》，非常著名。您认为，作为一座城市，它最重要的品质应该是什么呢？

周国平：这个好像很难理解。生命应该是健康的，我说的健康不是身体强健就是健康，生活方式也应该是健康的，不要那么复杂、病态的东西。我想作为城市来说，也应该是健康的，包括建筑、城市规划，让人感受到一种健康，我们现代太多的城市，病太多了，不健康。

郭文斌：是的。周老师，您还讲过一句话，我觉得很精彩。您说："这个世界上还有比成功和金钱更好的东西。"能给大家讲一讲，它是什么呢？

周国平：我说这句话可能是针对人的欲望这种价值观的。挣多少钱，有多大的权力、多大的官位，或者是有多大的名气，我觉得现代人最大的问题就是把这些外在的成功看得太重了，把金钱看得太重了。现代人生活得非常匆忙、浮躁，其实并不幸福。从幸福的角度来说，这种外在的成功和金钱是不可能让人幸福的。比这更重要的是什么呢？我一直认为幸福就是人身上最宝贵的那个东西在好的状态，人就会幸福。什么东西是最重要的呢？一个是生命，一个是精神。让这两个宝贵的东西处在一个好的状态，人就幸福。所以我就说过老天给了我们每个人一条命、一颗心，把这条命照看好，把这颗心安顿好，人就幸福了。那么怎么算安顿好呢？我们强调生命应该是单纯的，不要那么复杂，有了这两条人就幸福了。

韩美林：活在这个世界上，问心无愧就是最大的幸福。

郭文斌：这是一个很高的标准，俯仰无愧于天地。关于幸福，周老师研究得很深。在他的哲学人生讲座中，把人生的哲学归为三个层面：第一个是幸福问题，探讨的是人生的世俗意义；第二是道德和信仰问题，探讨的是人生的精神意义；第三个是生死问题，探讨的是人生的终极意义。突然有一天我有一个联想，如果用这三个层次来谈城市，周老师您有一些什么样的联想吗？

周国平：我觉得真要联系在一起的话有些牵强，因为我主要是针对人生哲学。根据我的理解，人生哲学主要探讨人生的意义、生命的意义。这个意义实际上是分成三个层次，所以人生的重大问题有三大问题。第一个就是人怎么样活？怎样活得快乐，活得让自己满意？这就是幸福问题。一个城市能够让老百姓、让市民安居乐业，就很幸福了。安居乐业是很重要的一点，让人平凡的生活能过好。第二个层次就是人生的精神问题，即道德问题。我对道德问题有一个很简单的看法，就是一个人要善良，有同情心；另外一个就是要有做人的尊严，灵魂要高贵，善良和高贵是两个最重要的道德品质。如果说一个城市的市民都是善良的，都是尊重自己和尊重他人的，那么可想而知这个城市的品位该有多高，秩序该有多好。生死问题，讲的是人生的终极问题，这是每个人最后都要面临的问题，想明白了这个问题以后，实际上就会快乐得多。有时候你越不去想这个问题，它就越是一个隐忧，一直在折磨你，甚至到最后让你精神崩溃。

郭文斌：对。我记得韩老师曾经说过这样一句话，他说，他最后要把一切交给国家，并称要以无产阶级的身份见无产阶级领袖。韩老师，您说过这句话吗？那是我在媒体报道中看到的。

韩美林：又听媒体的，不要听媒体的，好多发表的都是假话。这话我有说过？总的意思是什么我没听明白。

郭文斌：是说您最后要把您的一切交给国家。

韩美林：我死后埋在这个土里，什么都没有。我明白，财啊物啊都是身外之物，我不卖画，好东西都给国家留着呢。我生的时候是光的，死的时候也带不走，所以人要想开，千万不要为了钱上吊啦生气啦，想开一点，我为什么这样生活呢？就是因为我什么都没有放在心上。大家见到我，知道我韩美林受了很多的苦，没有逼着让我讲苦事，都是让我讲笑话。就是这样，人要乐，过去就过去了，千万不要放在心上。

郭文斌：刚才开始的时候，您让我拿了一套《银川书画院院展作品集》，您有什么话要跟大家讲讲？

韩美林：我们是弟兄，我得看弟兄们画得怎么样，写得怎么样，我得看看。

郭文斌：那我随后给您寄几套。

韩美林：一套就可以了。我希望我们书画界，包括我们其他文艺界的朋友，既然我是这儿的公民，咱们不讲荣誉公民，咱们大家都是一样的朋友，可以互相交流，欢迎同志们到我们那儿去参观交流。

郭文斌：好。下一次我们书协美协摄协的其他分册也出来了，那时候再让韩老师来检阅。

现在我想问周老师一个问题，您说科学不关心信仰，宗教直接给你一种信仰。哲学不同，它关心信仰，又不给你一种确定的信仰，永远走在通往信仰的路上，它永远在路上，永远不会在某个终点上停下来。我就在想，这是不是说哲学家永远不能"回家"呢？

周国平：可以这么说。哲学家永远在走向家乡和故乡的路上，平常我讲的是一种精神的故乡。我把哲学、宗教和科学做了一个比较，实际上哲学在所探讨的问题上和宗教是一样的，就是问世界的本质是什么，人生的意义是什么，这些都是灵魂要问的问题。科学是不问这些问题的，它是解决经验范围内的问题的，如这些现象、那些现象的原因是什么之类的，它不问这种终极问题。但是哲学解决这种问题的方式跟科学一样，是用理性、科学的方法来解决。宗教是用信仰、用启示来解决。实际上哲学是什么？灵魂在提问题，头脑在回答。灵魂是个疯子，它什么都要问，但是头脑是个呆子，它要按部就班，要讲逻辑。哲学的情况就是疯子在问，呆子在回答，结果可想而知，永远没有一个结果。哲学去解决那些不能解决的问题，不给你一个现成的答案，让你永远在思考过程中，恐怕就是哲学的用处吧。

郭文斌：周老师，您觉得哲学给您的生活，给您具体的生活带来什么好处？

周国平：我是从事哲学研究的，哲学很偶然地成了我的专业，但实际上我觉得就算没有成为我的专业的话，我也是离不开哲学的。我觉得哲学最大的好处是它好像给了我一种分身术，可以把自己分成两个人，一个人就是身体的我，还有一个更高的自我，也可以说是理性的自我，甚至灵魂的自我。这个自我会在上面看那个身体的自我，看着他在那里折腾，然后把他叫下来，开导他。实际上更高的自我和身体的自我经常会谈心，来想一些大问题，这就让自己不会那么纠结。如果光有身体的自我，人生是很可悲的，必须有一个更高的自我。哲学让这个更高的自我经常处在清醒的状态，这是它最大的好处。

郭文斌：很精彩。韩老师，您说，有一次在动手术的时候有那么一个刹那，您的脑海中浮现出了三百多个朋友的身影。这个情境具体是什么样的？给大家讲一讲吧。

韩美林：韩美林"死"了好几次，一次是十岁以前，家里人看不行了，在地下铺了个席子，待死了以后卷上就走了，没想到活过来了，那次得的是伤寒。后来参军，那个地方有狼，那个狼准备叼我头的时候，换岗的回来了，抓住一个枕头一扔，我又活过来了。还有一次，解放的时候，明明解放军写着"此处有地雷"，小孩不怕死，我就非要蹬一个试试，结果一蹬，多亏下雨下的，那个地雷湿了，没炸，我又活了。还有一次动手术，大夫把我的动脉给切了，切的动脉挨着心脏，这是一万个人里都活不到一个的，可三天昏迷以后我活过来了，其间，脑子里闪过好几百个朋友。几天后，黄苗子来看我，他是我的老师，看到黄苗子，我翻起来给他磕了个头，把他给吓坏了："韩美林你不想活了，你怎么还能给我磕头啊？"所以我说这里面，临死之前我想到的是朋友。

周国平：朋友是多么重要啊。

郭文斌：在那种情况下您还能翻起来给老师磕头，我才知道韩老师您为什么能成功，因为您的心中有师道尊严，这是真理。

韩美林：当时把那医生给吓坏了，你这不是手术才三四天，

怎么能马上翻过身！

郭文斌：这个细节可以让我们体味人生。韩老师和夫人周建萍老师的爱情恰恰就是在互相帮助中建立的，本来还想让他们给大家讲一讲，但是时间不够了。刚才我和周老师探讨了哲学家可能永远不能回家。我们都知道，通过黄河，西

水东归；通过文艺、文化，浪子回家。《黄河文学》正想在科学、宗教和哲学之间找一条中间道路，把无数的浪子带回家。无独有偶，两位尊敬的老师都是《黄河文学》的重要支持者，周国平老师还刚刚摘得了《黄河文学》的双年奖。机会难得，两位老师能不能给全国众多的《黄河文学》的读者说几句话？

韩美林：中华民族是一个有文化积淀并且文化积淀丰厚的民族，我们绝对不能以我们现在的一些对待文化的态度跟世界人民见面。美国也好，英国也好，出了金凯瑞也好，出了憨豆也好，他们这些国家，绝对没有把他们当成国家文化符号的。我们国家不是，一些表演者倒成为我们国家的文化符号了。这里不是反对他们，而是我觉得我们的导向出了问题，这个导向是绝对不能这样的。所以我们的导向，我们在座的有责任，国家的形象不能以这个为主。我们一定要保持民族的尊严，包括在座的你个人的尊严，绝对不能跟着瞎起哄。

郭文斌：听了韩老师的这一席话，我很有感触。我认为文化不应该是娱乐，文化不仅仅是文化产业，文化应该是一种引导力、改造力。它应该是把一个不孝敬的人变得孝敬，把一个不尊敬老师的学生变得尊敬老师，把一个不热爱环境的人变得热爱环境，把一个不爱国的人变得爱国，把一个心中没有爱的人变得有爱，就像周老师说的，更善良更有尊严更美更正，这才叫文化。

韩美林：文化产业的导向错误，就是让我们全体的文艺工作者犯错误。那么文化是什么？产业是什么？一个"文"字一个"商"字，我们必须把它弄明白，我们这个文化是为产业赚钱呢，还是通过产业赚了钱后发展我们的文化？这个应该认真地思考一下。

郭文斌：太对了。仁者以财发身，不仁者以身发财。周老师，您也给《黄河文学》说两句。

周国平：美林老师说的我特别赞成。现在我们中国成为一个经济大国已经是一个事实了，但是，要成为一个文化大国距离还比较遥远。文化的核心其实就是价值观，就是一个价值导向的问题。我们到底要树立什么？我认为应该是高品位的，这个核心就是要让中国人都朝文明的方向去走，一个是法制，一个是信仰，这两点最重要同时也是我们最弱的，如果这两点不解决的话，恐怕中国不会成为一个文化大国。我期待的文化大国就是在当代世界上、在现代世界上真正的文明大国。我们可以看到中国人的文明素质实际上是很令人沮丧的，尤其到国外旅游，在国外的一些中国人的表现是很让我们丢脸的，这种事情太多了。文化价值观的核心就是人的文明，所以人要变得文明起来。

对《黄河文学》，作为银川市的一个市民，我觉得我更有责任了。以后我写的文章，首先给《黄河文学》。作为读者来说，其实我是很少有时间去看杂志的，看也来不及，好多书等着我看，今后我会更关心《黄河文学》，以后每一期我都会翻一翻，我想我应该出点主意。《黄河文学》的定位是精神坚守，今天能够做到这一点的杂志太少了。所以如果《黄河文学》能真的做到这一点的话，我相信一定会在全国的文学刊物里面，有它的独特性，有它的价值。坚持下去吧。

郭文斌：非常感谢！《黄河文学》杂志的同仁们应该听到了周老师对我们的祝福和祝愿。在今天早晨的文代会开幕式上，"自我纯化"和"寻找不可代替性"让人印象深刻。那么，《黄河文学》的不可替代性是什么？银川文艺家的不可替代性是什么？贺兰山艺术馆的不可替代性是什么？这是我们应该探寻的。银川这一座城市的不可替代性是什么？这也是我们在座的文艺家需要思考和回答的。

今天两位老师用了近三个小时的时间，给我们讲了许多振聋发聩的哲理，特别是用他们知行合一的人生故事，给我们的生命打开了无数让我们窥视本质的窗户。从韩老师身上，我们悟到了一种"不倒翁"的精神、"大篷车"的精神、"正"字精神、公益精神，还有换位思考的韩美林方法论，就是下去、下去、再下去的韩美林方法论。所以，每一个文艺工作者都应该要有"大篷车"精神，要有做文艺志愿者的精神，到最基层的地方去，到最民间的地方去，到最苦的地方去，到最有泥土味的地方去，找到真理。

从周老师给我们的启示中，我们产生了这样的联想：他的超越性精神、哲学精神，包括真诚的精神，包括他对人生的世俗意义、精神意义和终极意义的叩问，带给我们的启示，我把它叫作周国平方法论。韩美林方法论也好，周国平方法论也好，他们无一例外地为每一个个体生命，提供了许多"回家"的钥匙和答案，无论是对个体生命、对银川市的城市发展，还是对中华民族伟大复兴的中国梦都具有重要的启迪意义。让我们用最热烈的掌声祝福两位老师，也祝福各位文艺家，祝福文艺，祝福伟大的祖国，幸福如贺兰之岿然，精神如长河之不息。

韩美林，著名艺术家。1936 年生于山东，1955 年考于中央美术学院。现任全国政协常委，中央文史馆馆员，中国美术家协会陶瓷艺术委员会主任，世界华人协会副会长，中国文化研究院荣誉院士，中国工艺美术学会书画委员会会长，中国和平统一促进会常务委员，中国作家协会创作研究部专业作家，清华大学教授、学术委员会副主任，中国艺术研究院研究生院博士生导师。

周国平，著名作家、学者、哲学家。1945 年生于上海，1967 年毕业于北京大学哲学系，1981 年毕业于中国社会科学院研究生院哲学系。现任中国社会科学院哲学研究所研究员。

保护黄河的人类学意义

孔见　郭文斌

郭文斌：主席好，我受《黄河文学》主编闻玉霞女士委托，主持这档《黄河文化十人谈》节目，开栏急，时间紧，特别感谢您支持我的工作，接受我的采访。看过您的大著《赤贫的精神》《我们的不幸谁来承担》，还有诗集《水的滋味》、评论集《韩少功评传》、小说集《河豚》等，特别欣赏您对几大文明的比较学研究。同时发现，您对水文化和文明的关系，有着独到的见解。更加有意思的是，您在天涯海角，面朝大海，我在塞上江南，依偎黄河，一南一北就黄河文化隔空对话，也算是一件趣事。

孔　见：呵呵，经你这么一说，还真是。天涯海角对话塞上江南，从地理上，有特别的象征意义。

郭文斌：对。首先，请您谈谈黄河和中华文明的关系。

孔　见：人类在地球上流浪了数百万乃至上千万年的时间，直至大约两万年前，才在亚洲一些大河的岸边定居下来，建立自己的家园和农耕文明。黄河流域堪称人类最早的故乡，是中华文明的发祥地。农耕文明是人类迄今为止持续时间最为悠久的文明，它最重要的资源就是淡水。可以说，黄河是中华民族的母乳。远古时代，被称为河的只有黄河，其他都只能称之为水。农耕文明的意义，除了结束人类漫长的流浪生涯，还建构了最富有诗情画意的生活与生产方式，这种方式让人的生活与天地运行的时序和万物生长的节奏同步，并因此产生了天人合一的哲学和田园牧歌式的优美诗篇。后来的工商时代和信息时代，固然效率甚高，但却在某种程度上破坏和疏离了天人关系，使之陷入危机之中。

郭文斌：您说黄河流域是人类最早的故乡，这些年我协助央视做大型纪录片《记住乡愁》，深有同感。350集节目做下来，我发现，五千年来，中华文明从黄河一路南移，客家人的足迹，一定意义上也是中华文明重心南移的足迹。因此，《记住乡愁》第一季、第二季符合节目形态的，多在南方，但深入挖掘，这些大家族的根，多在中原。

西晋末，晋元帝司马睿渡江，定都建康，也就是今天的南京，建立东晋；唐"安史之乱"后，中原士庶避乱南徙，定都江宁府，也就是今天的南京，建立南唐；北宋末，宋高宗渡江，以临安为行都，也就是今天的杭州，建立南宋。史界一般把这三次中原政权南迁和士族南徙，称为"衣冠南渡"。与"衣冠南渡"相应，还有"走江湖"一说，就是在唐宋以降，江西和湖南一带，成了哲学、文学中心。就拿唐代来说，位于江西的马祖禅师和位于湖南的石头禅师，影响极大，吸引了许多文人墨客和求师问道的人行走于两地之间。

孔　见：明朱棣定都北京后，文化开始北移。

郭文斌：对。黄河文明鼎盛期，大多定都中原。我特别认同您讲的黄河文明天人合一的特性，它是中华民族"中文化"的形象表达，其支撑是成熟的天文和历法。您刚才谈道，"人的生活与天地运行的时序和万物生长的节奏同步"，这是由中华民族成熟的天文和历法作为支撑的。我在《"星空端午"和"人格端午"》一文中曾经谈到过，不同于西方，大多节日和重要人物的纪念相关，中华传统节日多是大自然的节律，有着深厚的天文学背景，是天文在人文中的诗性对应，是天人合一思想的节庆化，是古人趋吉避凶的时空制度。比如端午节，就源自天象崇拜，由上古时代龙图腾祭祀演变而来。

不同于西方的阳历，我们的历法是夏历，也就是阴阳合历，它的好处是既重视太阳对人类的影响，也重视月亮对人类的影响，就更加全面，更加妥善。

孔　见：我们曾经废除过夏历，但老百姓不认同。

郭文斌：对。因此，农历就诞生了，农历就是在独阳无阴的情况下，夏历的民间化。如果没有了阴阳合历的历法依据，除了农业生产的准确性受到影响，生活的诗意也会减少大半，我们的许多传统节日就成了无根之木，比如因月亮周期诞生的节日，上元、中元、下元、中秋等。

孔　见：我在《文汇报》上看到你的文章，许多传统节日本身就是防疫设计。

郭文斌：对。在我看来，这次全球性的疫情，从另一个角度证明了由黄河文明衍生出来的中华文明的合法性。人类，需要重新回到敬畏自然、善待自然的生活方式中去。由此，我在想，保护黄河，一定有着深远的人类学意义。

孔　见：山清水秀多美人，穷山恶水出刁民。自然环境与人类心性之间，存在着隐秘的联系。人们在糟践自然生态的同时，也在某种程度上伤害了自身心性的美好。作为母亲河、民族血液的大动脉，黄河水量的丰沛和水质的洁净，对于流域中人们的身体相貌与精神容颜，有着不可低估的作用，它能够洗刷白居易笔下卖炭翁们的"满面尘土烟火色"。古人将河水澄澈作为世道清明的隐喻，并非没有道理。

郭文斌：您的这一角度，非常新颖。我在想，保护黄河，有地理层面上的价值，也有人文层面的价值，更有让人类永续的价值。当年，英国历史学家汤恩比讲，未来属于中国，挪威学者加尔通也有近似的论述。加尔通在 2005 年就预言，

490

美国模式将于2020年终结。那么，中国的未来在哪里？以"源远流长"的逻辑来讲，肯定在源头，也就是中华文明的人类合法性。由此，保护黄河，就像当年我们齐唱《保卫黄河》一样，是一种文明的再发现、再激活、再出发。

孔　见：我早注意到，你在很多年前就讲过这个观点了，人类需要寻找安详。

郭文斌：谢谢主席。但历史地看，黄河福荫了它的子孙，也给子孙带来许多麻烦。

孔　见：对。也就是新中国，才让黄河安详下来。

郭文斌：每次看到总书记注视母亲河的目光，我就特别感动，其中饱含着多少心愿啊。

孔　见：黄河宁，天下平。

郭文斌：对。我有个直觉，黄河改道和天文有关，您怎么看？

孔　见：黄河改道，应该是诸多因缘聚合的结果，天文可能是其中重要的因素，但泥沙的淤积到了某种程度，河床高处周围的地平面，自然就有决堤与改道的可能，至于改往何处，则有天时地利与人祸等方面的原因。

郭文斌：还给你准备了一个大问题，黄河形态和沿途人的生命状态的对应关系。

孔　见：一方土水养一方人，"人因五方之风、山川之气以生"（《说文系传通论》）。黄河水的品质流量及其两岸的环境变迁，无疑会影响到沿河地区人们生态与心态，只是这种对应关系难以测量与估算。

郭文斌："人因五方之风、山川之气以生"，古人把我们要说的话都说尽了。近年对"子在川上曰，逝者如斯夫"有许多新的疑问，想听听您的高见。

孔　见：任何事物都在世间流程之中，日夜不能停留。夫子的这种感叹，到底有几分抚今追昔的伤惜，有几分对大易周流的赞叹，恐怕只有彼时彼地的他心里才清楚。但夫子不是一个伤感之人，他曾经赞叹："天何言哉？四时行焉；百物生焉，天何言哉？"作为《易经》的整理与演绎者，他深明易道"鼓万物而不与圣人同忧"的义理，而"悔吝"在他看来是一种负面的心理。对于终生都在坚持生命修习的他，时间的意义更多是一种成就与积累。就像他自己所表述的那样，他生命的境界随着年龄的增长不断提升："吾十有五而志于学，三十而立，四十而不惑，五十而知天命，六十而耳顺，七十而从心所欲，不逾矩。"倘若一个人能在时间进程中不断增进自己生命的品质，使之趋于至善之境，他就不会因为"逝者如斯夫"而悲伤。

郭文斌：这倒是。非常有意思的是，在黄河文明轴线上，诞生了两位圣人，老子诞生在中原，孔子诞生在齐鲁大地。孔子感叹，逝者如斯夫，老子则赞叹，上善若水。对于"上善若水"，您怎么理解？

孔　见："水几于道"，水的特性接近于道。老子把水当成无形之道的一种形容与象征，是因为水具有与道相似的特性。道取义于"道路"，有通达的意思，即道通万物而为一。水也具有流通无碍的性状，它没有凝固成为某种特定的形体，可以随遇而化，应物无伤。由于没有我相的拘束与禁锢，水不被外物所拘束与禁锢，隐含着应变的无限可能。它可以是点点滴滴，也可以是潺潺涓涓；可以平明如镜，也可以是滚滚滔滔，还可以是汪洋恣肆。道性没有我相的执着与张扬，总是处于人们感官范围之外的幽玄之中，深邃而又能够涵容万物，即所谓"善利万物而不争"。

郭文斌：《道德经》中有多处对水的赞美，您抓住了它的关键，"善利万物而不争"，无论是居善地、心善渊、与善仁、言善信，还是政善治、事善能、动善时，都是在讲两个字——不争。可是，有人马上会说，如果不争，社会怎么发展？

孔　见：老子讲的不争，是无为前提下的有为。

郭文斌：是不是可以理解为"居善地、心善渊、与善仁、言善信、政善治、事善能、动善时"中的"善"？

孔　见：对。这个"善"，是妥善。如果因为争，环境污染了，就不妥善；如果因为争，战争爆发了，就不妥善。

郭文斌：老子说："名与身孰亲？身与货孰多？得与亡孰病？甚爱必大费，厚藏必多亡，故知足不辱，知止不殆，可以长久。"当年读不懂，最近特别有感触。

孔　见：能读懂这段话的人不多。

郭文斌：水不但不争，还能做到"处众人之所恶"。您刚才说老子讲的不争，是无为前提下的有为，是否可以理解为，正确的社会运行，应该像天体运行一样，动而有序？这种"原序"，是否可以理解为"人法地，地法天，天法道，道法自然"的"自然"？

孔　见：那个"自然"，理论上讲，只有"见到"，才可理解，不过你的比喻应该接近。

郭文斌：宇宙"本来的样子"，生命"本来的样子"，人的感官、思维、意识的确无法抵达，就像老子出关，常人无法理解一样。我一直在想，老子如此喜水，却没有沿河东下，而是西出，这其中，包含着怎样的玄机？

孔　见：好问题。黄河东去，老子西归。

郭文斌：也是一个太极？

孔　见：呵呵，还真是。

郭文斌：按您刚才讲的五行，西方为金，金生水，如此说来，老子归于"源头"了。

孔　见：是啊，就是这么神奇，太阳东出西落，黄河西出东流。

郭文斌：一天，在读《黄帝内经》的时候，突然意识到，"黄"，是中华文化的重要关联性，黄河、黄山、黄土、黄帝、黄皮肤，等等。想听听您的看法。

孔　见：黄色是一种温和的颜色，璀璨而不喧哗。在五行中，黄色是土的表征。土居于中央的位置，介乎南方之火与北方之水、东方之木与西方之金之间。中华民族的发祥地，处在酷热的赤道与严寒的极地之间，是一个中和之地。就人种肤色而言，黄种人也是介乎乌黑与赤白之间。从精神层面而言，中国人崇尚中庸之道，与温润如玉的君子之风，反对偏极一端，主张兼容并蓄，和而不同，赞叹大地厚德载物的情怀，文化的排异性甚少，是一个温和而有雅量的民族。

郭文斌：真好。如果从文学角度表达黄河，您有什么好建议？

孔　见：可能有很多的角度，但将河流与人的命运和时代的演进关联起来，相互激荡，赋予其象征意义加以演绎与咏叹，会有一个感人的效应。

郭文斌：您对宁夏，对宁夏文化有什么印象？

孔　见：很遗憾，本人仅到过银川，没有深入走动，但那次银川之行，让我感到这里地气十分清爽。西北金水之地，温差较大，后半夜人皆深睡如死的时刻，有甘露从九天垂降，滋润人的呼吸，对身体健康十分裨益。

郭文斌：这话宁夏人爱听。宁夏作为黄河的流经地之一，对黄河文化也有独特贡献，比如青铜峡鸽子山遗址考古揭示出一万年前古人类原始农业萌生，菜园文化遗址说明窑洞之祖很可能在宁夏，壁灯的发明者很可能在宁夏。当然，宁夏的引黄古灌区，作为黄河干流上首个世界灌溉工程遗产，其意义自不必说。

孔见，原名邢孔建，1960 年 12 月生于海南岛，曾先后担任《天涯》杂志社社长兼主编、海南省作家协会主席。

保护黄河的生命学意义

次仁罗布　郭文斌

郭文斌：次仁兄好，您的作品饱含难得的人间暖意，这种暖意，让人想到母亲，想到怀抱，想到乳汁，和中华文明的气质非常相应，也和黄河文明的气质非常相应。关于黄河和中华文明的关系，想听听仁兄的高见。

次仁罗布：黄河被我们称之为"母亲河"，她对于中华民族来讲，乳汁一般养育和壮大了这个族裔，是我们体内的钙和精神的魂。

人类最初的聚居安定和农业兴起都源自江河。历史上有过两河流域、尼罗河流域的古代文明，他们通过种植麦类结束了人类浪迹的历史，开始驻足安家，有了一种较为固定的社会模式，后来它的发展衍生出了城邦、阶级等。

同样，黄河也造就了中华文明。她源自我国青藏高原的巴颜喀拉山脉，流经青海、四川、甘肃、宁夏、内蒙古、陕西、山西及山东九个省（自治区），最后汇入渤海。她在浩荡的奔流过程中，从中段的黄土高原地区，夹带大量的泥沙，铺撒在千里平原上造就了肥沃的土地，哺育了周围诸多大小的部落。这些部族间的兼并融合造就了姬轩辕，使他成为古华夏民族的共主——黄帝，也为中华民族奠定了以种植农业文明为基石的中华文明。粟黍稷哺育了黄河流域的先祖们，也孕育出了后来天人合一的儒教思想，它表达的是一种对世俗人世的深切关怀，最终成为主导中华民族思想的理论体系。

郭文斌：它表达的是一种对世俗人世的深切关怀。为什么是"世俗人世"？

次仁罗布：我用"世俗"来强调人间。

郭文斌：明白了。

次仁罗布：对。这并不是说中华文明是一种单一性文明，还有从巴颜喀拉山脉发源的另一条水系，她流经金沙江，汇入四川，再奔流向东成为长江。这条江水又造就了中华民族的另一面，那就是柔顺和圆通，于是便有了善思辨的老庄思想。这一思想补充和丰富了黄河流域造就的儒教方正文化。两者的互补、交融，使得中华文明绵延无尽，历久弥新。

郭文斌：一源双流，正如天水，一画开天，"易有太极，是生两易，两易生四象，四象生八卦"。

次仁罗布：对。你从阴阳的角度讲，更符合中国人的思维习惯。

郭文斌：细看中华文明的演进史，儒道两种文化，正像两条河流。

次仁罗布：记得六年前，我去青海玉树，玉树文联安排我们到三江源头去。一座高耸的石碑傲立在苍茫的天地间，那上面的红色"三江源"几个字非常醒目。站立在雪山连绵环绕的天地间，毫无缘由地对脚下的这片土地充满了敬意和感恩，因她的无私奉献，中华民族才得以繁衍生息，她却从未向我们索要过任何东西，这种博大、无欲，才使她变得伟大而永恒。

碧蓝的天，缓缓飘浮的白云，远处银装素裹的山峰，碧绿如浪波的草原，它们让我又看到了另外一种中华文明的形态，那就是游牧文明。这种文明形态从青藏高原和蒙古草原如一股溪流奔腾而来，与更多的江水融汇，带着躁动汇入黄河，形成了中华文明的一个完整版图。

郭文斌：也形成中华文化的整体性。

次仁罗布：是。

郭文斌：在众多的文明阐释中，兄的见解别有新意，这种结构，一定会对人类走出现代性困境，提供很多启示。

次仁罗布：对。黄河从第三纪起已经流淌到了第四纪的更新世时期，中华民族的先辈也从狩猎跨越到农耕文明，再进入工业化，直至现代的信息社会，她目睹了这漫长的几千年里中华民族的历史进程。黄河不仅是这一切的记录者，更是这种文明变迁的守望者。

在她广袤的胸襟上遗留下了历史进程当中点点滴滴的痕迹，包括多民族的交汇交融、语言的发展变化、社会形态的更替改善、宗教信仰的衍变等，只有在黄河流域才能清晰地寻找到中华文明发展脉络的最可靠、最真实的依据。

郭文斌：兄这样说，让人觉得黄河是人格的。我有个直觉，黄河改道和天文有关，您怎么看？

次仁罗布：黄河在哺育中华各民族的同时，也给我们带来过洪患灾难，造成的伤害也是极其深重的。

我看到的一份资料上说，据历史文献记载，黄河下游决口泛滥达 1593 次，较大的改道有 26 次。这些改道诚如您感受的那样跟天文有关，比如雨水、水土流失、泥沙淤积等，同时也存在着人为的因素，如森林砍伐、人为筑坝、阻止被侵略等。我们只要仔细阅读黄河 6 次改道的相关文献，也就能清晰地知道其中的原因了。

郭文斌：古人说，境由心造，这是否意味着，人类的集体意识净化和提升，会反作用于大自然？

次仁罗布：你是说，近几十年，人类的集体意识提升了？

郭文斌：我是这么认为的。至少，在全球兴起的中华文化热，证明中华文化正在成为地球的暖流，"构建人类命运共同体"，这是多么符合天文的人文理念。

次仁罗布：对。这是天道，也是仁慈。我看了很多集央视纪录片《记住乡愁》，让人对中华文化充满敬意，正如郭兄在文章中所说，人类何以永续，这些节目中，都有答案。

郭文斌：多谢次仁兄对这档纪录片的肯定，进入剧组7年，我的感觉既像沿着黄河和长江而下，直通大海，有时又觉得是逆流而上，寻根问源。每一次选题会上，剧组的同志们都要讨论何为源，何为流，包括今年做的古城，像嘉兴，大家都在问，为什么红船从这里出发。就像南通爱国企业家张謇，探寻救国之路，从政治救国，到实业救国，再到教育救国，他的心路历程，也让我看到，他的心里，有一条黄河和长江。我也常常开玩笑，三位节目负责人，王峰、王海涛、周密，从峰，到海，到密，多么具有象征性。

次仁罗布：那郭文斌呢。我能体会，你为什么要放下创作，从事这档工程。它也是一条河流，古代无法用影像记录，今天，我们终于可以通过电视，来记录这条文明大河的前世今生，特别是它的生机了。

郭文斌：中国人一直在讲，鉴古知今。在做这档节目的时候，我仿佛能够看到，人类将要走向哪里，只能走向哪里，在我心里，它是一条河，也是一条路。

次仁罗布：我也注意到，郭兄十多年来一直用小课堂的形式在弘扬中华文化的时代价值，不少现代性人生困境，都在你那里得到解决，想必和《记住乡愁》是相得益彰的。

郭文斌：次仁兄懂我。几年前，我就把《记住乡愁》作为小课堂重点课程，每周播放一集，让大家学习、借鉴，然后讨论、分享，效果很好。这就是纪录片的价值，它可以作为论据使用，再加上它的故事化表达和审美表达，能给受众以公信力。老子讲："信不足焉，有不信焉。"一种文化要想对人有干预作用，信很重要。黄河文明的一个重要特点，就是信，这种信，是建立在农业文明的超稳定结构上的。稳定产生安全感，安全感产生幸福感。"子在川上曰，逝者如斯夫"，就有对变后面的那个不变的寻找。因此，我也常和制片人王海涛先生交流，这档节目，一定要在守正的基础上求变，守正是魂，求变是魄。就像黄河，它再改道，但主要方向不变。一档节目，如果能够给人类带来"安"的力量，给百姓带来"近"的亲切，给文明带来"通"的价值，它肯定会成为刚需。记住乡愁播出七年收视率不降，证明了这一点。

次仁罗布：赞同郭兄意见，这也适合文学创作。刚才你讲"逝者如斯夫，不舍昼夜"，让人想到，一位思想家站在岸堤上，望着奔腾流淌的江水发出的一声感叹，这句话在塑造中华民族性格中发挥了极其重要的作用。它并不仅仅是对江水远逝的一声喟叹，还是对所有生命的无常和易逝发出的一声哀叹。这句话道出的真谛是，在茫茫宇宙间只要是物质的东西，终将抵不过时间的销蚀，而要成齑粉化为虚空。

它给我们揭示了宇宙最本真的面目，继而让我们知道一切都会消散，会不断变化。我们要珍惜现有的一切，包括珍惜生命、珍视亲情、坚守内心的本真……

中华民族已经经历了五千多年，从夏商周开始，但历朝历代都已经在时间的长河里湮没，谁都无法抵御时间的侵蚀和腐化，唯有浩茫的空间永恒地存留。

郭文斌：多好的解读！兄的作品中，就充满了对生命的珍惜、对亲情的珍视、对本真的坚守。我常讲，只有以出世的心，才能做好入世的事，只有看破之后的智慧才是真智慧，只有放下之后的拿起才是真拿起。"子在川上曰，逝者如斯夫"，这是天地间最让人承受不起的一声珍重，一定意义上，和老子讲的"上善若水"是一体两面。

次仁罗布：对。这又是另一位伟大的人物说出的一句真理，也有永恒、不灭的意思在其中。小时候，常听父母讲，天空（宇宙）是不灭的，因为它无欲无求，做到施与，才使它变成了永恒。宇宙里的星球都会毁灭，因为它们是由元素构成的，是物质的东西，但浩渺无际的天空却因没有物质的元素，才使它不生不灭。老子的上善若水，也给我们开示了红尘中的一个真谛，那就是要像水一样去浸润万物，让它们茂密地生长，但永远不要向它们索要任何报酬，永远处在一个低处，做个尘世间的谦卑者。老子所言的水的这种境界，就跟我的父母讲的天，有异曲同工之妙，其中包括了施与和不索求，正因这种伟大的胸襟，它们才变得伟大而有力量。

郭文斌："天地所以能长且久者，以其不自生，故能长生。"这就是道。黄河一路向东，向人们演义的，正是这种辩证法。

次仁罗布：对。她的终点是大海。

郭文斌：一天，在读《黄帝内经》的时候，突然意识到"黄"是中华文化的重要关联性：黄河、黄山、黄土、黄帝、黄皮肤等，想听听兄的看法。

次仁罗布：黄帝是五帝之首，他对土地的挚爱及对这一色彩的推崇，引导后来的人们对这一色彩有种谜一样的热爱。换个视角看，黄河流域的先辈们能存活下来，繁衍生息，正得益于土地给予他们的食物，为了感恩，更为了敬畏，先辈们将对土地的这份深深情感，化成了与之颜色相同的黄色。这些可以从五行说里得到印证，也能通过建立的很多土地庙加以佐证。黄代表了土地，它是最初的一，也是最坚实的根。正因如此，我们对黄色有种崇敬之情，藏民族对黄色也是极其推崇的，都在说明黄色在中华各民族中普遍当成了至高至上的颜色。

郭文斌：我一直在琢磨"黄河"这个词，为什么就是黄河，现在看到的解释似乎都对，又似乎都没有说到核心。话说回来，如果从文学角度表达黄河，您有什么好建议？

次仁罗布：截至目前，中国文坛上还没有涌现出一部关于黄河的力作，这对所有写作者来讲是一个挑战，更是一个机遇。我们知道苏联有肖洛霍夫的《静静的顿河》，美国有马克·吐温讲述密西西比河的小说，但黄河作为中华民族的一个图腾、一个历史的记忆、一个文化和文明的活化石，在现在的文学作品里还没有得到充分展现。

黄河给了当下作者无尽的素材，从地域到文化、历史，其丰富性是无法言说的，就看我们能不能耐住寂寞，担当责任，用满腔的热爱去叙写。

还有，《黄河文学》杂志的办刊方向，三个倡导，本身就是黄河文明的延续。

郭文斌：读完兄的长篇小说《祭语风中》，觉得仁兄完全可以担此大任，兄站在世界屋脊看黄河，一定有不同的视野。

最后一个问题，您对宁夏，对宁夏文化有什么印象？

答：宁夏是我心向往的一个地方，可惜由于工作的原因只去过一次，而且时间特别短暂，但那次的行程却给了我很深刻的印象。广袤的原野、青绿的植被、多文化的交融，让我对宁夏充满敬佩与渴望。那里曾经有过中国历史上的第一支女性部队，那里的贺兰山下有巍峨的西夏陵，西夏皇室的人员甚至定居到了藏地昂仁……宁夏见证了中华多民族的交汇与交融，也是丝绸之路的一个最重要的节点。

宁夏是厚重的，宁夏又是璀璨的！

次仁罗布，西藏拉萨市人，1981年考入西藏大学藏文系，获藏文文学学士学位。现为中国作家协会全委会委员，西藏作家协会常务副主席，《西藏文学》主编，一级作家。西藏自治区学术带头人，中宣部文化名家暨"四个一批"人才，西藏民族大学驻校作家。

后 记

去年，应山东教育出版社邀请，到社里讲课，顺便参观了展陈室，很为他们的文化情怀感动，书架上品质上乘的《张炜文存》《秋雨合集》，还有许多工程性出版成果，让我眼前一亮，无论是设计，还是装帧，还是用纸，在国内都堪称一流，心想，如果自己的作品能够厕列其中，该是多么幸运的一件事情。没想到，半年之后，我的精选集出版事宜就摆上他们的议事日程。

接到社里的美意之后，心想，如何让这套精选集在中华书局版的基础上更进一步。在电脑上翻检，没有可补入的长篇，短篇也不多，诗就更少，倒是有不少对话和述评，特别是对话，一读，居然把自己给吸引住了。加之这些年研读经典，发现中国文化史，一定意义上，就是一部对话史，遂萌生了编一本对话集的想法，编定之后，很是满意，相信读者一定会喜欢。

第二本是《祝福》，主要是近些年我对央视大型纪录片《记住乡愁》的亲历性记录，还有一部分是重要时空节点的回应文章。

加上在中华书局出版的精选集基础上修订的书稿，一共八卷。

在把山东教育出版社设计的精选集封面发给同事闻玉霞看时，她说，如果再有一本《郭文斌研究》就好了。和单行本不同，精选集的发行，以研究和馆藏为主要方向。而为研究者提供方便，应该是其重要功能之一，如果能把评论家的声音汇集成书，配套发行，也是功德一桩。还有，不同于其他作家，郭文斌同志本身就是在争鸣声中走过来的，不少评论文章看起来，比作品本身都吸引人，有这么一本书，也会促进精选集的发行。

这真是一个好建议，可是，由谁来主编呢。我说。

她说，还是请李建军先生。她是说，2008 年，李建军先生为我主编了《郭文斌论》。

我说，这次再也不能劳烦李老师了，就你来吧。

她大概没有想到，担子居然落在她的肩上。为了减轻她的劳动量，我请这些年一直研究我的作品的江西师范大学王磊光博士协助她。

经过他们二人的努力，一部五十万字左右的书稿出现在我面前，让我好生感动。原来，有这么多的师友研究过我的作品，我居然都不知道。原来，有这么多的刊物在默默推举我，我居然都不知道。急切地走进这些文字，就像走进另一个世界，让人感叹"知"和"遇"的不可思议，茫茫人海，为什么就偏偏是他们，对你的文字发生兴趣。

高山流水，不过如此。

本来还有几部拟收入的书稿，但最后还是决定放弃了。我对出书比较苛刻，如果文字的精确度、节奏感、旋律感没有达到要求，就不愿意出版。还有，这次编选，和五年前给中华书局编选七卷本相比，精力明显不同，最后决定量力而行。加之，不少读者等着用书，让我无法慢条斯理。

读者诸君也许不会想到，和山东教育出版社的美丽缘分，缔结于二十多年前的一次演讲。那时，我的第一本书《空信封》上市，我带着它到宁夏彭阳县第二中学演讲，会场里，有一位叫张虎的同学，大学毕业后，居然到山东教育出版社工作。近年，不知他怎么找到我的电话，不舍不弃地联系。感动于他的诚意，我们约定在2019年西安书市见面。当他和副总编辑范增民先生出现在我面前时，一种没有来由的亲切感扑面而来。接下来，就有了后半年到社里讲课，就有了和总编辑孟旭虹女士的畅叙，就有了许多合作构想。

想想看，一套文集的出版缘分，居然在二十多年前就开始了，这是多么让人感动的一件事情。在社里讲课时，当张虎先生拿出那本黑皮绿叶的《空信封》时，一种来自岁月深处的感慨让我有种把什么交给他的冲动。不久，九卷拙著，一套光盘，就交给他了。接下来，我们就开始了热线期。

先是设计，我没想到，设计师王承利，他对文字的理解，

对美的理解，可以知音相称，还有这个团队的效率，也是我
合作过的出版社中最优秀的。在此，向所有为这套文集面世
付出心血的朋友们，致以崇高的敬意。

2020 年 7 月 19 日